À Jean-Baptiste,
un brillant X qui n'a rien d'inconnu
puisque le voilà de ma famille.
Avec toute mon affection.

FRANÇOISE BOURDIN

Françoise Bourdin a le goût des personnages hauts en couleur et de la musique des mots. Très jeune, Françoise Bourdin écrit des nouvelles ; son premier roman est publié chez Julliard avant même sa majorité. L'écriture est alors au cœur de sa vie. Son univers romanesque prend racine dans les histoires de famille, les secrets et les passions qui les traversent. Elle a publié une trentaine de romans chez Belfond depuis 1994 – dont quatre ont été portés à l'écran –, rassemblant à chaque parution davantage de lecteurs. Françoise Bourdin vit aujourd'hui dans une grande maison en Normandie.

Retrouvez toute l'actualité de Françoise Bourdin sur www.françoise-bourdin.com

LE TESTAMENT D'ARIANE

FRANÇOISE BOURDIN

LE TESTAMENT D'ARIANE

belfond

© 2011, Belfond, un département de place des éditeurs

ISBN : 978-2-266-22247-1

1

— Tout pour Anne, alors ?

— Oui, tout. Si je léguais une théière ou un chandelier aux autres, ils prendraient ça pour de l'humour
noir.

Avec un geste insouciant de la main, comme si elle
chassait un moucheron, Ariane Nogaro ébaucha un
sourire.

— Anne est une jeune femme remarquable,
affirma-t-elle. Je la préfère depuis toujours et, à mon
âge, on a le droit de se montrer sélectif dans ses affec
tions. On a fait le tri !

— Mais vous avez trois autres neveux et nièce, lui
rappela le notaire d'un ton patient.

— J'ai aussi un frère et une belle-sœur. Et alors ?
On ne choisit pas sa famille, vous savez bien. Hormis
Anne, ils sont tous sans intérêt pour moi.

Dans son visage émacié et ridé, ses grands yeux
clairs conservaient un reste d'éclat, elle le vérifiait
chaque matin dans son miroir. Elle en profita pour
toiser son notaire.

— Allons, ironisa-t-elle, ne prenez pas cet air contrarié, vous n'êtes pas concerné. Quand vous leur lirez mon testament, ce n'est pas à vous qu'ils s'en prendront. D'ailleurs, je crois qu'ils n'attendent rien, je ne leur ai jamais laissé à penser qu'ils hériteraient quoi que ce soit. Je suis la tante Ariane, la vieille toquée…

Elle se leva, fit quelques pas vers la fenêtre battue par la pluie. Durant une longue minute, elle observa les gouttes d'eau qui glissaient, se rejoignaient en rigoles et filaient le long des carreaux. Un vent fort rôdait autour de la bâtisse, faisant gémir les huisseries délabrées.

— Pierre, dit-elle sans se retourner, vous êtes mon ami, n'est-ce pas ? J'ai si souvent signé, dans votre étude, de ces petits papiers qui modifient le cours d'une existence ! Pour vous, mon parcours semble peut-être cohérent, mais ma famille n'y comprendra rien. Si besoin est, vous leur expliquerez que mon seul but était de retrouver le paradis perdu. Cette quête, évidemment vouée à l'échec, m'a tout de même fait tenir debout pendant plus d'un demi-siècle.

— Pourtant, fit-il remarquer, il s'agissait d'une cause perdue, vous venez de le dire.

— Perdue mais magnifique ! J'ai eu ma revanche, je suis revenue ici.

— Pour vivre dans vos souvenirs ?

— Si on veut. La fête était finie depuis longtemps, les lampions éteints et ma jeunesse enfuie, mais j'étais de nouveau chez moi. *Chez moi*. Ma terre, mes murs, mon identité, le petit morceau d'horizon qui m'appartient.

— Anne ressentira peut-être les choses différemment, risqua-t-il.

— Peu importe, je ne serai plus là pour le voir. Je ne pense pas qu'on se désespère à six pieds sous terre ou du haut du ciel.

Elle fit volte-face et regagna son fauteuil. Hormis le cercle de lumière diffusé par deux lampes aux abat-jour de guingois, le reste de la pièce était dans l'ombre.

— Je suis malade, annonça-t-elle sans aucune emphase. Et je vous prie de croire que je ne deviendrai jamais grabataire, je m'en suis fait la promesse. L'hôpital est mon cauchemar car les médecins sont des ânes, ils vous prolongent au-delà du raisonnable, souvent jusqu'à l'indécence. Toutefois, je ne veux pas non plus mourir ici, ce serait trop désagréable pour Anne au cas où… Vous voyez le dilemme, mon ami ?

Elle y réfléchit quelques instants, pesant le pour et le contre.

À une époque, on ne dissimulait pas la mort, on se recueillait devant elle, on veillait les corps. Maintenant, on les fait disparaître au plus vite, ou bien on les maquille pour leur donner « bonne mine ». La mort fait peur, on l'occulte, on l'escamote, quelle idiotie ! Nous redeviendrons poussière, c'est une de nos rares certitudes à tous.

— Ariane, murmura-t-il, vous en parlez trop. Faire votre testament vous a donné des idées noires.

— Au contraire, je suis soulagée d'avoir tout mis en ordre. Durant mes insomnies, je vais pouvoir imaginer Anne ici. Avec son caractère, et à condition qu'elle se prenne au jeu…

11

La grimace dubitative du notaire l'agaça mais elle décida de ne pas en tenir compte.

— Quand elle me rend visite, et au passage je rappelle qu'elle est la seule à trouver des moments pour sa vieille tante, elle est toujours délicieusement tonique. Jamais complaisante, elle me parle d'égale à égale comme si nous avions le même âge. Elle ne propose pas de faire mes courses, ne me conseille pas de me reposer, ne me demande pas si je prends bien mes médicaments, bref, toutes ces fadaises qu'on sert aux gens âgés. Elle se contente de bavarder à bâtons rompus, ensuite on mange les gâteaux qu'elle apporte chaque fois pour satisfaire ma gourmandise. Je la remercie en lui offrant deux doigts de porto qu'elle fait semblant d'apprécier, c'est son unique concession. Et puis…

Penchée en avant, elle agita son index devant le visage du notaire qui l'écoutait, sourire aux lèvres.

— Et puis elle aime mon chien !

Ils rirent ensemble, en vieux complices qu'ils étaient. Le chien en question était un molosse de cinquante kilos, doux et affectueux, mais qui effrayait tous les visiteurs.

— La première fois qu'elle l'a vu, elle ne s'est pas récriée comme mon abruti de frère : « Il va te mordre, ou au moins te faire tomber, ma parole, tu es folle ! » Non, Anne est d'une autre trempe, elle a trouvé l'animal très beau, très impressionnant, et elle a estimé que je serais en sécurité avec lui. D'après elle, c'est mieux qu'une alarme. En réalité, Goliath se montre surtout un très gentil compagnon malgré son incroyable voracité.

— Vous aimez Anne parce qu'elle aime les chiens ? s'étonna-t-il.

— C'est un bon point pour elle. Mais bien sûr, il y a des choses plus importantes. Elle a de la volonté, de la fantaisie, et une sacrée personnalité. Tout ce que les autres n'ont pas. Mon frère et sa femme ont fait des enfants aussi fades qu'eux !

— Vous êtes dure.

— Je n'ai plus beaucoup de temps pour des mensonges de courtoisie.

Il la considéra un instant avec une sorte d'admiration dont il n'arrivait pas à se défendre. Elle savait qu'il la trouvait extraordinaire, non pas parce qu'il devenait sénile mais parce qu'elle *était* extraordinaire. Son passé tumultueux en donnait la preuve, elle avait abattu tous les obstacles sur sa route sans aucun état d'âme, elle n'était pas Madame Tout-le-monde.

— Ariane, il faut que vous mesuriez les conséquences de votre décision. Ce genre de testament pourrait faire… exploser votre famille. Dans mon étude, j'ai vu des gens se déchirer pour moins que ça. Même lors de successions bien partagées, des jalousies éclatent au grand jour, des rancunes remontent à la surface, on dirait que dès qu'il est question d'argent il n'y a plus ni amour ni respect.

— Eh bien, c'est une manière de découvrir la vérité sur les sentiments qu'on se porte, non ?

Ignorant son cynisme, il poursuivit :

— Peut-être faites-vous à Anne un cadeau empoisonné. Elle n'aura pas forcément les mêmes… priorités que vous. L'opinion de son mari entrera en ligne de compte.

— Elle fera ce qu'elle voudra, trancha sèchement Ariane.

Un petit silence s'installa entre eux jusqu'à ce qu'elle chuchote :

— Vous entendez l'océan ?

Il prêta l'oreille, finit par hocher la tête.

— Ce soir, il semble bien agité.

— Lorsque j'étais enfant, j'adorais voir les gros rouleaux frangés d'écume se fracasser sur le sable. Mon père nous avait appris la prudence, on ne nageait pas ces jours-là, on se contentait de regarder. Désormais, j'en suis réduite à ça, mon âge et mon état de santé ne me permettent plus que de regarder, alors je m'en mets plein les yeux. Heureusement, j'arrive encore à me promener un peu, j'aperçois la plage de loin ou je me traîne jusqu'à la pinède. J'y rêve au bon temps des gemmeurs…

Elle prononçait toujours ce mot avec une infinie nostalgie. Si elle avait pu racheter la propriété familiale et une infime partie des bois, l'activité du gemmage était bel et bien finie. Depuis les années quatre-vingt, on ne récoltait plus aucune résine et toute la forêt de Gascogne avait essentiellement une vocation papetière. Quelle chimère avait-elle poursuivie en voulant se réapproprier l'endroit ? Si le pin, à l'époque surnommé « l'arbre d'or », avait enrichi son père, c'est qu'il possédait alors une grande surface de forêt. Mais une mauvaise gestion de son domaine, d'incessants conflits avec ses résiniers et des goûts assez dispendieux l'avaient totalement ruiné. Il avait vendu les terres, puis la maison, au moment où Ariane fêtait ses dix-huit ans. Ce dernier anniversaire avait été sinistre, dans des pièces à moitié vidées de leurs meubles. Ariane en conservait toujours, cinquante-cinq ans plus tard, un souvenir cuisant. Certains des invités s'étaient décommandés sous divers prétextes, le buffet s'était révélé médiocre, faute d'avoir pu faire appel au traiteur habituel, et ses camarades de l'école privée où elle avait effectué toute sa scolarité l'avaient regardée avec une compassion dédaigneuse. Dans le petit monde des propriétaires forestiers, on savait manifestement que la famille Nogaro était déchue, le père ayant fait *faillite*. Ah, que ce mot était donc accablant ! La bourgeoisie landaise des années cinquante rejetait sans pitié tout ce qui n'appartenait plus à son milieu. Ariane s'était sentie exclue, pitoyable, une impression odieuse pour une jeune fille élevée dans le luxe et l'insouciance. Ce soir-là, blottie au fond de son lit où elle ne trouvait pas le sommeil, elle s'était juré d'avoir sa revanche. Un serment réitéré devant le camion de déménagement. Le cœur serré, elle avait vu tout ce qui restait de l'ancienne vie des Nogaro s'entasser dans le semi-remorque tandis que son père jetait un dernier regard meurtri à la façade de leur maison. « Je reviendrai ! » avait-elle pensé avec une intensité qui lui avait fait monter les larmes aux yeux. Ce serment en forme de défi avait peu de chances de se réaliser, pourtant Ariane en avait fait le credo de toute son existence et était arrivée à ses fins.

— Lorsque mes parents se sont installés à Biarritz, mon abruti de frère s'est montré tout content ! Il n'avait que onze ans, il trouvait ça à son goût. L'animation de la ville l'a ébloui car il n'aimait pas l'isolement de notre ancienne maison. Et la villa étriquée où nous nous sommes entassés lui a plu, on aurait presque dit

15

qu'il était enfin dans son élément. Moi, je me sentais anéantie.

Jolie fille mais un peu garçon manqué à force de courir dans les pinèdes ou de se jeter dans l'océan, elle avait vite compris où était son intérêt, optant soudain pour une gracieuse féminité qui avait immanquablement attiré les regards… et les prétendants. Moins d'un an plus tard, elle s'était mariée avec un homme plus âgé qu'elle et nanti d'une jolie fortune. Le premier pas de sa revanche, qui serait suivi de bien d'autres.

— Ce n'était pas qu'une question d'argent, Pierre.

De nouveau, il eut une expression sceptique. Les trois mariages d'Ariane – deux fois divorcée, une fois veuve – l'avaient indiscutablement enrichie.

— Non, l'argent n'était que le moyen. Je poursuivais un objectif auquel je me suis accrochée bec et ongles. Le temps que je trace ma route, notre ancienne maison avait été plusieurs fois vendue et rachetée. Personne ne s'y plaisait, elle passait de main en main. Moi, je suivais ça de loin, j'attendais mon heure.

Elle avait commencé tôt à consulter Pierre Laborde, jeune notaire à Dax. Bien que n'ayant pas suivi d'études supérieures, elle possédait un sens inné des affaires, en tout cas des siennes.

— Quand j'ai enfin racheté la maison, mon frère a dit, avec l'originalité qu'on lui connaît : « Ma parole, tu es folle ! »

— N'accablez pas toujours Gauthier, protesta-t-il. Savoir se contenter de ce qu'on a est une vertu.

— Vraiment ?

Elle raillait encore mais la réflexion l'avait touchée. Pour sa part, jamais elle ne s'était sentie satisfaite, sauf le jour où elle avait enfin eu en main le trousseau de clefs de la bastide Nogaro. Étrangement, la propriété n'avait pas changé de nom. Manque d'imagination ou négligence des propriétaires successifs, cette appellation facile à retenir lui était restée.

— Gauthier a mené sa barque comme il l'entendait, admit-elle. Il a fondé sa famille, il a aimé son métier, aujourd'hui il coule une retraite paisible, tant mieux pour lui. Mais c'est moi qu'il accable à toujours me traiter de folle.

— Il n'a pas compris votre démarche.

— C'est simple, il ne comprend rien. Que je rachète la maison de notre enfance aurait pu lui sembler merveilleux, ou au moins amusant, or il n'a été que consterné. Quand je lui ai annoncé le prix que j'avais payé, savez-vous ce qu'il a dit ?

— « Ma parole, tu es… »

— Folle, oui. Il n'a jamais très bien su – ou voulu savoir – que j'avais de l'argent. Encore moins ce que j'en faisais. Comme je me suis toujours montrée économe, occupée que j'étais à réunir la somme nécessaire au rachat, peut-être en avait-il déduit que j'étais sans le sou. Ou alors, il me croyait avare !

Elle esquissa un sourire béat, se remémorant la joie guerrière qui s'était emparée d'elle le jour de la signature. Après le départ des vendeurs, Pierre avait sorti du champagne. Il était inquiet à l'idée qu'Ariane, son but étant atteint, ne sombre dans l'ennui ou la mélancolie. Elle avait beaucoup ri à cette idée. L'ennui ? Oh, grands dieux, non ! Reprendre possession des lieux allait l'occuper un moment. Solitaire dans l'âme, elle n'avait besoin de personne pour jouir de ce retour dans *sa* maison. Elle n'y avait d'ailleurs convié son frère qu'au bout d'un mois, une fois réinstallée dans sa chambre de jeune fille.

— Il a fait le tour des pièces en ouvrant de grands yeux, comme s'il n'avait jamais vécu là. Puis il a déclaré que cette « baraque » était une vraie « caserne ». J'ai essayé d'évoquer nos souvenirs d'enfance mais il avait presque tout oublié. Il n'éprouvait pas d'émotion, rien qu'une stupeur désolée. Quant à sa femme, n'en parlons pas, si je lui avais fait visiter le musée des horreurs, elle n'aurait pas eu d'autre grimace. Ensuite, mes neveux sont venus chacun leur tour, vaguement intrigués, un peu boudeurs, en tout cas nullement intéressés, et bien sûr Anne a été la seule à trouver ça extraordinaire. Alors, que voulez-vous, on récolte ce qu'on sème. Je ne me sens d'obligation envers personne.

Soudain fatiguée, elle lâcha un long soupir et se tassa dans son fauteuil.

— Je vais vous laisser, murmura Pierre. Avez-vous besoin de quelque chose ?

— Non, ricana-t-elle, j'ai très peu de besoins, c'est ce qui fait ma force !

Pourtant elle paraissait faible sous le triste éclairage, et il se demanda jusqu'à quel point elle était malade. Mais il ne pouvait pas l'interroger à ce sujet, leur intimité n'allait pas si loin. Après avoir soigneusement rangé les documents dans sa serviette, il prit congé en promettant de revenir bientôt. Une promesse qu'il était bien décidé à tenir car il éprouvait une tendresse particulière pour Ariane Nogaro.

Anne vérifia une dernière fois ses résultats, puis elle lança l'imprimante. Même en aimant les chiffres, elle avait assez travaillé pour aujourd'hui, elle n'en pouvait plus. Après avoir récupéré les feuilles dans le bac, elle les agrafa et les glissa dans le dossier de son client.

— Une bonne chose de faite, marmonna-t-elle.

Paul ne tarderait plus à rentrer, la journée s'achevait. Elle gagna la cuisine et jeta un coup d'œil machinal au-dehors. La lanterne qui éclairait le tout petit jardin s'était allumée automatiquement dès la nuit tombée, projetant un peu de lumière sur l'allée de gravier, les deux carrés de pelouse et la barrière blanche. En été, les rosiers plantés le long des murs donnaient des fleurs à profusion, mais en cette fin d'hiver ce n'étaient que des ronces nues. Bientôt, Paul les taillerait.

Sifflotant gaiement, Anne commença à faire fondre du beurre dans une casserole, décidée à confectionner un soufflé au fromage accompagné d'une salade aux noix. Elle cuisinait de façon simple et sans y penser, laissant à Paul le plaisir de concocter des recettes plus élaborées. Il s'y mettait avec enthousiasme le week-end, capable de passer deux heures à préparer un plat. La dégustation se révélait parfois décevante sans jamais le décourager.

L'idée fit sourire Anne. La ténacité de Paul était l'une de ses qualités ; lorsqu'il voulait quelque chose il s'attelait à la tâche et ne se laissait pas distraire de son but. Il l'avait prouvé en poursuivant Anne depuis l'adolescence. Au premier regard elle lui avait plu, mais elle n'avait que quinze ans et lui dix-huit, un véritable fossé les séparait à cet âge-là. Elle venait d'entrer en seconde au lycée alors qu'il était déjà en terminale et leurs chances de se rencontrer auraient été presque nulles si Paul n'avait pas été le meilleur ami d'un des frères d'Anne. Le rapprochement étant facilité, les week-ends occupés à essayer de tenir sur une planche de surf ou à jouer au tennis s'étaient multipliés. Les familles se connaissaient, les jeunes organisaient des barbecues ou des soirées sur la plage, et parmi toute une bande de joyeux copains Anne et Paul se voyaient souvent. Cependant, il avait déjà fait son choix de carrière, il voulait à tout prix devenir vétérinaire et il avait dû partir à Bordeaux pour effectuer ses deux années de préparation au concours. Il revenait pendant les vacances et essayait de ne pas perdre Anne de vue. Tandis qu'elle passait son bac, il avait été admis à l'école vétérinaire de Toulouse pour un cursus qui allait durer cinq ans. Durant cette période, leurs existences avaient fatalement pris des directions différentes. Anne était allée à Pau effectuer une formation de comptable, attirée par les chiffres et la gestion. Chacun avait fait des rencontres de son côté, ils ne s'étaient plus croisés que de loin en loin. Mais grâce au frère d'Anne dont il était resté l'ami, Paul savait ce qu'elle devenait, et il pensait toujours à elle. Au moment où il avait obtenu son diplôme, Anne venait de rompre avec son petit copain du moment et Paul avait sauté sur l'occasion, consacrant un été entier à la conquérir pour de bon. En septembre, ils s'étaient déclarés fiancés et s'étaient mariés au printemps suivant. Anne avait vingt-deux ans, Paul vingt-cinq, leur fils Léo était né un an plus tard.

Tandis qu'Anne pouponnait, Paul avait créé sa clinique vétérinaire avec l'un de ses anciens condisciples de Toulouse et s'était rapidement constitué une large clientèle. En choisissant pour s'implanter la toute petite ville de Castets, qui comptait à peine deux mille habitants, il avait fait le pari réussi de drainer toute la région alentour, composée de villages éloignés les uns des autres. Avant son installation, il fallait descendre à Dax ou à Soustons pour consulter un vétérinaire, et son arrivée avait soulagé de nombreux habitants. Les gens l'appréciaient pour son empathie, son calme en toutes circonstances, sa compétence indiscutable en matière d'animaux de compagnie. Et il pratiquait des tarifs raisonnables car jamais il n'avait oublié l'une des phrases du serment de Bourgelat – équivalent pour les vétérinaires au serment d'Hippocrate pour les médecins – prononcé le jour de son doctorat : « La fortune consiste moins dans le bien que l'on a que dans celui que l'on peut faire. »

Pour conserver une activité sans délaisser son bébé, Anne avait repris son métier de comptable à la maison. Elle limitait ses visites aux petites entreprises dont elle s'occupait et traitait l'essentiel des dossiers chez elle, sur son ordinateur. Cette obligation de rester rivée à un écran lui avait ouvert des horizons. Naviguant d'un site à l'autre, elle pouvait suivre de près l'évolution de la fiscalité et perfectionner ses connaissances en droit.

Leur couple fonctionnait avec un minimum de heurts, chacun faisant les concessions nécessaires à l'autre, et au fil du temps leur amour n'avait pas faibli. Chaque soir, le bonheur de se retrouver demeurait quasiment intact, le désir était toujours là, la complicité aussi. Mariés depuis treize ans, ils s'estimaient heureux.

Des phares balayèrent la fenêtre de la cuisine et, deux minutes plus tard, Paul fit son entrée. Il vint d'abord l'embrasser, jeta un coup d'œil dans le four pour voir ce qui cuisait puis se débarrassa de son blouson.

— Quel temps affreux ! s'exclama-t-il. Odeur de chien mouillé, traces de pattes boueuses, la salle d'attente était dans un état ce soir… Je te sers un verre ?

Il venait de prendre une bouteille de tursan, un vin blanc sec des Landes. Tandis qu'il ôtait le bouchon, elle l'enveloppa d'un regard attendri. Ses cheveux, très bruns, avaient été ébouriffés par le vent, et malgré la fatigue de cette fin de journée son regard sombre pétillait parce qu'il souriait. Grand et maigre, il avait une silhouette un peu dégingandée mais qui conservait quelque chose de juvénile. Il vint trinquer avec elle et proposa d'assaisonner la salade.

— Non, protesta-t-elle, tu mets trop de vinaigre. Léo a téléphoné tout à l'heure, il paraît que nous serons ravis par ses notes.

Leur fils, qui avait tenu à aller en pension pour rester avec son meilleur copain, appelait presque chaque soir, à la fois heureux d'être là-bas et nostalgique de la maison.

— « Ravis » ? répéta Paul avec une grimace dubitative. Il faudrait qu'il ait fait de sacrés progrès !

— Il en fait chaque mois, ne sois pas injuste.

S'approchant d'elle, il la prit par les épaules et l'embrassa dans le cou.

— Tu sens bon, j'adore ton parfum.

— Ariane aussi a téléphoné. Je passerai la voir demain, il y a trop longtemps que je n'y suis pas allée.

— Ah, la tante Ariane… Curieux personnage, hein ? Il faudra que je vaccine Goliath ces jours-ci, j'ai vu passer son nom dans la liste des rappels.

— Pourquoi la trouves-tu si étrange ? Elle est juste atypique.

— Comme tu dis ! Mettons qu'elle ne ressemble à personne, et au fond, ce serait plutôt une qualité.

Paul appréciait le caractère fantaisiste de sa femme, et il mettait Ariane Nogaro dans le même camp, celui des originaux. Il regarda Anne enfiler d'épaisses maniques pour sortir le soufflé du four.

— Si Léo était là, fit-il remarquer, il n'en laisserait pas une miette.

— Je crois qu'il mange assez bien dans sa pension. Les menus sont variés et il ne se plaint de rien.

Il la dévisagea pour s'assurer que sa réflexion ne contenait aucun sous-entendu. Comme toutes les mères, le départ de son fils unique en pension avait dû l'attrister mais elle ne l'avait pas montré jusqu'ici. Pour sa part, Paul estimait que la pension était une excellente expérience, qu'on y travaillait mieux qu'en externat, qu'on s'y amusait et qu'on s'y faisait des amis pour la vie. Léo avait pris sa décision tout seul, ce qui avait évité une discussion familiale, mais son argument d'obtenir de meilleurs résultats n'avait pas trompé Paul. En réalité, leur fils ne voulait pas quitter son copain Charles avec qui il avait fait toutes ses classes primaires.

— As-tu passé une bonne journée ? s'enquit-il tout en se lavant les mains.

— J'ai bouclé un dossier fastidieux qui traînait, je vais pouvoir m'attaquer au suivant, bien plus rigolo.

Il éclata de rire, toujours surpris qu'elle puisse s'amuser en alignant des sommes et des bilans. Il lui avait abandonné avec soulagement la gestion comptable de la clinique vétérinaire, tout comme elle gérait leurs affaires personnelles, déclarations d'impôts comprises. Qu'une femme si fantasque aime la rigueur des chiffres lui semblait contradictoire, mais Anne était bourrée de contradictions, ce qui en faisait quelqu'un d'imprévisible. Et il adorait ça ! Il se trouvait lui-même trop sérieux et aurait vite sombré dans de fastidieuses habitudes si Anne n'avait pas pimenté leur existence. Elle décidait d'improbables vacances sur un coup de tête, changeait soudain les meubles de place, achetait parfois un vêtement extravagant, oubliait l'heure en toute bonne foi. Mais elle n'était pas capricieuse pour autant, et sur tous les sujets importants savait se montrer réfléchie. Non seulement il était encore amoureux d'elle et ne l'avait jamais trompée depuis leur mariage, mais avec les années il s'était mis à éprouver une immense tendresse, assortie du besoin constant de la protéger, et lui vouait une infinie reconnaissance d'avoir réussi à construire ensemble. Enfin, il était toujours séduit par ses yeux verts mouchetés d'or, ses fossettes dès qu'elle souriait, ses petites mèches de cheveux blonds coupés court, son corps aux rondeurs bien placées et si attirantes.

— La météo ne prévoit rien de bon pour demain, annonça-t-elle. L'hiver traîne en longueur cette année…

— Tu as envie de vacances au soleil ?

Leur petite maison était payée, ils pouvaient s'offrir une escapade de temps en temps. Elle lui adressa un sourire radieux et il comprit qu'il avait fait mouche.

— Je vais y réfléchir ! dit-elle gaiement.

Elle était capable de leur dénicher une cabane en haut d'un arbre, d'organiser un stage de canoë dans les torrents ou de louer une roulotte en Irlande. D'avance, il approuvait.

***

Ariane déposa la gamelle de Goliath sur le carrelage de la cuisine et se redressa en grimaçant. Vieillir lui était égal mais toutes les misères de l'âge l'exaspéraient. Incapable de rester debout, elle alla s'asseoir pour regarder son chien manger. Une belle bête, vraiment, grâce à laquelle elle ne se sentait pas seule. Bien mieux qu'une dame de compagnie qui aurait bavardé à tort et à travers, l'aurait poursuivie avec un châle ou une tasse de thé. Beurk ! Ariane n'aimait que le café corsé et amer, dont elle s'octroyait au moins trois tasses par jour. Se priver de plaisir pour gagner, peut-être, un peu de temps supplémentaire ne l'intéressait pas.

Autour d'elle, l'immense cuisine aurait bien eu besoin d'un coup de peinture. En revanche, les grands placards de bois ciré défiaient les générations, ils étaient déjà là lorsqu'elle était enfant. Pour la millième fois, elle savoura le bonheur d'être chez elle. Elle ne se lassait pas d'avoir retrouvé cette maison qui lui avait été en quelque sorte confisquée par le destin. Eh bien, elle avait contrarié le destin et redressé la barre !

Sans cesser de dévorer ses croquettes, Goliath se mit à battre de la queue. Puis il leva la tête une seconde, émit un jappement ridicule pour un chien de sa taille, et replongea la truffe dans sa gamelle. Ariane se tourna vers la porte vitrée et découvrit la silhouette d'Anne qui attendait patiemment. Depuis combien de temps était-elle là, à regarder le chien sans vouloir le déranger ?

— Viens, le glouton a fini ! cria-t-elle.

L'entrée d'Anne fut accompagnée d'une grande bouffée d'air froid qui fit frissonner Ariane.

— Comment vas-tu, ma jolie ? Tiens, tu m'as apporté des gâteaux…

— Si j'arrivais les mains vides, tu ne me donnerais rien à boire, riposta Anne du tac au tac.

Ariane lui sourit malgré ses douleurs et ses mains glacées.

— Remets donc une bûche dans le poêle, on gèle.

Anne commença par caresser la tête de Goliath avant de ramasser la gamelle vide qu'elle rinça dans l'évier. Ensuite, elle ajouta deux petites bûches au feu qui ronronnait dans le Godin, puis ouvrit un placard pour prendre des assiettes à dessert et des verres. Elle les déposa directement sur la table, ayant sans doute compris que sa tante souhaitait rester dans cette pièce. À chaque visite, le cadre pouvait être différent, les deux femmes naviguant à travers la bastide au gré des heures ou des saisons.

— Goliath veut sortir, je lui ouvre.

— Arrête avec cette porte, ou bien nous n'aurons jamais chaud.

Anne rit tout en mettant le chien dehors.

— Paul viendra le vacciner la semaine prochaine, prévint-elle.

— Je lui souhaite bien du plaisir, Goliath déteste les piqûres ! Est-ce qu'il va bien ? Paul, je veux dire.

— Il a beaucoup de travail, mais tu le connais, il aime ça. Quant à Léo, il nous a promis un bon carnet de notes.

— Alors, la vie est belle ?

— Pas mal du tout, à part ce foutu temps.

— Et toi, tu en as, du travail ?

— Assez à mon goût.

— Garde toujours ton job, ma jolie, c'est l'indépendance assurée. Quand je pense que je n'ai jamais eu de métier, j'ai honte.

Cette fois, Anne éclata d'un rire en cascade, spontané et communicatif.

— Tu en voulais un ?

— Ce n'était malheureusement pas la bonne solution pour moi. Trouver un trésor ou faire ce qu'on appelait un beau mariage était ma seule alternative pour m'enrichir et récupérer ma bastide. Aucun travail ne m'aurait autant rapporté que ce statut d'épouse, crois-moi ! D'ailleurs, à mon époque, être une femme au foyer n'avait rien d'inhabituel ou de répréhensible, personne n'aurait eu l'idée de te demander ce que tu faisais dans la vie. À partir du moment où tu avais un mari, tu étais censée t'occuper de ton intérieur et du bien-être du monsieur. Je m'en suis chargée très consciencieusement. Le premier m'a adorée et beaucoup gâtée, le deuxième assez vite détestée mais ça lui a coûté cher, et le troisième n'a pas fait long feu, dommage, il était charmant. Résultat : tout ça mis bout à bout s'est révélé bien plus lucratif que cent ans de labeur acharné. Alors, non, pas de métier pour moi.

Elle tendit la main vers un baba au rhum qu'elle déposa au bord de son assiette.

— Mais si j'avais dû gagner ma vie, reprit-elle avec entrain, je crois que j'aurais bien aimé être un gemmeur, tout simplement. Remarque, c'était sans doute un travail très dur et assez mal payé, sauf qu'il n'y avait pas de chômage et pas de pin sans sève !

— Pourquoi a-t-on cessé de la récolter ?

— Ouverture brutale du marché français à la concurrence étrangère. Le Portugal, l'Espagne, la Grèce… Il y a eu une baisse générale des cours. En conséquence, on a voulu activer le gemmage avec de l'acide sulfurique. Moins de piques à faire, donc moins de résiniers à payer, mais une qualité moindre. La baisse des cours s'est accentuée, les salaires ont stagné, les tensions entre propriétaires et gemmeurs sont devenues ingérables. Après, tout le système s'est écroulé.

Elle s'interrompit, soudain perdue dans ses pensées. À l'époque de la ruine de son père, elle n'y avait pas compris grand-chose. Plus tard, tandis qu'elle attendait son heure pour récupérer sa bastide, elle s'était intéressée de près à l'histoire de la résine. Une histoire qui se superposait à celle de toutes ces générations de Nogaro dont elle était issue.

— Quand j'étais jeune, reprit-elle, les campagnes de gemmage commençaient dès le mois de mars et on se mettait tous à vivre dehors. Je voyais les résiniers préparer les pins en les pelant, en les cramponnant, puis ils installaient leurs petits pots en terre. Quinze jours après, ils réalisaient les carres avec leurs hapchots.

— C'est quoi ?

— Une sorte de hachette pour faire l'entaille. En fait, on blesse l'arbre pour qu'il envoie de la résine afin de cicatriser sa blessure.

— Plutôt cruel, lâcha Anne en fronçant les sourcils.

— Je te parle de pins, chérie, pas de lapins.

— Les végétaux sont vivants.

— Les minéraux aussi, si tu vas par là.

Elles échangèrent un sourire et prirent le temps de savourer un premier gâteau.

— Dans les Landes, finit par enchaîner Ariane, les nouvelles piques se succédaient tous les quatre jours, en agrandissant l'entaille par le haut. Les petits copeaux qui tombaient à cette occasion étaient d'ailleurs formidables pour allumer les flambées, j'en ramassais de pleins paniers. Ah, j'adorais traîner au milieu de toute cette activité ! Les femmes des résiniers vidaient les pots dans des barriques, il y avait toujours du monde dans la forêt qui résonnait d'appels. Moi, je remorquais mon petit frère par la main et, parfois, on nous offrait un morceau de picachou.

— Un truc qui se mange ?

— Le sandwich du résinier ! Une espèce d'omelette aux piments frits dans du pain. Je n'en ai plus jamais goûté depuis, mais j'ai encore cette saveur sur la langue. Si seulement je pouvais revenir en arrière, remonter le temps…

Elle haussa les épaules, choisit un éclair au café.

— Et tes parents vous laissaient arpenter les bois sans surveillance ? voulut savoir Anne.

— Évidemment. Autres temps, autres mœurs. On ne craignait rien, il n'y avait ni satyre ni échappé d'asile. Les gemmeurs travaillaient presque toujours en couple, avec l'épouse ou la mère, et on trouvait quasiment une femme derrière chaque pin. Qu'aurait-il pu nous arriver ?

— Vous étiez aussi les enfants du patron.

— C'est vrai. Mais on n'y pensait pas, Gauthier et moi.

Elle redevint songeuse, la fourchette en l'air. Que son frère ne se souvienne de rien ou presque lui semblait incroyable. Dieu, qu'ils étaient dissemblables !

— Ton père ne te parle jamais de son enfance, n'est-ce pas ?

— Si, il a mille choses à raconter sur Biarritz. Il a adoré cette période, il s'est plu à l'école, il dit que c'est là que sa vocation d'enseignant est née.

— Tiens donc…

Au moment où Gauthier entreprenait des études pour devenir instituteur, Ariane habitait depuis des années avec son premier mari à Bordeaux, où ils menaient grand train. Elle songeait rarement à son frère, et qu'il veuille apprendre à lire aux enfants lui avait fait hausser les épaules. Bon, elle n'était ni charitable ni tolérante, elle en avait bien conscience. La preuve, elle ne demandait jamais à Anne comment allaient ses parents, sa sœur et ses frères. Elle ne se souciait, éventuellement, que de Paul et de Léo.

— Ces gâteaux proviennent de ta boulangerie habituelle ?

— Non, elle était fermée, j'en ai trouvé une autre.

— Pas mal du tout. Tu pourras y retourner !

Anne hocha la tête puis se leva pour aller ouvrir à Goliath. Tandis qu'elle le gratouillait derrière les oreilles, Ariane resservit un doigt de porto dans leurs verres minuscules mais très travaillés.

— Les jours où tu viens, je ne dîne pas, dit-elle en attaquant son éclair.

— Et la soirée n'est pas trop longue ?

— Non, je lis, je regarde un peu la télé, je fais des mots croisés. Avant de monter me coucher, je réchauffe parfois une de ces soupes toutes prêtes qui ne sont pas si mauvaises, et Goliath va faire son tour pendant ce temps-là. Mais il ne reste jamais longtemps dehors, je crois qu'il aime bien être avec moi.

— Il dort sur ton lit ?

— En principe, sur le tapis. Sauf quand j'ai froid et que je lui dis de venir faire la bouillotte.

De nouveau, Anne éclata de son rire spontané, si communicatif.

— Ton père dirait que je suis folle, je sais.

— Il se demande seulement comment tu te débrouilles, toute seule ici.

— Dans ce qu'il appelle la « caserne » ? Mais c'est mon paradis sur terre ! Est-ce que cette maison te paraît effrayante ou inhospitalière ?

Sa question n'étant pas anodine, elle écouta la réponse avec beaucoup d'attention.

— Pas du tout. Je suppose que c'était merveilleux pour toi de grandir ici. Les pièces sont vastes, les plafonds hauts, les escaliers larges, et il y a des fenêtres partout : de quoi jouer à la princesse le jour de son premier bal ! Et puis, une maison cachée dans la forêt, qui apparaît soudain au milieu d'une clairière, c'est magique. Quand j'arrive chez toi et que je dépasse les derniers arbres du chemin, je suis toujours frappée par la sobriété de l'architecture, son côté paisible et imposant. On a envie d'entrer se mettre à l'abri.

— À l'abri de quoi ? s'étonna Ariane.

— Des grondements de l'océan au loin, d'éventuelles tempêtes sur la forêt. À l'abri du vent et des bêtes qui rôdent. À l'abri du temps qui passe, peut-être.

— Eh bien, en voilà un romantisme échevelé !

— Je me laisse emporter, d'accord. Mais en fait, on pourrait tourner un film ici, le décor est planté pour une belle histoire.

Ariane médita un moment ce que venait de dire Anne. Un jugement très positif dans l'ensemble. Très ! Sa nièce appréciait l'endroit, lui trouvait du charme, ne jugeait pas impensable qu'on l'habite.

— Bien sûr, remarqua-t-elle en prenant l'air détaché, c'est moins intime que ta petite maison.

— Comme tu dis ! Paul et moi on l'adore, même si on manque un peu d'espace. Mais quand nous avons fait construire, nous étions déjà endettés pour la clinique vétérinaire, alors on s'est modérés. En revanche, l'isolation est parfaite ; par mesure d'économie Paul avait devancé la prise de conscience écologique. Et puis, j'ai moins de ménage à faire !

Elle le disait avec insouciance, avec son habituelle façon de s'accommoder des choses de la vie. De toute façon, elle avait été élevée dans les appartements de fonction de son père, parfois bien étriqués. Avant qu'il ne soit nommé directeur de son école primaire, les logements s'étaient succédé.

Perplexe, Ariane scruta sa nièce. Ce brave Pierre Laborde n'avait-il pas raison en arguant que le cadeau serait peut-être empoisonné ? Néanmoins, Ariane n'avait pas d'autre choix. Elle n'allait pas laisser ses biens à l'État, ni à une quelconque association qui en ferait Dieu seul savait quoi. Et décidément, personne d'autre dans la famille ne méritait d'être légataire, ou bien la bastide Nogaro serait vendue le jour même ! Au moins, Anne se poserait la question, elle caresserait le rêve un instant, c'était déjà ça.

— Si nous faisions une petite crapette avant que tu ne partes ?

— J'allais te le proposer, tu me dois une revanche.

Anne poussa les assiettes et alla chercher le tapis de cartes et deux jeux. Elle se mouvait avec aisance dans la maison, ayant appris à en connaître les recoins au fil de ses visites. Faisait-elle simplement son devoir en venant ici – mais au moins, elle le faisait, pas les autres –, ou y trouvait-elle un quelconque plaisir ? Elle semblait être la seule à s'intéresser à l'histoire de la famille, interrogeant volontiers Ariane sur le passé, sur ses grands-parents qu'elle n'avait pas connus, sur l'époque prospère des « arbres d'or » qui avaient fait vivre ses ancêtres. Elle feuilletait les albums photos, posait des questions, s'émerveillait. Ravie de sa curiosité, Ariane lui avait dit un jour qu'elle avait raison de se pencher sur ses origines car, quand on ne sait pas d'où on vient, on a peu de chances de savoir où on va !

— Tu me rappelles Jean Seberg dans *À bout de souffle*, constata-t-elle. Tes cheveux courts, ton adorable petit profil…

— Elle était plus mince que moi ! s'esclaffa Anne.

— Tu as vu ce film ?

— C'est un classique. De temps à autre, avec Paul, on loue des vieux films et on se fait une soirée cinémathèque. Certains ont terriblement vieilli, d'autres n'ont pas pris une ride.

— Ils en ont, de la chance… Crapette ! Tu n'as pas vu ce trèfle, tant pis pour toi.

Ariane se sentait très lasse, mais pour un empire elle ne l'aurait pas avoué à sa nièce. Après son départ, devrait-elle appeler un médecin ? Non, aucun remède n'ôterait de son cœur fatigué le poids des années. L'âge était là, et avec lui la satisfaction d'une vie plutôt bien remplie.

« Tu n'es qu'une égoïste », songea-t-elle tristement, tout en continuant à retourner des cartes.

✲✲

Trois jours plus tard, il faisait toujours le même temps froid et pluvieux, l'hiver n'en finissait pas de s'attarder, alors que le climat des Landes s'adoucissait généralement en février.

Paul venait de garer sa voiture au plus près de la bastide et, après avoir empoigné sa sacoche, il gagna l'abri de l'auvent en deux enjambées pour éviter de se faire tremper. Plutôt qu'utiliser le jeu de clefs que lui avait confié Anne, il frappa, afin d'avertir le chien qu'il ne tenait pas à surprendre. Bizarrement, il n'y eut aucun aboiement. Paul tendit l'oreille mais ne perçut que le bruit de l'averse et du vent qui secouait les arbres au-delà de la clairière. Il frappa une seconde fois un peu plus fort, sans résultat. Comme il avait plu tout l'après-midi, Ariane n'était sûrement pas partie se promener avec Goliath ! Paul savait qu'elle faisait parfois des courses le matin, conduisant elle-même sa vieille voiture jusqu'au village de Lit-et-Mixe, poussant rarement jusqu'à Mimizan, mais le plus souvent elle se faisait livrer. Un de ses seuls contacts avec le monde extérieur car elle sortait peu et ne recevait pas. Pour Anne et Paul, il lui était arrivé de faire une exception, les conviant à d'étranges dîners où elle ouvrait un grand cru à l'étiquette couverte de toiles d'araignées, éclairait sa salle à manger à la bougie, servait un médiocre repas froid dans une somptueuse vaisselle dépareillée. Paul en gardait des souvenirs mitigés, à la fois intrigué et attendri par cette tante farfelue.

Mais là, il était fatigué, après sa journée de travail il avait fait un long détour pour venir jusqu'à la bastide et il était sept heures du soir. Ariane pouvait-elle déjà être montée se coucher ? Non, Anne l'avait prévenue que Paul viendrait vacciner son chien aujourd'hui. Il s'agissait d'ailleurs d'une faveur puisqu'il n'effectuait aucune visite à domicile, mais bien sûr il trouvait normal d'épargner à une dame d'un âge avancé, pas très solide, ce genre d'expédition. Imaginer Goliath se tassant tant bien que mal sur la banquette arrière, Goliath effrayant tous les clients dans la salle d'attente, Goliath remorquant la tante Ariane comme un cerf-volant… Non, probablement pas, au fond ce chien lui obéissait assez bien et l'adorait, il se serait peut-être montré docile.

— Ariane ! C'est moi, Paul ! cria-t-il, les mains en porte-voix.

35

Puis il se mit à tambouriner sur le battant, sans aucun succès. Vu l'épaisseur des murs de la bastide, elle ne devait pas entendre, et pour peu qu'elle ait mis la télé trop fort, le chien non plus. Avec un soupir exaspéré, il se résigna à retourner chercher les clefs qu'il avait laissées dans sa boîte à gants. La pluie, diluvienne, s'abattit sur lui, et une violente bourrasque faillit lui arracher des mains la portière.

— Putain de temps ! maugréa-t-il.

De retour sous le porche, il s'escrima un moment sur la serrure, gêné par l'obscurité, puis parvint enfin à entrer. Il prit soin de bien refermer la porte et se retrouva aussitôt dans le silence. Pas d'écho de radio ou de télé, à peine le sifflement du vent qui se déchaînait au-dehors, mais très atténué par les volets intérieurs.

— Ariane, c'est Paul ! lança-t-il d'une voix forte qui se répercuta dans le vaste hall.

Le lustre, accroché très haut dans la cage d'escalier, ne dispensait qu'un éclairage ridicule. De toute façon, Ariane ne devait pas beaucoup aimer la lumière, c'était toujours assez sinistre chez elle. Par goût, économie, paresse de changer les ampoules ? Avec un hausse-ment d'épaules agacé, il traversa le hall. Bon sang, s'il tombait sur Goliath au détour d'une porte, il allait lui falloir du sang-froid et de l'autorité. Cherchant à tâtons les interrupteurs, il progressa d'une pièce à l'autre avec un sentiment grandissant de malaise. L'atmosphère figée dans le temps de la bâtisse y était pour quelque chose, mais aussi ce silence de mauvais augure. Les chiens percevaient les moindres sons, et même les ultrasons. Où donc était passé le molosse dont il était en train d'envahir le territoire ? Restant sur ses gardes, il fit le tour du rez-de-chaussée sans découvrir personne. Revenu dans le hall, il leva la tête vers l'imposant escalier et posa un pied sur la première marche. Il n'était pas d'un naturel peureux ou anxieux, pourtant il hésita quelques instants avant de se résoudre à monter. De l'étage, visité une seule fois bien des années auparavant, il n'avait qu'un très vague souvenir et il fit halte sur le palier. À présent, il n'avait plus aucune envie d'appeler Ariane, il fallait seulement qu'il la trouve. Dans la galerie qui s'étendait devant lui, une porte était entrouverte, projetant une lueur diffuse sur la moquette râpée. À contrecœur, il avança jusque-là et fut arrêté par un grognement sourd. Lorsqu'il fit un pas de plus, le grognement devint un grondement menaçant.

— Goliath…, dit-il à mi-voix.

Bon, comme prévu le chien protégeait sa maîtresse. Ariane avait-elle eu un accident ? Une perte de conscience qui la rendait muette ?

— Doucement, Goliath, bon chien ! articula-t-il le plus calmement possible, tout en poussant un peu la porte.

Dans l'entrebâillement, il vit un corps allongé sur le sol, le chien couché juste à côté.

— Allez, Goliath, ce n'est que moi, tu me connais…

La tête posée sur une jambe d'Ariane, l'animal grondait toujours et Paul connut une seconde de panique. Il *devait* lui porter secours, chien ou pas, mais devinait que rien ne distrairait Goliath de sa garde. Inutile d'aller chercher un bout de viande ou un biscuit, ce serait une perte de temps. Il posa sur le tapis sa sacoche qu'il n'avait pas lâchée jusque-là. L'unique lampe de chevet, allumée, ne lui permettait pas de distinguer nettement le visage d'Ariane, néanmoins, il pressentait le pire. Il avança lentement, gardant une attitude résolue, puis il s'accroupit, prit sans hâte le poignet de la vieille dame. Le chien avait levé la tête et le regardait fixement.

— Tout va bien, Goliath, tout va bien…

Ariane avait dû mourir une ou deux heures plus tôt, il n'y avait rien à faire. Le cœur battant, Paul tendit la main et lui ferma les yeux. Il resta quelques instants immobile, désemparé. Il était ému par le décès soudain de cette femme, mais au moins elle ne semblait pas avoir souffert, sans doute avait-elle succombé à un infarctus massif.

Il se redressa, continuant à contrôler ses gestes. Goliath ne grognait plus mais il restait là, collé au cadavre. Ses yeux, toujours rivés sur Paul, exprimaient une sorte de désespoir résigné.

— Mon pauvre vieux, maintenant il va falloir que tu la laisses, elle est partie.

Sa formation et son expérience de vétérinaire lui avaient appris que les animaux éprouvent des sentiments purement affectifs comme la joie, la tristesse ou l'amour, et qu'ils comprennent la mort, même s'ils préfèrent le plus souvent l'ignorer et s'en éloigner.

Surmontant son appréhension, il tendit la main vers Goliath, le prit doucement par son collier.

— Allez, viens, suis-moi. Au pied, Goliath, au pied.

Le chien résista un peu avant de se lever, toutefois il ne manifesta aucune agressivité. Paul dut le tirer vers la porte pas à pas mais il réussit à le faire sortir. Sans lâcher le collier et sans cesser de parler d'une voix apaisante, il le fit descendre marche par marche puis le conduisit jusqu'à la cuisine où il l'enferma. Il retourna dans le hall pour téléphoner à Anne, se demandant avec quels mots il allait lui apprendre la nouvelle. Ensuite, il faudrait qu'il appelle un médecin pour constater le décès, puis Gauthier, son beau-père, pour l'avertir que sa sœur était décédée.

Entre chaque communication, le silence de la bastide lui paraissait s'épaissir, et lorsqu'il eut rangé son portable dans sa poche il constata que le vent avait dû tomber car aucun bruit ne lui parvenait de l'extérieur. La maison était très isolée au milieu de sa clairière cernée par les forêts, et la route, assez éloignée, était peu fréquentée. Sans Goliath, même une femme aussi têtue et volontaire qu'Ariane aurait fini par avoir peur.

Paul se mit à tourner en rond dans le hall, se demandant s'il devait remonter auprès d'Ariane. Que faisait-on dans ces cas-là ? De toute façon, il attendrait l'arrivée du médecin pour qu'ils la portent, à deux, sur son lit. Est-ce que les entreprises de pompes funèbres répondaient encore à huit heures du soir ?

Malgré les précautions de Paul, Anne avait paru secouée, au téléphone. Elle aimait bien sa tante, appréciait ses manières de vieille originale et son humour acide, admirait le parcours atypique de son existence. Une touche de folie bienvenue dans une famille trop sage. Elle allait regretter les parties de crapette, les orgies de gâteaux, les albums aux photos décolorées, et aussi, sans doute, cette sinistre bastide où elle prenait plaisir à venir passer un moment.

— Sinistre, oui…, murmura Paul en regardant autour de lui.

Vraiment, n'y avait-il pas d'autres lampes à allumer ? Tandis qu'il cherchait de quoi éclairer plus décemment, un bruit le cloua sur place. Dans le silence oppressant venait de s'élever un cri lugubre, montant du grave vers un aigu déchirant, car Goliath, dans sa cuisine, s'était mis à hurler à la mort.

2

Personne n'ayant rien proposé, Anne avait décidé que tout le monde pouvait se réunir chez elle après l'enterrement. Se séparer à la sortie du cimetière lui semblait trop triste, c'était vouloir oublier Ariane sur-le-champ.

La maison était trop petite pour la famille au complet, mais Anne avait tout préparé le matin même, poussant les meubles et disposant la table contre un mur de manière à ce qu'elle serve de buffet. Un plateau de charcuterie, un autre de fromages, deux tartes au citron et quelques bouteilles de vin composaient la collation.

Bien entendu, il avait fait froid dans l'église, une averse s'était abattue sur le cimetière, et ils étaient tous transis. De plus, Anne était contrariée par le peu de frais qu'avait faits son père pour enterrer sa sœur. Une bénédiction rapide, un cercueil modeste, une couronne de fleurs plutôt chiche, comme s'il ne fallait pas dépenser trop d'argent pour le dernier hommage à la *vieille toquée*.

Avec la famille, elle avait convié le notaire, Pierre Laborde, parce qu'il avait été un grand ami d'Ariane – peut-être le seul – et parce qu'il avait fait l'effort de venir de Dax pour lui rendre un dernier hommage.

— Est-ce que tu comptes garder ce monstre ?

La question venait de sa mère, Estelle, qui désignait le malheureux Goliath.

— Tu crois que j'aurais dû le laisser dans la bastide ? répondit Anne d'un ton acerbe. Vous auriez pu le vendre avec les murs !

— Bien sûr que non. Mais enfin, ton mari a sûrement quelqu'un, dans sa clientèle, qui pourrait l'adopter ?

— Ce n'est pas évident. Il a son caractère, et il est traumatisé.

Le chien s'était recroquevillé sous le petit bureau d'Anne, dans un coin du séjour. La tête posée sur une patte, il semblait indifférent à toute cette agitation. Anne et Paul s'étaient concertés, le soir de la mort d'Ariane, et ils avaient embarqué Goliath avec eux, estimant impossible de l'abandonner là.

— Il te va bien, ce chien, il est pittoresque ! lança Lily, la sœur d'Anne.

— Ne l'encourage pas, elle est assez folle pour le garder, ironisa leur mère.

— Oh, ça va ! explosa Anne. Avant, c'était Ariane la folle, et maintenant ce sera moi ?

Sentant venir l'orage, Paul vola instantanément au secours de sa femme.

— Que voulez-vous boire pour vous réchauffer, Estelle ? s'enquit-il avec un sourire désarmant.

Il conduisit sa belle-mère vers la table et lui servit d'autorité un verre de vin. Soulagée, Anne se dirigea vers le notaire qui était seul dans son coin, l'air mélancolique.

— Elle va nous manquer, dit-elle à voix basse.

— Beaucoup ! Je la connaissais depuis si long-temps… Une personnalité hors normes.

Il scruta Anne durant quelques instants avant d'ajouter :

— Je vous convoquerai à l'étude d'ici peu. Ariane a laissé un testament.

— Ah bon ? s'étonna la jeune femme. Eh bien, j'espère qu'elle a légué sa maison à la SPA !

— Vous le souhaiteriez ? demanda-t-il avec un mince sourire.

— Disons que je suis un peu… attristée par l'indif-férence de ma famille. Personne n'a versé une larme, personne ne s'est ému.

— Elle n'était pas commode, rappela le notaire. Ni très sociable, ces dernières années.

— Je ne trouve pas. Elle me racontait des tas de choses, on riait bien ensemble. Grâce à elle, j'en ai beaucoup appris sur les Nogaro, et aussi sur les Landes. C'était vraiment intéressant !

De nouveau, il la dévisagea avec une attention presque gênante.

— Elle avait de l'affection pour vous, Anne, finit-il par dire en lui tendant la main. Je vous verrai bientôt, et merci de votre accueil.

Il s'éclipsa discrètement, laissant la jeune femme perplexe. Ainsi, Ariane avait fait un testament ? Peut-être Anne aurait-elle droit aux albums de photos qui, de toute façon, n'intéresseraient personne, mais elle était sans illusion sur le sort de la maison. Son père, héritier probable, allait s'en débarrasser au plus vite.

Elle chercha ses parents du regard et les vit en train de bavarder avec Paul. Il avait compris son exaspération, un peu plus tôt, et se chargeait de détendre l'atmosphère. Ses propres parents ayant choisi d'aller vivre à Paris, il ne les voyait que rarement et il avait adopté ceux d'Anne, mais il connaissait leurs défauts et soutenait sa femme en toutes circonstances.

Un grand soupir, derrière elle, la fit se retourner. Goliath, toujours tassé sous le bureau, la regardait fixement.

— Ne t'inquiète de rien, murmura-t-elle en se penchant vers lui pour le caresser.

Bien sûr qu'elle allait le garder ! Ni sa sœur ni ses frères n'avaient d'animal domestique chez eux, pas plus qu'ils n'avaient pu en obtenir un lorsqu'ils étaient jeunes. Gauthier et Estelle estimaient qu'élever quatre enfants représentait une tâche suffisante sans y ajouter la contrainte d'un chien ou d'un chat. Toute son enfance, Anne en avait réclamé un en vain. En conséquence, à peine marié, Paul lui avait offert un adorable labrador qui était mort un an plus tôt, au grand désespoir de Léo.

— Désolée si tu t'es sentie agressée, je voulais seulement plaisanter.

Sa sœur Lily venait de la rejoindre et lui souriait. Elle affichait une quarantaine épanouie avec une dizaine de kilos en trop mais un visage sans rides. Comme elle était l'aînée, leurs parents l'avaient pompeusement prénommée Élisabeth, ce qui n'avait servi à rien puisqu'on l'appelait Lily depuis toujours. Elle avait épousé un dentiste et vivait à Hossegor, où elle se plaisait malgré l'adolescence tumultueuse que traversaient ses deux filles. Anne la soupçonnait d'avoir parfois de brèves aventures, cependant elles n'en avaient jamais parlé ouvertement. Leurs six ans de différence ne les avaient pas rendues complices enfants, et l'âge adulte n'y avait rien changé.

— La mort d'Ariane te fait vraiment de la peine ? Tu avais l'air retournée, au cimetière… Moi, franchement, je la trouvais un peu cinglée et même pas drôle. Mais je la connaissais mal, je ne la voyais jamais. Sa baraque perdue dans la forêt, merci bien !

— Tu n'étais qu'à une cinquantaine de kilomètres, fit remarquer Anne.

— J'avais autre chose à faire, figure-toi. Car moi, je n'ai pas expédié mes filles en pension, je les ai sur le dos.

— Léo a décidé tout seul d'aller en pension, je ne l'y ai pas « expédié ».

— Oui, enfin, tu es tranquille, tu as des loisirs. Et un mari très arrangeant ! En ce qui me concerne, Éric invite tout le temps des gens à la maison et veut que tout soit parfait. De plus, il n'a aucune patience avec les filles, qui lui tapent sur les nerfs. Je t'assure que j'ai mille problèmes quotidiens à gérer.

Sauf qu'elle ne travaillait pas. Une fois ses filles parties au collège et Éric à son cabinet dentaire, elle faisait ce qu'elle voulait de ses journées et n'était nullement débordée, contrairement à ses dires. Anne se demanda si au fond elle ne s'ennuyait pas et si, pour cette raison, elle ne cherchait pas à se distraire ailleurs.

Elle l'avait aperçue une fois sur la plage de Saint-Girons, bien loin de chez elle, en compagnie d'un homme inconnu. Sagement, elle ne s'était pas approchée d'eux, mais depuis lors elle se posait des questions au sujet de sa grande sœur.

— Tes filles ne sont pas venues, constata-t-elle avec dans la voix une pointe de déception qui fit bondir Lily.

— Oh, les enterrements ne sont pas faits pour les jeunes ! Elles se souviennent à peine de cette lointaine grand-tante qu'elles ont dû croiser deux fois dans leur vie. Et puis au moins, aujourd'hui, elles ne sont pas dans mes pattes…

Léo était là, lui, Anne étant allée le chercher elle-même la veille au soir. Elle le raccompagnerait à sa pension dès le lendemain matin, mais elle estimait légitime qu'il rende un dernier hommage à Ariane, un membre de sa famille.

— Dis-moi, ma chérie, on va penser à rentrer ! lança Éric en se plantant à côté d'elles.

Sa calvitie avait débuté quelques années plus tôt et il était presque chauve à présent. Anne le trouvait plus sympathique que le portrait qu'en dressait Lily, et elle savait qu'il travaillait comme un fou pour assurer le confort matériel de sa femme et de ses filles.

— Merci de nous avoir reçus, dit-il à Anne. J'ai fixé une date avec Paul pour que vous veniez dîner à la maison.

Lily leva les yeux au ciel avant d'embrasser sa sœur.

— Tu vois bien, lui glissa-t-elle à l'oreille, il invite tout le temps du monde sans me consulter.

Anne esquissa un sourire, amusée à l'idée de n'être que « du monde » pour sa sœur, puis elle se dirigea vers ses parents, qu'elle avait un peu négligés depuis la réflexion désagréable sur Goliath.

— Eh bien, quelle journée, hein ! déclara son père en la prenant par les épaules. On dirait un fait exprès, il pleut toujours lors des enterrements. T'es-tu réchauffée, ma jolie ?

Au cimetière, la voyant si triste, il lui avait tapoté le dos dans une tentative de geste affectueux, lui qui était si peu démonstratif.

— Pauvre Ariane, ajouta-t-il, ça fait drôle…

Une oraison funèbre un peu courte au goût d'Anne, cependant elle n'ajouta rien.

— Je suppose que je vais me retrouver avec sa baraque sur les bras, reprit-il d'un air préoccupé. Et ce ne sera pas facile de s'en débarrasser, à mon avis les acheteurs ne se bousculeront pas ! D'abord, elle est en mauvais état, ensuite elle est trop grande, trop difficile à chauffer, trop isolée.

— C'est la maison de ton enfance, tenta Anne.

— Oui, mais je n'en ai que peu de souvenirs et je ne la regretterai pas. Quelle idée a eue Ariane de la racheter ! Elle était tout de même un peu…

Il ne prononça pas le mot mais vissa son index sur sa tempe d'un geste très éloquent.

— Sa vie reste un mystère pour moi. Elle s'est grisée dans un tourbillon de luxe et de futilités, mais elle n'a jamais rien su faire de ses dix doigts. Quant à ses dernières années au fond de cette bastide, à ne voir personne et à gratter sou à sou, ça me dépasse. Elle aurait pu avoir une fin de vie plus agréable.

— Crois-tu ? Elle se plaisait vraiment dans sa maison, moi je dirais qu'elle y était heureuse.

Son père haussa les épaules, absolument pas convaincu. Pour lui, ainsi qu'il le répétait volontiers, sa vie avait commencé à l'âge de onze ans en arrivant à Biarritz, et il n'avait jamais regardé en arrière. Les bizarreries de sa sœur aînée ne le concernaient pas.

— Assez parlé de la tante Ariane, suggéra Valère, le frère d'Anne, qui n'avait pas ouvert la bouche jusque-là.

À trente-huit ans, Valère conservait tout son charme. Depuis toujours il était le chouchou de leur mère, et aussi l'ami de jeunesse de Paul. Pas très grand mais athlétique, bronzé la moitié de l'année, il possédait les mêmes yeux verts pailletés d'or qu'Anne, ainsi qu'un sourire tout à fait irrésistible dont il se servait beaucoup. Après avoir collectionné les conquêtes entre ses dix-huit ans et la trentaine, il s'était soudain assagi en rencontrant celle qui allait devenir sa femme, une délicieuse petite Japonaise prénommée Suki. Mariés cinq ans plus tôt, ils essayaient désespérément d'avoir un enfant. Ils habitaient Dax, où Suki tenait un étonnant magasin de fleurs tandis que Valère était photographe indépendant. Passionné par l'image dès son enfance, il vivait avec un appareil à la main ou dans la poche. Après son BTS, il était allé étudier trois ans à Toulouse puis s'était lancé tout seul, tâtant les différentes facettes du métier. Au bout du compte, il avait choisi de travailler en free-lance, parfois en collaboration avec des journaux, parfois en effectuant des reportages sur un évènement précis. Pour gagner sa vie, il lui arrivait de suivre une journée de mariage ou de réaliser des portraits, mais ce n'était pas ce qu'il préférait.

— Regarde ça, dit-il à Anne.

Il lui mit sous les yeux son appareil numérique et fit défiler une dizaine de photos de Goliath.

— J'ai dû zoomer car il ne m'a pas laissé l'approcher. Mais je le trouvais émouvant, tassé sous ce petit bureau… Il a une tête incroyable, on dirait un grizzli ! C'est quoi, comme race ?

— Difficile de le savoir, répondit Paul. À mon avis, il tient du beauceron et du terre-neuve. Ariane n'a jamais expliqué comment elle se l'était procuré. Heureusement, il avait beaucoup d'espace où s'ébattre autour de chez elle, et finalement il est assez doux.

Néanmoins, Paul avait demandé à Léo de ne pas le toucher pour l'instant.

— On s'en va, glissa Suki à Anne. J'attends une livraison de fleurs ce soir et nous avons un peu de route à faire.

Anne fut désolée de leur départ. Elle aimait beaucoup son frère Valère, et les occasions de se réunir n'étaient pas si fréquentes. Aujourd'hui, seul avait manqué à l'appel son autre frère, Jérôme, le benjamin. Mais celui-là était parti très loin des Landes et se contentait d'envoyer de laconiques cartes postales des quatre coins du monde. Dans la famille, nul n'avait une idée précise de ce qu'il faisait de sa vie, à part voyager. Rebelle dès l'enfance, il avait toujours dit qu'il s'en irait à l'aventure dès sa majorité, et il l'avait fait. Mais quel genre d'aventures ? Réfractaire aux études, aux systèmes, à toute forme d'autorité, il était par ailleurs un très gentil garçon.

— Eh bien, voilà, on reste entre nous, constata Gauthier.

Paul remit les fauteuils en place pour qu'ils puissent s'installer plus confortablement. La nuit était tombée, la journée s'achevait. Léo se jucha sur un accoudoir du canapé, juste à côté d'Anne qui lui sourit.

— Comme tu es le plus proche parent d'Ariane, dit Estelle à Gauthier, j'imagine que le notaire va te contacter ?

— Probablement. J'espère seulement qu'elle n'avait pas accumulé trop de dettes.

— Dans ce cas-là, précisa Anne, tu pourras toujours refuser. Quand le passif dépasse l'actif…

— Ah, toi et tes chiffres ! s'amusa son père. En tout cas, ne vous inquiétez pas, si jamais j'ai une bonne surprise, chacun aura droit à quelque chose.

Commençait-il déjà la distribution dans sa tête ? Anne imagina la bastide vidée, le panneau À VENDRE sur la façade, les meubles et objets jetés, donnés, expédiés en salle des ventes. Tout l'univers qu'Ariane s'était acharnée à reconstruire mis à sac. Parcourue d'un frisson, elle leva les yeux vers Paul et s'aperçut qu'il l'observait. Son expression était empreinte de sa tendresse habituelle, sans doute devinait-il qu'elle avait besoin de réconfort.

— Et si j'allumais une petite flambée ? suggéra-t-il. Ce sera peut-être une des dernières, on nous annonce l'arrivée du beau temps.

— Enfin ! s'exclama Estelle. On n'a pas connu un hiver aussi long et aussi froid depuis des années.

Comme souvent, elle allait se mettre à débiter des banalités. Anne n'avait pas souvenir d'avoir jamais entendu sa mère proférer une idée originale ou personnelle. Elle se fondait dans le moule pour échapper aux critiques et aux discussions, laissant à son mari le soin d'avoir une opinion et de s'impliquer pour la défendre.

Léo s'était levé afin d'aider son père à remplir la cheminée, profitant de l'occasion pour bavarder avec lui à voix basse. Parlait-il de sa pension ? Du chien, auquel il avait jeté de fréquents coups d'œil et qu'il allait sûrement vouloir garder lui aussi ? À douze ans, Léo devenait un adolescent, désormais ce serait vers son père qu'il se tournerait plus volontiers. Une étape normale de la vie, mais Anne préférait ne pas y penser. Son petit garçon câlin n'allait pas tarder à changer de voix, à guetter ses premiers poils de barbe, à refuser les bisous. Une fois encore, elle regretta de n'avoir pas pu lui donner une petite sœur ou un petit frère mais elle n'était pas retombée enceinte après la naissance de Léo. Le temps de se soucier du problème et de consulter, trop d'années s'étaient écoulées. D'un commun accord avec Paul, elle n'avait pas voulu entamer un parcours de soins destiné à la rendre plus fertile. Un fils en parfaite santé, c'était déjà un beau cadeau de la vie.

— Anne, tu n'écoutes pas ce qu'on dit ! lui lança Estelle d'un ton de reproche.

— À savoir ?

— On parlait de Jérôme. Si jamais vous étiez tous les quatre, en tant que neveux et nièces, sur le testament d'Ariane, il faudra bien qu'on sache où il est.

— Aux dernières nouvelles, il n'était pas plus loin que Londres.

— Il t'a écrit ?

— Il envoie souvent des cartes postales.

— Tu as bien de la chance ! Alors, il serait en Angleterre ? Et que fait-il ?

— Aucune idée. Je sais seulement qu'il va bien.

Estelle se renfrogna tandis qu'Anne réprimait un sourire. Si Jérôme préférait lui écrire à elle, c'est qu'ils avaient été assez proches dans leur enfance. Ils n'avaient qu'un an d'écart et s'entendaient bien. En grandissant, Jérôme avait fini par décréter qu'il n'y avait qu'Anne de marrante dans la famille.

— Bon, assez de supputations, décida Gauthier. On verra bien qui sera convoqué par Pierre Laborde dans son étude. D'ici là, pensons à autre chose.

Ne plus songer à Ariane n'allait sans doute leur demander aucun effort. Enterrée depuis deux heures à peine et déjà oubliée !

— De la part de papa, dit Léo en tendant un verre à sa mère. Il pense que tu en as besoin.

Anne prit le ballon de tursan bien frais et le leva dans la direction de Paul. Quand leurs regards se croisèrent, elle se sentit apaisée.

**

Une semaine plus tard, un soleil de printemps déjà chaud brillait sur Dax. Des groupes de promeneurs flânaient au bord de l'Adour, longeant les berges jusqu'au parc du Bois-de-Boulogne. La saison touristique n'avait pas encore vraiment débuté mais les curistes étaient nombreux, comme toujours, puisque la station thermale restait ouverte toute l'année.

Rue des Carmes, Anne s'était arrêtée au Salon Valmont. Elle devait absolument se calmer et réfléchir, mais ni la théière au parfum de jasmin ni la délicieuse pâtisserie posées devant elle ne lui apportait le moindre réconfort. La nouvelle l'avait totalement prise au dépourvu. Très étonnée d'être la seule convoquée à l'étude de Pierre Laborde, elle s'y était rendue avec curiosité mais sans imaginer un instant qu'elle allait se retrouver l'unique héritière d'Ariane Nogaro. La bastide et tout ce qu'elle contenait ainsi que des liquidités suffisantes pour couvrir les droits de succession lui revenaient en totalité. Son père n'était même pas nommé dans le testament ! Comment réagirait-il en apprenant que sa sœur l'avait ignoré, ainsi que tous les autres membres de la famille ? Et de quelle façon Anne serait-elle regardée dorénavant ? Serait-elle soupçonnée d'opportunisme par les siens ? Les bons moments passés auprès d'Ariane deviendraient-ils suspects ?

Découragée, elle prit une bouchée de la pâtisserie qu'elle mâchonna sans entrain. Au fond, elle n'aimait pas vraiment les gâteaux.

« N'étant pas une héritière directe, en tant que nièce, vous serez taxée à hauteur de la moitié de votre héritage. Après m'avoir fait estimer la valeur de la bastide, Ariane avait calculé que vous pourriez vous acquitter des droits et la garder si vous le souhaitiez. Mais vous êtes tout à fait libre de vous en débarrasser. »

Pierre Laborde avait pris le temps de tout lui expliquer en détail. Elle avait le choix : en vendant la maison elle se retrouverait avec une somme d'argent tout à fait inespérée. Mais avait-elle besoin d'argent ? Paul gagnait bien sa vie, elle-même avait des revenus moindres mais réguliers avec son travail de comptable. Ils n'étaient ni riches ni pauvres, néanmoins, il était hors de question de conserver la bastide comme villégiature ! La louer ? Personne ne voudrait s'isoler dans cette grande baraque en mauvais état. La transformer en gîte ? Non, les travaux à engager seraient trop importants et il faudrait résider sur place.

Anne laissa errer son imagination quelques instants, se projetant dans la bastide Nogaro, se voyant y vivre avec Paul, Léo… et Goliath. Impossible, bien sûr. Le tableau paraissait peut-être alléchant mais sans le moindre réalisme. L'endroit était à faire peur les soirs d'hiver, et même les nuits d'été ! Sauf qu'Ariane y avait vécu en toute quiétude. Anne elle-même s'était entendue dire qu'on avait envie de s'y mettre à l'abri.

Délaissant le gâteau qui, décidément, ne la tentait pas, elle but deux gorgées de thé puis glissa un billet sous la soucoupe. De quelle manière allait-elle annoncer à ses parents, sa sœur et ses frères, qu'elle était l'unique légataire de la « vieille toquée » ? Dans son testament, Ariane s'était contentée d'énumérer ses biens et de désigner sa nièce Anne, il n'y avait aucune phrase explicative concernant la famille. Pas de rancœur, pas de règlement de comptes, uniquement de l'indifférence. Mais aussi, à force d'être méprisée et négligée par les siens, elle leur avait rendu la pareille à titre posthume. Anne ne devait pas se sentir coupable de ce favoritisme qu'elle n'avait pas cherché. Son intérêt pour la tante Ariane avait été authentique et rien de mercantile n'avait motivé ses visites. Jamais elle ne s'était prise à rêver d'un quelconque legs, et surtout pas d'usurper la place de son père. Car enfin, il avait toujours été évident pour tout le monde, y compris le jour de l'enterrement, que Gauthier serait l'héritier légitime de sa sœur.

Toujours perdue dans ses pensées, Anne récupéra sa petite voiture dans un parking du centre et quitta Dax en direction du nord. Pierre Laborde lui avait généreusement proposé d'appeler lui-même son père pour lui faire part des dispositions testamentaires d'Ariane, mais Anne avait décliné son offre. Elle assumerait les conséquences de ce bouleversement dans leurs vies à tous, et de toute façon elle voulait d'abord en discuter avec Paul.

La route de Castets était dégagée, néanmoins Anne conduisait lentement, autant pour profiter du paysage enfin sous le soleil que pour continuer à réfléchir. Malgré quelques mésententes passagères et des goûts très différents, elle restait attachée à ses parents. La perspective de les peiner ou de les vexer lui était odieuse. Par son choix, Ariane semblait dire que seule Anne méritait son affection. Ainsi que sa maison, à laquelle elle avait consacré toute son existence. Évidemment, la bastide était condamnée d'avance si elle tombait entre les mains de son frère Gauthier, et sans doute Ariane avait-elle détesté cette idée. Pourtant, elle n'imposait pas à sa nièce de la conserver ou de renoncer à l'héritage. Non, elle avait dû supposer qu'au moins Anne ne braderait pas la vente en hâte, ne jetterait pas tout sans un seul regard. Elle n'avait personne d'autre à qui transmettre ce qui avait été son unique passion, et sans doute pas la moindre envie que ce soit l'État qui s'en empare. Et encore moins son « abruti de frère ».

Mais toutes ces raisons n'empêcheraient pas l'aigreur de la famille. Valère et Suki bouclaient à peine leurs fins de mois, lourdement endettés par l'achat du magasin où Suki réalisait de si somptueuses compositions florales. De son côté, Lily avait sans doute des tas d'envies, comme toutes les femmes oisives, et ne manquerait pas de trouver injuste que sa sœur touche un héritage. Quant à leurs parents… qu'allaient-ils en penser ? Leurs deux retraites semblaient leur suffire, mais ils auraient forcément su quoi faire d'une somme tombée du ciel. Le principe d'un hypothétique gain au loto : chacun connaissait d'avance une excellente façon de le dépenser. En réalité, Anne aurait tout le monde à dos dès que la nouvelle serait connue. Tout le monde, sauf Paul. Du moins, elle l'espérait ! Bien sûr, il allait lui demander ce qu'elle envisageait, or elle n'en savait rien.

Brusquement, sans y avoir réfléchi, elle décida de dépasser Castets et de prendre la route de la bastide au lieu de rentrer chez elle. Si elle avait remis scrupuleusement à son père le trousseau d'Ariane, elle possédait toujours son propre jeu de clefs, oublié au fond de son sac. Étourderie ou acte manqué, elle les avait conservées, et à présent elle allait s'en servir pour effectuer, toute seule, ce qui serait peut-être sa dernière visite.

Les petites départementales s'étiraient à travers les Landes en direction de l'océan. Partout, des arbres, des centaines, des milliers d'hectares de pins. Un paysage qu'on pouvait trouver monotone ou fascinant selon son humeur, mais qui procurait une forte impression de solitude car on ne rencontrait pas âme qui vive durant plusieurs kilomètres.

Anne bifurqua avant Lit-et-Mixe, emprunta une route étroite qui semblait ne mener nulle part. Combien de fois était-elle venue, ces dernières années ? Presque chaque semaine, elle téléphonait à Ariane et convenait d'un après-midi. Ces jours-là, elle travaillait davantage le matin, déjeunait d'une tranche de jambon pour garder son appétit en prévision des gâteaux qu'elle achèterait. Jamais elle n'avait rendu visite à Ariane par devoir, encore moins par intérêt, c'était juste un moment agréable et insolite. Sa tante lui racontait l'histoire de la famille, en particulier le chapitre concernant la bastide. Sa construction remontait à 1865, décidée par l'arrière grand-père d'Ariane qui voulait être au cœur de ses forêts. Trois générations de Nogaro, propriétaires forestiers, s'y étaient donc succédé jusqu'à la faillite. Ariane prétendait que son père, qui n'avait rien d'un bon gestionnaire, avait précipité la ruine. D'ailleurs, il ne s'en était jamais tout à fait remis, perdant un peu la tête à la fin de sa vie. Le dernier souvenir qu'Ariane avait de lui était d'avoir remonté toute l'allée centrale de l'église à son bras lors de son fastueux mariage, une union qui allait lui permettre de retourner dans le « grand monde » et d'abandonner les siens sans regret : « J'étais égoïste comme on peut l'être à vingt ans, et très pressée de retrouver ma vie d'avant. Avec, au fond de la tête mais en ligne de mire, cette maison qu'on m'avait confisquée et que j'étais déterminée à me réapproprier un jour. »

Émergeant de la forêt, Anne déboucha dans la clairière et arrêta sa voiture à quelque distance de la bastide. À travers le pare-brise, elle la contempla avec un intérêt nouveau, presque de la curiosité. La pierre très blanche des murs n'avait pas trop souffert du climat marin qui apportait parfois de l'océan tout proche un vent chargé de sel et de sable. La toiture de tuiles semblait à peu près en bon état mais les huisseries étaient assez délabrées. Le large auvent soutenu par des poutres de bois protégeait la porte d'entrée et donnait de l'allure à la façade, tout comme les applications de marbre utilisées pour encadrer les fenêtres. Quant à l'absence de volets, puisqu'ils se trouvaient à l'intérieur, elle accentuait l'impression de sobriété, voire d'austérité, de l'architecture.

— C'est très, très beau..., murmura Anne, songeuse.

Elle descendit de voiture et chercha les clefs au fond de son sac. Le soleil était en train de disparaître derrière la cime des arbres, projetant de grandes ombres zébrées de lueurs orangées. Avec un pincement au cœur, elle déverrouilla et entra sans refermer la porte derrière elle. Le décor, pourtant familier, lui parut nouveau tandis qu'elle laissait errer son regard à travers le vaste hall. À l'extérieur, les oiseaux continuaient à chanter, mais entre les murs le silence avait quelque chose d'oppressant. Paul lui avait avoué avoir éprouvé le même sentiment, le soir de la mort d'Ariane.

Par habitude, elle emprunta le long couloir qui menait à la cuisine, là où elle allait déposer ses gâteaux lorsqu'elle arrivait. Ensuite, elle cherchait Ariane dans la maison, et Goliath venait à sa rencontre. Mais aujourd'hui, il n'y avait plus de tante et plus de chien, rien que le bruit de ses pas sur le carrelage, dans une maison inhabitée.

Les objets étaient tels qu'Anne les avait laissés après le passage du médecin et des pompes funèbres. Des tasses rincées et retournées sur la paillasse de l'évier avec les gamelles de Goliath, le dernier magazine lu par Ariane abandonné sur la table. Elle ouvrit le réfrigérateur dont elle entreprit de vider le contenu dans un sac-poubelle, puis elle inspecta le placard à épicerie qui ne contenait que quelques boîtes de conserve, deux paquets de pâtes, des soupes en sachets, un pot de confiture. Ariane se nourrissait de manière frugale, elle était devenue maigre avec l'âge.

« Les jours où tu me rends visite, je ne me fais qu'une soupe le soir. »

Attristée, Anne quitta la cuisine et parcourut le rez-de-chaussée au hasard avant de se retrouver au pied de l'escalier. Résolument, elle monta au premier étage, ignorant une vague appréhension qui n'avait pas lieu d'être. Si l'esprit d'Ariane hantait les lieux, il était forcément bienveillant.

Une après l'autre, Anne ouvrit les portes des chambres qui donnaient toutes sur la galerie. Il y en avait six, dont trois entièrement vides. Dans celles-ci, d'anciens papiers peints se décollaient des murs malgré leur qualité d'origine, et les parquets en point de Hongrie étaient couverts de poussière et d'insectes morts. Pour les trois autres, l'une était celle d'Ariane, saturée de meubles, de bibelots et de gravures, où elle semblait avoir entassé tous ses souvenirs. Celle d'à côté servait de bureau, Anne s'en souvenait car c'était là que se trouvaient les albums de photos si souvent feuilletés, et la pièce était meublée de bric et de broc. Enfin, la dernière, aperçue une seule fois et située tout au bout de la galerie, était une très belle pièce plus claire que les autres avec ses trois grandes fenêtres. Bizarrement, cette chambre-ci semblait accueillante et impeccable, comme si on venait d'y faire le ménage. Deux ravissants pastels étaient accrochés au-dessus d'une commode bien cirée, le jeté de lit en piqué blanc était agrémenté de quelques coussins de soie aux couleurs vives, un tapis moelleux étouffait le bruit des pas. Ici, tout paraissait propre et gai, prêt à recevoir un invité attendu. Pour qui Ariane avait-elle si bien arrangé l'endroit ?

Anne eut la brusque certitude que c'était pour elle. Bien sûr, elle ne trouverait pas un petit mot de bienvenue sous l'oreiller, mais… Mais au cas où, pour une raison quelconque, elle aurait besoin ou envie de dormir une nuit dans la bastide, son lit était fait. Elle le vérifia en soulevant un coin du jeté en piqué blanc, découvrant des draps neufs. Une chambre d'amis toujours prête ne pouvait pas avoir été l'une des priorités d'Ariane qui ne recevait jamais personne. En outre, elle n'avait pas eu le temps de se voir mourir, d'anticiper sa propre fin. Depuis combien de temps la chambre attendait-elle, régulièrement nettoyée ?

En s'approchant d'une des fenêtres, dont les volets intérieurs étaient repliés, Anne constata que les carreaux ne portaient pratiquement pas de traces de pluie alors que de nombreuses averses s'étaient abattues durant des semaines. Elle imagina Ariane sur un escabeau, torchon en main. Ariane avec un balai, une bombe de cire... Bon sang, ça semblait incroyable, pourtant le décor attestait d'un entretien soigné. Un fantasme, une obsession, un début de sénilité ?

Sur l'une des tables de chevet, près d'une lampe à l'abat-jour flambant neuf, se trouvait un livre à la reliure de cuir. Anne s'approcha et vit qu'il s'agissait des *Contes de la peur et de l'angoisse*, de Maupassant. Elle esquissa un sourire, amusée par les idées loufoques d'Ariane. Ce livre lui était-il destiné, ainsi que la chambre, comme un ultime clin d'œil de sa tante d'au-delà de la tombe ?

De bruyants coups de klaxon la firent sursauter. Elle se précipita vers une des fenêtres qui donnaient sur la façade et aperçut une camionnette de livraison. Elle fila vers l'escalier qu'elle dévala pour aller accueillir le chauffeur.

— Le ravitaillement ! claironna-t-il en empoignant un carton.

Attendez une seconde, s'il vous plaît. La personne que vous venez livrer est décédée.

— Mme Nogaro ?

Il ouvrait de grands yeux incrédules et il finit par secouer la tête avant de poser le carton par terre.

— J'ai l'habitude de passer ici tous les mois, c'est arrivé quand ?

— Il y a trois semaines. Un infarctus.

— La pauvre, c'était une gentille dame... Je lui portais toujours ses cartons dans la cuisine, et en remerciement elle m'offrait un bon café. Pour tout vous dire, je trouvais curieux qu'elle vive seule dans ce coin perdu, mais heureusement, elle avait son chien. D'ailleurs, c'est l'essentiel de la livraison : des sacs de croquettes qui pèsent un bon poids ! À propos, qu'est-ce qu'il est devenu ?

— Le chien ? Il est chez moi.

— Ah, vous êtes la nièce, alors ? Bon, écoutez, vous les voulez, ces croquettes ? Il y a aussi trois bouteilles de bordeaux, des jus de fruits et quelques bricoles d'épicerie. Mais je peux tout remporter au magasin, il n'y a pas de problème. Comme on dit, c'est un cas de force majeure, hein ?

— Non, je garde la commande, décida Anne. Vous pouvez mettre les cartons dans le coffre de ma voiture ?

Tandis qu'il s'exécutait, elle prit son chéquier dans son sac. Un sac qu'elle avait gardé accroché à son épaule sans le poser nulle part dans la maison durant sa visite, contrairement à son habitude. Elle régla la note, convint avec le livreur qu'il n'aurait plus besoin de revenir, puis elle regarda la camionnette quitter la clairière et disparaître au milieu des arbres. La nuit était en train de tomber, apportant une pénible impression de solitude. De nouveau, Anne contempla longuement la façade dans la lumière du crépuscule. Elle n'avait plus rien à faire ici mais pas vraiment envie de partir. Si elle décidait de vendre, elle en aurait pour un certain temps à trier les affaires d'Ariane. Dans les pièces occupées, les placards étaient pleins, et il y avait tout un tas d'objets auxquels était attachée une histoire. Ariane les datait en riant : premier, deuxième ou troisième mariage. Et elle ajoutait qu'une vie d'aventure, ça laissait des traces !

À pas lents, Anne retourna dans la maison. Malgré le silence, et l'obscurité qui s'étendait, elle ne se sentait pas mal à l'aise. Pourquoi était-elle venue ? Pour prendre seule sa décision avant d'en avoir discuté avec quiconque ? Dès qu'elle annoncerait que la bastide était *à elle*, et une fois la première stupeur passée, les critiques et les conseils allaient fuser.

Au lieu de verrouiller la porte, elle entra, alluma. D'accord, l'éclairage était chiche, mais peu lui importait, pour elle le décor restait familier, sympathique. Ne manquait que la présence rassurante de Goliath. Si elle devait revenir, elle l'emmènerait, il serait sûrement heureux de courir dehors car le tout petit jardin de Castets finirait par le rendre neurasthénique. Elle gagna la cuisine où elle récupéra le sac-poubelle ; puis elle jeta un dernier regard autour d'elle. Pour l'instant, les choses pouvaient rester en l'état.

Alors qu'elle s'installait au volant, son portable se mit à sonner.

— Ah, ma chérie, j'étais inquiet ! s'exclama Paul dès qu'elle répondit. Où es-tu passée ? Tu es encore à Dax ?

— Non, j'ai fait un saut chez Ariane. Pour vider le frigo, tout ça…

— Tu aurais pu m'appeler, je me suis fait du souci en trouvant la maison vide.

Il y avait une nuance de reproche dans sa voix, qui agaça Anne. Était-elle censée ne pas bouger de chez elle pour l'accueillir systématiquement quand il rentrait le soir ?

— Il n'est pas si tard que ça. Et Pierre Laborde m'a retenue un long moment.

— Qu'est-ce qu'il te voulait ?

Voilà, elle allait être obligée de le lui dire par téléphone alors qu'elle aurait voulu en discuter paisiblement pendant le dîner.

— Je suis l'unique légataire d'Ariane, se résigna-t-elle à annoncer.

— Quoi ?

— Elle m'a laissé tous ses biens. La maison, et aussi de l'argent pour les droits de succession.

— Incroyable… Ton père est au courant ?

— Je l'appellerai demain matin.

— Il ne s'y attend pas, il sera vexé.

— Je sais, mais je n'y peux rien !

Pourquoi se sentait-elle agressée, déjà obligée de se défendre ?

— Bon, si tu rentrais, maintenant ? demanda Paul gentiment. T'imaginer toute seule là-bas à cette heure-ci me fait froid dans le dos !

— J'allais partir, je suis dans ma voiture.

— Sois prudente sur la route, en attendant je prépare le dîner.

Rassurée par sa gentillesse, elle s'apprêtait à lui dire qu'elle l'aimait, comme toujours à la fin de leurs conversations téléphoniques, lorsqu'il eut le tort d'ajouter :

— Et ne t'inquiète pas trop, on finira bien par s'en débarrasser, de cette baraque !

Exactement ce qu'elle n'avait pas envie d'entendre. Si Paul lui-même tenait pour acquis la vente de la bastide, le reste de la famille serait encore plus virulente. Mais après tout, comme le lui avait précisé le notaire, elle était *libre* de décider. Libre de rêver un peu avant que chacun se mette à lui dicter sa conduite.

— J'arrive, marmonna-t-elle en raccrochant.

3

— C'est à se demander si elle avait vraiment toute sa tête, insinua Estelle.

Gauthier hésita puis haussa les épaules.

— Si son notaire l'affirme, il n'y a rien à dire. Elle était déraisonnable, excentrique et monomaniaque, mais pas atteinte de maladie mentale au sens propre, ni démence, ni alzheimer. Non, je crois surtout qu'elle ne m'aimait pas parce que je n'ai jamais partagé ses idées. Sa folie des grandeurs, son obsession du passé, sa fixation sur la bastide et sur nos ancêtres... tout ça ne m'intéressait pas.

— Eh bien, elle ne te l'a pas pardonné ! En revanche, Anne a su se faire bien voir, elle a été maligne.

Perplexe, Gauthier considéra sa femme sans répondre. Il ne pensait pas que leur fille ait pu chouchouter Ariane dans le seul but de devenir son héritière.

— Anne a toujours été un peu fantaisiste, rappela-t-il. Je suppose que l'originalité d'Ariane l'amusait. Au fond, cette histoire de testament n'a rien de surprenant, disons qu'elles s'étaient bien trouvées.

— Si tu le prends comme ça, soupira Estelle, c'est parfait. Pour ma part, je suis un peu déçue. De toute la famille, Anne et Paul sont probablement ceux qui ont le moins besoin d'argent !

— Nous avons besoin d'argent ? s'étonna-t-il.

Ils avaient été économes et prévoyants, aussi ne manquaient-ils de rien maintenant qu'ils étaient arrivés à l'âge de la retraite. L'appartement où ils vivaient avait été prévu dès le début pour leurs « vieux jours ». Vingt ans auparavant, ils l'avaient acquis grâce à un emprunt, et loué tandis qu'ils occupaient des logements de fonction dans les différentes écoles primaires que Gauthier avait dirigées. Bien situé à Biarritz sur le port des pêcheurs, et composé de quatre pièces, c'était un appartement confortable qu'ils n'avaient eu qu'à repeindre lorsqu'ils l'avaient enfin récupéré pour l'habiter. Gauthier se félicitait chaque jour de cet investissement intelligent qui leur permettait d'avoir un toit et d'envisager sereinement l'avenir. Lily et Anne étaient mariées avec des hommes gagnant bien leur vie, Valère et Suki se débrouillaient, Jérôme poursuivait ses voyages sans rien demander à personne : en somme, la famille allait bien.

— Anne ne tirera pas une somme folle de la bastide, fit-il remarquer, c'est vraiment une baraque invendable.

Il ne se sentait pas vraiment peiné par la décision d'Ariane car il n'avait jamais été proche d'elle. Se tenant mutuellement en piètre estime, ils n'avaient pas cherché à entretenir une fausse affection fraternelle. Qu'à la fin de son existence elle ait préféré laisser ses biens à sa nièce n'était guère surprenant. Mais apparemment, Estelle l'acceptait mal. Avait-elle espéré cet héritage ? Non, sa femme n'était pas vénale, Gauthier le savait. Néanmoins, depuis le coup de téléphone d'Anne, elle ronchonnait.

— Si *tu* avais hérité, reprit-elle, nous n'aurions pas jeté cet argent par les fenêtres et, après nous, nos *quatre* enfants auraient eu chacun leur part. Est-ce que ça ne te semblerait pas plus juste ?

— Il n'y a pas de justice dans le choix qu'on fait de son héritier ! Bon, on ne va pas en parler toute la journée, je descends acheter le pain et mon journal.

Continuer à discuter de cet héritage le mettait mal à l'aise. Estelle finirait par instiller le doute dans son esprit, ce qui serait regrettable. Gauthier avait la certitude d'être un homme équitable, rigoureux, qui aimait chacun de ses enfants sans préférence. La chance était tombée sur Anne ? Tant mieux pour elle ! Après tout, elle avait été la seule à trouver sympathique sa tante Ariane, à passer du temps avec elle. Les choses étaient en ordre et ne méritaient pas qu'on épilogue indéfiniment.

⁂

Comme toujours après le départ de leur assistante, Paul et son associé, Julien, s'attardèrent quelques minutes pour faire un rapide bilan de la matinée. Certains de leurs clients avaient une préférence pour l'un ou l'autre, mais chez eux on pouvait s'adresser indifféremment aux deux vétérinaires. À tour de rôle, ils assuraient la garde du dimanche en basculant la ligne professionnelle à leur domicile, et dans la semaine chacun prenait une journée de congé quand il le souhaitait. Depuis l'époque de leurs études ils s'entendaient bien et s'estimaient mutuellement, ce qui facilitait leur cohabitation et assurait une bonne ambiance de travail.

Au début de leur installation, ils avaient d'abord été un peu désœuvrés, guettant la sonnette d'entrée dans la salle d'attente avec anxiété, mais à présent ils étaient presque débordés. Autour de Castets, sur une grande partie des Landes, il n'y avait que des villages, et les gens venaient de loin pour les consulter.

— J'ai hésité avec le vieux chat Roméo, annonça Julien, mais je lui ai laissé encore une chance. Même s'il est au bout du rouleau, il ne souffre pas, autant qu'il s'éteigne paisiblement. D'après l'ordinateur, c'est le doyen de nos patients, il a vingt ans !

Bien qu'il ait souri en le disant, Paul comprit que son confrère était mal à l'aise. L'euthanasie était un geste que Julien détestait et ne pratiquait qu'à contrecœur. Lorsqu'il devait faire une piqûre létale à un chien ou un chat, il en était malade, maugréait que ce n'était pas son métier et qu'il n'avait pas fait des études pour ça. Paul avait beau le raisonner, lui rappeler qu'abréger les souffrances d'un animal condamné était un acte charitable, Julien se laissait gagner par l'émotion et s'en voulait.

— En plus, avec Roméo ce sera affreux, sa maîtresse y est tellement attachée qu'elle va pleurer toutes les larmes de son corps, je n'imagine pas la séance !

— Je ne prendrai pas ta place, l'avertit gentiment Paul. Si je le fais à chaque fois, je deviendrai le « tueur » attitré de cette clinique et je n'y tiens pas.

— Je sais.

Ils échangèrent un regard complice et amical, puis Paul tapa dans le dos de Julien.

— Tu viens déjeuner ?

Divorcé depuis six mois, Julien avait encore du mal à rentrer chez lui. Sa femme était partie en emmenant leurs enfants, des jumeaux de sept ans, et elle avait aussi vidé leur maison de presque tous les meubles. La raison officielle de son départ était qu'elle ne supportait plus l'isolement de la campagne, rêvait d'une grande ville et souhaitait s'installer à Bordeaux pour y retrouver du travail, des amis, de l'animation. La vérité était plus prosaïque, en fait elle avait rencontré un négociant dont elle était tombée amoureuse, et elle avait décidé de le suivre. Après une séparation houleuse, durant laquelle Paul avait souvent dû jouer le rôle de médiateur, Julien avait failli tout abandonner. Mais, contrairement à sa femme, il adorait la région et il était resté.

— Non, je ne veux pas déranger Anne, je vais aller au Coco Bar grignoter une salade ou un sandwich.

— Allez, ne te fais pas prier, viens donc. De toute façon, dans peu de temps tu passeras tous tes déjeuners sur la plage !

Julien adorait nager, plonger ou surfer, et dès que la température le permettait il filait au bord de l'océan, à Saint-Girons, Moliets, ou au Vieux-Boucau.

— Alors, on s'arrête acheter des fleurs, accepta-t-il en suivant Paul.

Lorsqu'ils arrivèrent, Anne rajouta un couvert de bonne grâce et protesta pour la forme en mettant les tulipes dans un vase.

— Tu sais que tu as affaire à une riche héritière ? plaisanta Paul. Sa tante lui a tout légué, jusqu'à la dernière petite cuillère.

— Ariane ? En voilà, une chance !

— Elle m'aimait bien, soupira Anne. Mais son testament ne réjouit pas tout le monde. Ma sœur prétend que j'ai « manœuvré » habilement et ma mère me demande déjà ce que je vais faire de « tout » cet argent.

— Les joies de la famille ! Et ce monstre, il fait partie de l'héritage ?

Julien désignait Goliath qui, couché sous le bureau d'Anne dont il avait fait sa niche, les observait sans bouger.

— Il est beau, hein ? fit remarquer Anne avec une certaine fierté. Bien entendu, personne n'en voulait. Trop contraignant, trop cher à nourrir, trop gros...

— Il est un peu disproportionné chez vous, ironisa Julien. Mais on pourrait mettre une petite annonce à la clinique.

— Non, pas question, j'y suis attachée, il reste avec moi.

Le ton péremptoire qu'elle venait d'utiliser trahissait son exaspération. Ces derniers jours, elle avait subi trop de réflexions sur Goliath et sur le testament.

— C'est un gentil chien, temporisa Paul. Il commence à prendre confiance, et Anne va le balader tous les jours pour qu'il ait assez d'exercice.

— J'ai d'ailleurs résolu le problème des prome-
nades, déclara-t-elle en les invitant d'un geste à passer
à table. Comme j'ai beaucoup de choses à trier dans la
bastide, j'irai y passer mes après-midi avec Goliath.

— Tu vas la mettre en vente ? demanda ingénument
Julien.

— Je ne vois pas ce qu'on pourrait faire d'autre,
répondit Paul.

Les yeux baissés sur son assiette, Anne se demanda
pourquoi son mari répondait à sa place.

— Pour l'instant, murmura-t-elle, il faut la vider de
toutes les affaires personnelles d'Ariane. Ensuite, je
verrai.

Elle se mit à manger, évitant le regard de Paul.
Depuis leur mariage, ils partageaient tout, l'argent, les
décisions, les projets, et c'était la première fois
qu'Anne l'excluait. Prenant conscience du silence
gêné, elle releva la tête.

— Peut-être devrait-on la louer en attendant que le
marché immobilier remonte ? suggéra-t-elle d'un ton
détaché.

— En attendant qu'elle s'écroule, plutôt ! répliqua
Paul. À qui veux-tu louer ce genre d'endroit ?

— Je ne sais pas… Un artiste célèbre cherchant la
solitude ?

— Tu rêves !

— L'été, tout se loue à prix d'or. La bastide ne se
trouve qu'à trois kilomètres de l'océan, et elle convien-
drait parfaitement à une famille nombreuse en quête de
vacances paisibles.

72

— On la louerait trois mois par an, au mieux, et à nous les travaux d'entretien, les ennuis, les taxes et les impôts !

Julien intervint, sentant le ton monter entre Anne et Paul :

— Avant toute chose, montrez-la donc à des agents immobiliers qui sauront vous conseiller.

Paul hocha la tête, acceptant le conseil, et Anne ébaucha un sourire.

— Bonne idée. Tu en connais ?

— Adresse-toi à Dax, Biarritz, ou même à Mont-de-Marsan. Mais choisis de grosses agences qui ont l'habitude des affaires un peu exceptionnelles. Après le départ de ma femme et des enfants, quand j'hésitais entre partir ou rester, j'avais fait estimer ma maison par un type du coin qui ne m'avait pas convaincu du tout. D'ailleurs, je pense toujours à la vendre et à me racheter autre chose pour faire table rase de tous ces foutus souvenirs !

Il s'arrêta net, secoua la tête puis s'excusa :

— Bon, je m'égare dans mes problèmes personnels...

— Je t'en prie, murmura Anne. Tu es chez des amis, tu peux dire ce que tu veux.

Elle se leva pour aller chercher du fromage, vaguement contrariée de se montrer si susceptible dès qu'il était question de la bastide Nogaro. Mais elle n'avait pas eu le temps de décider quoi que ce soit ni de vraiment réfléchir à cet héritage, et elle refusait d'être harcelée. Si elle vendait, que faire de la somme obtenue ? La mettre de côté pour Léo ? En prélever une partie à partager avec sa sœur et ses frères ? Ce n'était pas ce qu'Ariane avait dû espérer, Anne le savait très bien, néanmoins elle n'était pas obligée de respecter des volontés hypothétiques.

Après avoir posé un assortiment de fromages de chèvre sur la table, elle s'adressa à Julien :

— C'est toi qui as raison, je vais chercher un bon agent immobilier !

Elle avait parlé en son nom, sans inclure Paul dans sa démarche, et elle se trouva égoïste.

— Tu es d'accord ? demanda-t-elle en posant la main sur l'épaule de son mari.

— Bien sûr.

Il lui prit le bout des doigts, qu'il serra affectueusement.

— Fais-en même venir plusieurs tant que tu seras sur place à tout inventorier.

Sans la lâcher, il jeta un coup d'œil à sa montre.

— Il faut qu'on se dépêche, il est bientôt deux heures et le carnet de rendez-vous est plein cet après-midi. Café pour tout le monde ?

Il repoussa sa chaise un peu trop vite, ce qui fit gronder Goliath.

— Pas de panique, mon grand ! lança-t-il au chien d'un ton apaisant.

Anne le regarda tandis qu'il préparait trois express avec la machine. Il n'était pas seulement son mari et le père de Léo, il était aussi son amant et son ami. En conséquence, elle ne devait pas se sentir inquiète ou mal à l'aise, quoi qu'il arrive Paul serait dans son camp.

**

Suki et Valère avaient travaillé toute la journée pour un mariage. Elle était partie dès le matin au volant de la camionnette du magasin, chargée de fleurs, afin de décorer l'église puis la salle de réception, et à son retour elle avait confectionné un sublime bouquet pour la mariée. Valère le lui avait remis en main propre avant de commencer le reportage photo de la noce.

À huit heures du soir, tous deux s'étaient retrouvés pour fermer la boutique, fatigués mais contents. Ce genre de prestation leur rapportait de l'argent et il fallait absolument qu'ils trouvent le moyen de les multiplier.

— Avec un évènement comme ça par semaine, nous n'aurions plus de soucis, constata Suki en vidant la caisse.

— Il n'y a pas tant de gens qui se marient, ma chérie !

Elle le rejoignit près du rideau de fer, le prit par la taille et appuya sa joue contre lui.

— C'est pourtant merveilleux, le mariage, dit-elle d'une voix câline.

Comme elle mesurait tout juste un mètre cinquante, elle lui arrivait à peine à l'épaule. Il baissa la tête pour l'embrasser sur les cheveux, ses longs cheveux noirs, lisses et brillants, qu'il adorait.

— Si seulement on pouvait faire davantage de publicité, on se ferait connaître plus vite. Le bouche-à-oreille, ça prend trop de temps. Il nous faudrait des encarts toutes les semaines dans les journaux locaux, un site Internet plus attrayant… Tu as tellement l'art des fleurs dans le sang qu'il faut le faire savoir !

Elle éclata de son petit rire aigu, perlé.

— Les gens se le disent, Valère. J'entends des compliments à longueur de journée.

— Je voudrais tout de même que ça aille plus vite.

Il pensait à toutes les factures, aux fins de mois bouclées de justesse. Et il avait bien conscience que, en tant que photographe, il gagnait à peine sa vie. Sur le comptoir, près des rouleaux de rubans dont Suki se servait pour orner ses bouquets, il avait mis bien en évidence une pile de ses cartes de visite professionnelles. Il en avait également déposé dans les deux boutiques qui vendaient des robes de mariée, mais peut-être devrait-il en mettre dans tous les restaurants de Dax, chez tous les coiffeurs, les marchands de vaisselle et les magasins de cadeaux. S'il ne l'avait pas encore fait, c'est qu'il n'avait pas envie de se retrouver enfermé dans ce créneau des photos de mariage et de baptême. Pourquoi pas entreprendre le tour des maternités en proposant de photographier les nouveau-nés ! Où étaient passées ses ambitions d'artiste, ses illusions ? Bien sûr, avant de rencontrer Suki, il avait souvent négligé sa carrière, trop occupé à courir les filles et à s'amuser, mais de toute façon, dans son métier, il y avait beaucoup d'appelés et peu d'élus. Des élus dont il ne faisait pas partie.

— Tu es bien songeur, murmura Suki.

— Je me disais que je me suis peut-être trompé de voie, que j'ai fait le mauvais choix. Quand j'étais jeune, j'aurais dû prendre exemple sur Paul et attaquer des études plus sérieuses. Pas véto, évidemment, je n'étais pas assez bosseur et je n'aurais jamais eu le niveau du concours, mais quelque chose de moins casse-gueule, de moins fantaisiste et de plus sûr.

— Mais c'est sérieux, la photo ! Et tu as du talent.

— Si je n'arrive pas à le monnayer, ça ne me sert à rien. En attendant, je voudrais que toi, tu décolles. Il faut faire venir les gens ici pour qu'ils voient tout ça…

D'un mouvement large du bras, il engloba la boutique que Suki avait décorée avec la même exquise délicatesse que ses arrangements floraux.

— Je reviens à mon idée de pub, insista-t-il, et je crois tenir une solution.

Elle l'écoutait avec attention, comme toujours, déjà prête à lui donner raison.

— La banque ne nous fera aucun crédit, mais peut-être qu'Anne pourrait nous prêter de l'argent. Elle vient de faire un bel héritage, quand elle aura vendu elle disposera de liquidités dont elle n'a sans doute pas un usage immédiat. Si je lui…

— Valère !

Sourcils froncés, elle le fixait de ses yeux noirs en amande.

— Tu ne vas rien lui demander du tout, articula-t-elle d'un ton pincé.

— Pourquoi ? Je suis son frère, elle me fait confiance et elle acceptera sûrement de nous donner un coup de pouce.

— Avoir des dettes en famille est une mauvaise chose. Ça crée des histoires.

— Mais non, voyons ! Anne n'est pas mesquine, en plus elle apprécie énormément le travail que tu réalises ici. Investir dans ton affaire l'intéressera, crois-moi.

— Il n'en est pas question. Je rougirais de lui emprunter de l'argent. On n'agit pas de cette manière-là dans mon pays.

Née au Japon, elle l'avait quitté à l'âge de dix ans, néanmoins elle respectait de nombreux préceptes inculqués par ses parents.

— Ne sois pas enfant, Suki. On a besoin d'un coup de pouce *maintenant*, et Anne sera d'accord, tu verras.

— Je ne verrai rien du tout, articula-t-elle.

— Ah, que tu es têtue ! C'est de l'orgueil mal placé.

— Plutôt de la dignité. Et je suis triste de constater qu'avant même que ta sœur ait touché son héritage tu puisses penser à lui en soutirer une part.

Quand Suki se mettait en colère, elle parlait froidement tandis que son visage restait inexpressif. Valère fut surpris et déçu par sa réaction, lui qui croyait avoir trouvé une solution simple à leurs problèmes. Le mot « soutirer » l'avait piqué au vif, mais il aimait trop Suki pour la contrarier davantage, et surtout il la connaissait suffisamment pour savoir qu'elle ne céderait pas. Enfin, pas aujourd'hui. Peut-être qu'en lui présentant les choses différemment, il obtiendrait son adhésion. Par exemple, si Anne se proposait d'elle-même.

— Bon, soupira-t-il, on va fermer.

Il verrouilla le rideau de fer, éteignit les lumières, et ils sortirent par la porte de l'arrière-boutique qui donnait dans la cour. Avoir épousé une Asiatique si têtue ne facilitait pas toujours les choses, mais Valère était très amoureux de sa femme et très malheureux de ne pas pouvoir l'aider davantage. Elle travaillait douze heures par jour, et dans ses rares moments de liberté elle courait les médecins pour arriver à tomber enceinte. Valère devait veiller sur elle, même malgré elle. Il se promit d'arranger l'affaire avec sa sœur avant d'en reparler à Suki.

— Si on dînait au restaurant au lieu de rentrer ? suggéra-t-il. La journée a été bonne, on a le droit de faire la fête !

Malgré tous ses efforts pour être raisonnable, il aimait sortir et s'amuser. En guise de réponse, Suki lui adressa son plus charmant sourire, séduite par la perspective de prendre un peu de bon temps.

— Mais on ne se couchera pas tard, précisa-t-elle. Promis ?

Se coucher près d'elle était ce qu'il préférait, aussi acquiesça-t-il gaiement.

*
**

Bien qu'il n'y ait pas retrouvé sa maîtresse, Goliath semblait fou de joie de retrouver les lieux. À peine descendu de voiture, il était parti ventre à terre comme un cheval lâché dans un pré un jour de printemps. Anne avait décidé de le laisser faire, certaine qu'il reviendrait quand il serait fatigué de courir et de renifler partout.

Profitant de la douceur du temps, elle ouvrit quelques fenêtres pour aérer la maison, puis elle fit un rapide tour du rez-de-chaussée. Par où commencer ? Après deux ou trois minutes d'hésitation, elle se munit d'un rouleau de grands sacs-poubelle et décida de monter à l'étage. En priorité, elle allait trier les vêtements à donner ou à jeter. Ariane avait conservé une élégance certaine jusqu'à la fin de sa vie, et sa garde-robe, restreinte, était de bonne qualité. Durant plus d'une heure, Anne plia des manteaux, des imperméables, des cardigans et des blouses. Puis elle jeta les chaussures, les sous-vêtements et deux chapeaux de pluie usés, mit de côté les foulards, les gants, les sacs à main. Tout au fond de la penderie, elle découvrit sous des housses deux tailleurs totalement démodés mais portant la griffe de grands couturiers. Sans doute dataient-ils de l'époque fastueuse de ses mariages, où elle dépensait sans compter. Avec un petit pincement au cœur, Anne trouva aussi une veste de fourrure qui avait dû être superbe mais qui semblait toute mitée.

Soudain, un bruit de moteur interrompit sa tâche, lui rappelant qu'elle avait convoqué un agent immobilier. Elle enjamba les sacs-poubelle et se précipita au rez-de-chaussée. Comme prévu, le visiteur était resté dans sa voiture, peu désireux d'affronter Goliath qui tournait autour. Anne prit son air le plus avenant et se dirigea vers la portière dont la vitre venait de se baisser.

— Anne Bartas ? Bonjour, Agence des Landes. Vous aviez rendez-vous avec un de mes négociateurs, mais j'étais dans le coin et je suis curieux de nature...

Prudemment, il sortit une main qu'il lui tendit.

— Hugues Cazeneuve. Je peux quitter l'abri de ma voiture sans que la bête du Gévaudan me dévore ?

— Bien sûr.

Elle n'en était pas tout à fait certaine, mais enfin, si Ariane avait su se faire obéir du chien, elle pouvait y arriver aussi.

— Goliath, pas bouger, dit-elle à tout hasard.

Hugues Cazeneuve descendit de sa Mercedes et regarda longuement la maison et ses abords avant de se tourner vers Anne.

— Superbe... À l'origine, ce devait être superbe !

— Et là, c'est moche ? ironisa-t-elle.

— Non, juste un peu abîmé parce que mal entretenu. Rien de grave. La situation reste exceptionnelle, comme vous le savez sûrement. La superficie totale des terres est de combien ?

— Quatre hectares de bois. La bastide se trouve exactement au centre.

— Propriété de famille ?

— Euh… Oui, tout à fait, mais c'est un peu compliqué et sans intérêt pour vous. En fait, je viens d'en hériter et je ne pense pas pouvoir la garder.

— D'autres héritiers ?

— Non. Si jamais nous faisons affaire ensemble, vous n'aurez à traiter qu'avec moi.

— Et vous avez une idée du prix que vous voulez en tirer ?

— Ce sera à vous de me le dire. Venez, nous allons visiter.

— J'adore ça ! s'exclama-t-il en riant. En général, c'est moi qui prononce cette phrase parce que c'est moi le guide. Enfin, je ne fais plus beaucoup de visites, je laisse mes négociateurs s'en charger, mais je préfère estimer moi-même les biens que nous prenons en portefeuille quand ils sont un peu… hors normes. Pour tout vous avouer, les renseignements que vous nous avez communiqués par téléphone ont éveillé ma curiosité. Il n'y a pas beaucoup de grandes propriétés à vendre si près du littoral.

Il était sympathique et charmeur, sans doute par déformation professionnelle, et savait d'emblée mettre son interlocuteur à l'aise. Son costume léger, bien coupé, sa chemise blanche sans cravate et ses mocassins lui conféraient une élégance décontractée.

Le sourire franc, le visage ouvert et le regard bleu acier contribuaient à en faire un homme plutôt séduisant, mais la seule chose qui intéressait Anne était son avis d'expert immobilier. Elle le précéda dans la maison dont ils firent le tour ensemble.

— Bien, déclara-t-il lorsqu'ils furent revenus dans le hall. Maintenant que j'ai eu ma première impression, je vais recommencer en prenant des mesures si vous n'y voyez pas d'inconvénient. Ce sera rapide, j'ai mon petit télémètre laser.

Elle le laissa partir seul pour qu'il puisse arpenter à sa guise. Jusque-là, il n'avait émis aucun commentaire hormis celui de la « situation exceptionnelle ». En l'attendant, Anne se demanda ce qu'elle avait envie d'entendre. Qu'il fixe un bon prix de départ pour la mise en vente ? Ou, au contraire, qu'il prétende que le moment était mal choisi pour mettre ce genre de produit sur le marché, que d'ailleurs cette bastide était résolument *invendable* ?

Elle gagna la cuisine pour préparer du café car elle n'avait rien d'autre à offrir à l'agent immobilier. Goliath était à sa place habituelle, celle qu'il occupait du temps d'Ariane, couché près du casier à bouteilles.

— Tu as envie qu'on vende, toi ?

Les oreilles dressées, le chien la fixait avec intérêt et elle se pencha pour le caresser.

— Non, je sais bien que non…

Elle ouvrit l'un des grands placards et considéra toute la vaisselle empilée. Comme dans la penderie, il y avait quelques beaux vestiges d'un autre temps, cinq verres en cristal de Bohême, une carafe Lalique, les restes d'un sublime service en délicate porcelaine, une ménagère en argent massif presque complète.

— Pas bouger, Goliath, dit-elle en percevant le pas d'Hugues Cazeneuve.

— Voilà, annonça-t-il depuis le seuil de la cuisine, j'ai terminé. Je peux entrer ?

— Allez-y, il ne vous mangera pas. Café ?

— Volontiers.

Il s'installa en face d'elle, toujours souriant, sans pouvoir deviner à quel point elle trouvait étrange de le voir assis à la place d'Ariane. Dans cette cuisine, Anne n'avait jamais eu d'autre interlocuteur que sa tante.

— Bon, commença-t-il, c'est un sacré morceau que vous avez sur les bras ! La toiture tiendra encore quelques années mais on ne peut pas dire qu'elle soit en bon état. À l'intérieur, la maison n'a pas connu un coup de peinture depuis longtemps, et surtout il faudrait une mise aux normes de l'électricité et de la plomberie. Tout ceci a un coût, dont un éventuel acheteur tiendra évidemment compte. Le plus ennuyeux est l'aspect écologique. Et de nos jours… Pas d'isolation, pas de double vitrage, une chaudière au fuel hors d'âge assortie d'un poêle à bois : ce type de travaux lourds en découragera plus d'un.

— Oui, j'en suis consciente, dit posément Anne.

Elle refusait de se laisser impressionner par son constat. Tout ce qu'il venait d'énoncer était pour elle une évidence. Certes, la bastide était vétuste, en mauvais état, loin des critères en vigueur, néanmoins elle possédait d'autres atouts.

— Que la maison soit trop grande n'est pas un handicap, ajouta-t-il comme s'il voulait se rattraper. Il y a des amateurs pour ça. On pourrait envisager un gîte ou des chambres d'hôtes, c'est à la mode. Ou encore une résidence secondaire pour une famille nombreuse. Le créneau est étroit mais il existe. Des gens qui ont de l'argent et qui veulent quelque chose d'unique pourraient se faire plaisir ici, en dépensant beaucoup pour la rénovation mais en modelant à leur goût.

— Et où trouve-t-on des clients de ce genre ?

— Moi, je les trouve ! Parce que j'ai un avantage sur mes concurrents, je dispose de plusieurs agences. Une à Dax, celle que vous avez contactée, une à Biarritz et une à Bayonne. Je ratisse large !

Il se mit à rire mais s'arrêta tout de suite en voyant qu'Anne ne le suivait pas.

— Donnez-moi un prix, dit-elle seulement.

C'était ce qu'elle voulait savoir parce que ce serait la question que tout le monde allait lui poser.

— Il faudrait d'abord que j'y réfléchisse un peu.

— Non, tout de suite. Une fourchette si vous préférez, mais je dois me faire une idée.

Sans doute amusé par son entêtement, il lui adressa un sourire désarmant.

— D'accord… En étant optimiste, entre trois cent cinquante et quatre cent mille euros. Peut-être davantage, mais ça prendra du temps. En revanche, si vous êtes pressée, à trois cents je la vends avant l'été. Il y a les quatre hectares autour et la plage à cinq minutes, ça reste une vraie valeur par ici.

Durant le petit silence qui plana entre eux, Goliath se leva, s'étira, quitta la cuisine. Anne le suivit des yeux, toujours songeuse.

— Maintenant, reprit Hugues au bout de quelques instants, je vais vous demander de me confier l'exclusivité de la vente, au moins pour un trimestre. Je suis prêt à me donner beaucoup de mal pour trouver l'acheteur et je ne veux pas avoir des confrères dans les pattes ni m'apercevoir que j'ai travaillé pour rien. Une maison est vite grillée sur le marché quand elle est trop visitée.

— J'ai besoin d'y penser, déclara Anne en se levant.

Il la considéra avec stupeur puis esquissa une grimace.

— À quoi vous attendiez-vous ? Vous êtes déçue du prix ?

— Non… Mais cet héritage est tout récent et… Laissez-moi quarante-huit heures, je vous appellerai.

Il devait croire qu'elle avait déjà contacté d'autres agents immobiliers car il hocha la tête avec raideur. Le temps de le raccompagner jusqu'à sa voiture, il s'était repris et avait retrouvé son sourire charmeur.

— Nous nous reverrons, j'en suis certain ! prédit-il d'un ton enjoué.

Elle en doutait mais ne jugea pas opportun de le dire. Le chiffre qu'il avait annoncé lui semblait énorme, pourtant Ariane avait dû en avoir une idée précise puisqu'elle avait laissé assez d'argent pour permettre à sa nièce de régler les droits de succession sans être obligée de vendre. Ce qui contraignait Anne à choisir.

L'après-midi touchait à sa fin, les ombres des arbres s'allongeaient démesurément. Grâce à Goliath, Anne n'éprouvait nulle angoisse, aucun sentiment pesant de solitude. Elle aurait volontiers terminé le tri des vêtements d'Ariane avant de passer à l'inventaire de son bureau, mais elle devait rentrer, sinon Paul allait de nouveau s'inquiéter. Elle prit néanmoins le temps de gagner l'office et elle ouvrit la porte qui conduisait à la cave. Jamais elle n'y était descendue et elle éprouvait une vague curiosité pour cette unique partie de la maison qu'elle ne connaissait pas. La lumière de l'escalier de pierre étant aussi chiche que toutes les autres, Anne garda une main appuyée au mur pendant la descente, plutôt raide. En bas, elle découvrit une grande salle voûtée qui ne comportait que quelques clayettes poussiéreuses. Une cinquantaine de bouteilles y étaient rangées, disparaissant sous les toiles d'araignées. C'était donc ici qu'Ariane venait chercher ces étonnants grands crus servis lors des rares dîners auxquels elle avait convié Anne et Paul. D'où provenaient des bouteilles d'un tel prix ? Rescapées d'un de ses mariages et l'ayant suivie jusqu'ici ?

Anne resta songeuse quelques instants puis elle se décida à remonter sans avoir touché à rien.

— Goliath, on s'en va ! On reviendra demain, et après-demain, et plein d'autres jours…

Elle en était indéniablement ravie et ne comprenait pas pourquoi. Un plaisir de *propriétaire* ? Avant de partir, elle jeta un dernier regard à la façade, en essayant de la voir avec les yeux d'Hugues Caze-neuve. D'une façon ou d'une autre, c'était une très belle maison.

**

Exaspérée par les questions de son mari, Lily leva les yeux au ciel.

— Tu ne t'en rends peut-être pas compte mais la vie augmente !

— Tous les vingt du mois, fit-il remarquer, tu as besoin d'une rallonge.

— Les filles ne sont plus des bébés, elles coûtent de plus en plus cher. Les vêtements à la mode, le coiffeur, le maquillage, les sorties, les DVD, l'argent de poche, et j'en passe.

— Arrête, arrête ! protesta Éric en riant. Qu'est-ce que ce sera quand elles feront des études supérieures ? Bon, je vais augmenter le virement, d'accord ?

Chaque mois, il lui versait une somme censée couvrir tous les besoins courants de la famille. Mais Lily était dépensière par nature et n'avait jamais assez d'argent. Éric ne s'en inquiétait pas trop puisqu'il gagnait bien sa vie, néanmoins il avait refusé d'avoir un compte joint afin d'éviter les mauvaises surprises et les disputes qui en découleraient forcément.

— J'ai parfois l'impression d'être ton employée, dit-elle d'un ton acide. Tu me salaries, et à force de réclamations tu finis par m'augmenter... Être femme au foyer n'est vraiment pas valorisant !

Il connaissait par cœur ses récriminations mais tenait bon. Elle l'avait menacé plusieurs fois de trouver un travail, cependant il savait qu'elle n'en avait aucune envie et que sa situation lui convenait très bien. Élever leurs filles et tenir la maison était peut-être un job à plein temps, mais de son côté Éric ne chômait pas à longueur de journée dans son cabinet dentaire.

— Ma sœur a bien de la chance, ajouta Lily, maintenant elle n'aura plus besoin de mendier auprès de Paul !

Sa réflexion laissa Éric perplexe. Anne n'avait pas besoin de « mendier », son travail de comptable lui procurant des revenus.

— J'aurais bien aimé faire un héritage, moi aussi. Seulement pour ça, il aurait fallu que j'aille prendre le thé et les petits gâteaux chez Ariane, merci bien ! Je ne suis pas vénale à ce point.

— Je ne crois pas qu'Anne le soit, répliqua-t-il un peu plus sèchement qu'il ne l'aurait voulu.

Ce n'était pas la première fois que Lily en parlait. Elle semblait mal digérer le testament de la tante Ariane, comme toute la famille Nogaro, d'ailleurs. Pour sa part, Éric s'en moquait, et il aurait apprécié que sa femme en fasse autant.

— Sous ses airs de sainte-nitouche, Anne sait très bien où est son intérêt. C'est ma petite sœur, je la connais, elle joue à la fantaisiste mais elle a les pieds solidement plantés dans la terre. Je ne crois pas une seconde qu'elle s'intéressait aux histoires de gemmeurs dont Ariane la régalait.

— Ne dis donc pas de bêtises, soupira-t-il. C'est toute l'histoire des Landes, et aussi de vos ancêtres. Je comprends qu'Anne…

— Ah, la naïveté des hommes ! fulmina Lily. Si j'avais imaginé ce que ça pouvait rapporter, j'aurais volontiers fait le même numéro : « Raconte encore, chère tante Ariane… »

Elle s'arrêta parce qu'Éric la toisait sans la moindre indulgence.

— Je ne te savais pas mesquine. Ni étroite d'esprit. Tu n'aimais pas cette femme, alors tu trouves impensable que ta sœur ait pu éprouver une quelconque affection pour elle.

— Personne ne l'aimait, même pas mon père ! Il doit bien y avoir une raison, non ?

Vraiment en colère cette fois, elle quitta le salon à grandes enjambées et claqua bruyamment la porte. Une minute plus tard, Éric l'entendit appeler les filles d'un ton furieux, réclamant de l'aide pour le dîner. Que lui arrivait-il donc ? Elle ne manquait vraiment de rien, comment l'héritage de sa sœur pouvait-il la mettre dans un état pareil ? Bien sûr, il s'était montré trop catégorique, il avait même eu des mots un peu durs, mais ils n'en étaient pas à leur première querelle. Ces petites disputes restaient sans conséquence, elles faisaient partie de leur vie de couple et ne les empêchaient pas de bien s'entendre. Ou à peu près… Éric était très attaché à Lily, mais il ne se posait guère de questions à son sujet. Faisait-elle sa crise de la quarantaine ? Le testament n'était peut-être qu'un prétexte pour laisser éclater un malaise latent. Pouvait-il l'aider à se sentir mieux ? Bon sang, quand il rentrait chez lui le soir, il n'aspirait qu'à un peu de paix. La paix d'un foyer bien ordonné. Était-ce trop demander ?

Pour couvrir les cris d'une scène entre ses filles, en provenance de la cuisine, il saisit la télécommande et monta le son dès qu'il eut trouvé des informations.

**

Paul reprenait son souffle, les bras en croix. La tête d'Anne reposait sur son épaule et il n'avait aucune envie de bouger. Ils étaient merveilleusement bien ainsi, allongés côte à côte, vidés de toute énergie, avec cette impression de fatigue bienheureuse qui suivait l'amour. Il déglutit deux fois, la bouche sèche, avant de murmurer :

— C'était… waouh !

Il la sentit rire en silence contre lui. Elle était toujours gaie, après. Gaie et affamée.

— Je vais me faire une tartine, déclara-t-elle. Tu en veux une ?

— D'accord. Une ou deux.

Le genre de pique-nique nocturne qu'ils s'offraient dans la semaine, en amoureux, profitant de l'absence de Léo. Anne ramassa la chemise de Paul qu'elle enfila avant de sortir, ce qui le fit sourire. Gaie, affamée et pudique ! Il perçut le bruit de la douche, ensuite celui de la porte de la cuisine. Dans cette petite maison, on entendait tout. Ils avaient trop privilégié l'isolation extérieure et négligé l'épaisseur des cloisons.

— Monsieur est servi ! lança-t-elle en revenant avec un plateau.

Elle avait pensé à remplir un verre de tursan dont ils prendraient une gorgée à tour de rôle, ainsi qu'un pot de rillettes de canard qui leur rappelait toujours les soirées passées sur la plage dans leur jeunesse. À cette époque-là, Paul était déjà très amoureux d'Anne, et treize ans de mariage n'avaient pas émoussé ses sentiments.

— Qu'est-ce que tu décides pour cet agent immobilier ? Tu lui confies l'exclusivité ?

Elle lui avait raconté la visite d'Hugues Cazeneuve mais ne semblait pas très enthousiaste malgré le chiffre – plutôt une bonne surprise ! – annoncé.

— Je ne sais pas. Je ne suis pas encore sûre de vouloir…

— Fais-en venir d'autres si celui-là ne t'inspire pas confiance.

— Oh, il est sûrement compétent ! Il dirige trois agences et il se fait fort de trouver un acquéreur. Mais… Eh bien, je me disais que peut-être on ne devrait pas vendre la bastide.

Apparemment soulagée d'avoir exprimé son idée, elle esquissa un sourire embarrassé.

— Pas vendre ? répéta-t-il, stupéfait. Et qu'en ferions-nous, alors ?

— On peut prendre le temps de réfléchir.

— À quoi ?

— Tu ne te verrais pas habiter là-bas ?

Son ton plein d'espoir déconcerta Paul. Y songeait-elle pour de bon ?

— Non, pas du tout, répondit-il de façon catégorique. Je ne suis pas très attaché à notre maison, qui est un peu exiguë, je te l'accorde, mais elle est confortable et elle ne nous coûte quasiment rien. Si tu as envie de changer de cadre de vie, pourquoi pas, toutefois la bastide Nogaro ne serait pas un choix très judicieux.

— Je ne l'ai pas choisie, Paul, elle m'est tombée du ciel. Or, même si ça t'étonne, on se sent incroyablement bien là-bas. Quand j'allais voir Ariane, j'éprouvais déjà cette impression de sérénité, de plénitude.

— Tu veux rire ? Je me souviens de certains dîners chez elle tout à fait…

Il hésita sur le mot. « Sinistres » ? Pas vraiment. Il y avait l'étrange personnalité d'Ariane, la vaisselle dépareillée, les bougies dans les hauts chandeliers qui créaient une atmosphère surannée, un peu irréelle mais pas désagréable. Il n'avait jamais pris le temps de détailler l'intérieur de la maison, toujours plongée dans la pénombre, néanmoins il appréciait ses abords, le chemin à travers la pinède et l'arrivée magique dans la clairière. Un endroit peut-être séduisant mais carrément inhabitable.

— Chérie, dit-il en tendant la main vers Anne, qu'est-ce qui te prend ?

— Je me laisse aller à rêver, admit-elle avec amertume comme s'il l'obligeait à renoncer à toutes ses illusions.

— Mais ce serait quoi, ton rêve ? Nous mettre un boulet pareil au pied ?

— Écoute, Paul, je n'ai jamais rien eu qui soit totalement… à moi. Avec les parents, nous avons toujours vécu un peu entassés les uns sur les autres puisque nous étions six, dans des logements de fonction sans âme où nous n'étions pas vraiment chez nous et qu'on ne se donnait pas la peine d'arranger. Je n'y ai pas été malheureuse, loin de là, mais je fantasmais sur toutes les grandes maisons que je voyais. À quinze ans, je m'offrais de temps en temps une de ces revues hors de prix, sur papier glacé, qui présentent des demeures extraordinaires. Pendant mes études, à Pau, j'ai vécu dans un minuscule studio et j'ai oublié mes rêves. Toi et moi, quand nous avons fait construire, on a géré selon nos moyens de l'époque, tu lançais juste la clinique vétérinaire et on attendait Léo, on n'allait pas faire les fous. Mais aujourd'hui, tout va bien, ça ronronne, et s'offrir enfin une aventure me tenterait assez. L'occasion fait le larron car je n'attendais pas la bastide, je ne l'espérais pas. En réalité, je n'y pensais même pas puisque la logique voulait que papa hérite et s'en débarrasse aussitôt. Mais les choses se sont passées différemment, et je vois une porte s'ouvrir sur un tout autre horizon. Alors, oui, je rêve de nouveau. Si je ne te l'avoue pas à toi, à qui d'autre puis-je en parler ? Tu sais bien que dans ma famille ils me traiteraient de folle. Toi aussi ?

— Non. Tant que tu es bien consciente qu'il s'agit d'un rêve impossible à réaliser.

— Pourquoi ? La bastide m'appartient, c'est concret.

Il fit l'effort de ne pas répondre car il se sentait à présent de mauvaise humeur. Sa vie lui convenait, il ne souhaitait pas la bouleverser, néanmoins il avait bien compris qu'Anne n'était pas satisfaite. Elle avouait ne pas tellement se plaire chez eux et, jusque-là, il ne s'en était pas douté. Même en connaissant sa fantaisie, son besoin de s'évader hors des sentiers battus et son goût pour l'aventure, il ne comprenait pas qu'elle veuille faire quelque chose d'aussi extravagant.

— Ce qui est concret aussi, finit-il par dire, ce sont toutes les charges inhérentes à une maison de cette taille. Je n'ai pas envie de me remettre des dettes sur le dos.

— Tu n'as que trente-huit ans, Paul ! Est-ce que tu es parti pour ne rien tenter de nouveau jusqu'à ta retraite ? On va vieillir et mourir ici ?

Au lieu de répondre à sa question, il choisit un autre angle d'attaque pour la dissuader de son absurde projet :

93

— Te souviens-tu que ton père, à l'âge qu'a Léo aujourd'hui, s'est ennuyé à mourir dans cette bastide ?

— Mais ça n'a rien à voir ! Léo possède un ordinateur et tous les moyens de communication imaginables. Léo aura un scooter dès qu'il le pourra, où qu'on habite. Et je te rappelle que Léo adore nager et surfer, or il pourrait aller à la plage à vélo. En plus, il aime la nature, les grands espaces, et il aurait la place de recevoir tous ses copains le week-end. Alors, n'agite pas le prétexte de Léo comme un épouvantail, dis plutôt que tu refuses de bouger. Pourtant, tu n'aurais pas beaucoup de route à faire pour gagner ta clinique, c'est à moins de vingt kilomètres.

— Quatre fois par jour, ça fait beaucoup !

Il luttait pied à pied car il la découvrait soudain bien plus déterminée qu'au début de leur discussion.

— Anne, reviens sur terre, la supplia-t-il d'un ton pressant. Tu ne te rends pas compte du gouffre financier que ce serait.

— Et aussi un bon investissement. En vendant ici, on pourrait faire des travaux là-bas. Pas tout à la fois mais petit à petit. À la fin, nous aurions une propriété superbe !

Elle s'emballait, commençait à y croire vraiment. Pour la première fois, Paul se sentait exclu de la vie de sa femme, de ses aspirations, de son avenir, alors qu'ils avaient tout partagé gaiement depuis le jour de leur mariage. Effrayé par une telle divergence entre eux, il eut le tort de se braquer.

— En tout cas, ce sera sans moi, articula-t-il.

Il s'aperçut trop tard que ce qu'il venait de dire n'était pas seulement un refus, que ça ressemblait

94

carrément à du chantage. Anne jeta sa tartine de rillettes entamée sur le plateau, se leva et sortit sans un mot. Navré, il regarda la porte se refermer – elle ne l'avait même pas claquée – et comprit que la question restait en suspens. Ils n'avaient pas réglé le problème, pas fini de s'affronter.

Prenant le verre de tursan, il le vida d'un trait. Lui toujours si calme, si modéré, pourquoi avait-il lâché ce définitif : « sans moi » ?

— Parce que je ne veux pas y aller, marmonna-t-il entre ses dents.

Il aurait même voulu ne plus jamais en entendre parler mais, connaissant Anne, il ne se faisait pas d'illusions. Jusqu'ici, ils avaient mené une existence très sage, très conventionnelle, et sans doute s'était-elle forcée pour rester dans cette voie. Elle s'était plus ou moins conformée aux désirs de Paul durant des années, mais aujourd'hui l'opportunité de son héritage lui donnait envie de s'évader. Comment allait-il faire pour la convaincre que ce qu'elle prenait pour une « aventure » était en réalité une énorme bêtise ? Et s'il n'y parvenait pas, que se passerait-il ? Qu'avait-il d'autre à lui proposer ? Quel moyen terme les mettrait d'accord tous les deux ?

S'asseyant au bord du lit, il prêta l'oreille mais la maison était silencieuse. Anne travaillait-elle sur ses dossiers comptables pour ne pas avoir à revenir se coucher près de lui ? Il avait remarqué qu'elle mettait les bouchées doubles, filant dès l'aube devant son ordinateur à peine son café bu, et qu'ainsi elle pouvait passer tous ses après-midi chez Ariane. Enfin, *chez elle* désormais.

Il se leva, enfila son caleçon. Bouder ne servait à rien, reprendre la discussion non plus. Du moins, pas tout de suite. Il alla jusqu'à la fenêtre, mit ses mains en œillères pour regarder dehors. Un carré de lumière se découpait sur la petite pelouse, en provenance du séjour. À part ça, bien sûr, il ne se passait strictement rien dehors, la vie nocturne de Castets n'existait pas.

Avec un soupir résigné, il gagna la porte, l'ouvrit doucement. Anne n'était pas assise devant son PC en train de faire des comptes, elle était agenouillée sous son bureau, occupée à caresser la tête de Goliath.

— Il en a, de la chance…

Anne se retourna et lui sourit.

— Je lui promets monts et merveilles, dit-elle d'un ton énigmatique.

Paul resta figé, se demandant s'il s'agissait d'une phrase anodine ou bien d'un défi.

4

Anne entendit claquer une fenêtre qu'elle se dépêcha d'aller fermer. À trop vouloir aérer, elle créait des courants d'air qui soulevaient la poussière à travers toutes les pièces. Comment Ariane avait-elle donc fait pour se passer de femme de ménage et conserver une maison de cette taille à peu près en ordre ? Avec les rhumatismes, l'essoufflement et toutes les misères de l'âge, elle s'était échinée jusqu'à ce que son cœur lâche.

Retournant s'asseoir derrière le bureau de chêne blond au plateau balafré par des rayures de stylo à bille, Anne ferma l'album photos. Elle connaissait ces clichés, savait nommer des gens qu'elle n'avait pas connus mais qu'Ariane lui avait souvent désignés comme un grand-oncle ou une lointaine cousine, racontant avec force détails ces vies disparues et tissant ainsi pour Anne toute l'histoire de sa famille.

Elle remit l'album sur la pile et ouvrit un premier tiroir qui contenait des factures. EDF, téléphone, eau, assurance, tout était rangé par catégorie, avec la date de paiement et le numéro du chèque. Dans le second tiroir,

Anne trouva des papiers de banque et l'acte d'achat de la maison. Sur la page de garde, en provenance de l'étude de Pierre Laborde, Ariane avait inscrit, de son écriture ample : « Et voilà ! » Souriant devant tant de ténacité, Anne poursuivit son inspection et trouva un dossier consacré aux impôts, un autre aux placements d'épargne.

Apporter tout ça chez le notaire…

Le tiroir central contenait plusieurs paquets de lettres attachés par des rubans de différentes couleurs, ainsi qu'un gros cahier de moleskine rouge, d'un genre qu'on ne trouvait plus dans le commerce. Alors qu'Anne s'apprêtait à l'ouvrir, elle entendit la voix de Léo qui l'appelait dehors :

— Maman, maman ! Lily vient d'arriver !

Lily ? Que faisait donc sa sœur ici, elle qui avait refusé d'y mettre les pieds du temps d'Ariane ? Elle s'approcha de la fenêtre, jeta un coup d'œil en bas. Le cabriolet Mégane de Lily était en effet garé devant le perron, et sa sœur discutait avec Léo qui tenait Goliath par son collier. Navrée d'être interrompue, Anne remit ses recherches à plus tard et descendit les rejoindre. Le temps était magnifique, quasiment une journée d'été avant l'heure, et un soleil étincelant écrasait la clairière d'une lumière aveuglante.

— Tu serais mieux à la plage, disait Lily à Léo.

Il avait choisi de venir passer son samedi à la bastide pour aider sa mère. En réalité, depuis des heures il se promenait dans les environs avec le chien, ravi d'être là.

— L'eau est encore trop froide ! affirma-t-il gaiement.

Puis il repartit en courant vers la forêt, suivi de Goliath.

— Tu n'as pas peur de le laisser s'éloigner ? demanda Lily.

— Ce n'est plus un bébé, et le chien veille sur lui.

Lily haussa les sourcils, la mine dubitative.

— Paul a beaucoup de travail le samedi et il rentre tard, précisa Anne. Léo n'avait pas envie de rester seul à la maison.

— Veinarde ! Mes filles ne veulent jamais aller se promener avec nous le week-end. C'est soit la télé, soit les copains, à la rigueur du shopping et on finit au Mac Do…

Tout en parlant, Lily considérait la maison avec intérêt.

— Eh bien, dis-moi, en voilà une jolie caserne ! Remarque, ça a de la gueule quand on arrive. Tu vas sûrement trouver un cinglé pour te l'acheter.

Elle reporta son attention sur sa sœur qu'elle dévisagea.

— En tout cas, félicitations pour ton héritage. Papa est un peu… amer, mais il essaie de le cacher.

— Ah bon ?

— Inutile d'en discuter avec lui, il te fera bonne figure, seulement je crois qu'il aurait apprécié de pouvoir mettre un peu de beurre dans ses épinards.

— Il t'a fait des confidences ?

— Non, déduction personnelle.

Anne essaya de ne pas sourire. Leur père n'était pas mesquin, et sans doute nullement « amer », mais en revanche, Lily était verte de jalousie et avait du mal à le cacher.

— Tu m'offres à boire dans ta demeure ? ironisa-t-elle.

— Bien sûr. J'ai du café, ou bien le coca de Léo.

Elles se dirigeaient vers le perron lorsqu'une autre voiture apparut dans la clairière.

— Tu attends du monde ?

— Non, soupira Anne.

Elle venait de reconnaître la Mercedes d'Hugues Cazeneuve, qu'elle n'avait jamais rappelé.

— Il est canon, ton visiteur, constata Lily à voix basse.

Vêtu d'un jean, d'un blazer et d'une chemise blanche, Hugues tenait un bouquet de roses à la main.

— Content de vous trouver ! lança-t-il à Anne. Nous n'avions pas rendez-vous, j'ai de la chance. Sinon, j'aurais laissé les fleurs devant la porte avec ma carte. Vous ne m'avez pas fait signe, mais je suis repassé une fois pour jeter un nouveau coup d'œil, et franchement…

Il lui tendit les roses avant d'ajouter, avec un irrésistible sourire :

— J'ai un client. Un client sérieux.

Anne resta silencieuse quelques instants, hésitant à fournir une réponse, surtout en présence de Lily.

— Hugues Cazeneuve, dit-elle enfin, et voici ma sœur Élisabeth.

— Enchanté. Anne, est-ce que je peux prendre des photos ? J'aurais dû le faire lors de ma première visite mais vous n'aviez pas l'air très décidée. Avez-vous eu le temps de réfléchir ?

— À quoi ? demanda Lily.

Un peu vexée parce que Hugues ne s'adressait qu'à Anne, Lily fit bouffer ses cheveux d'un geste théâtral.

— Votre sœur s'interrogeait sur son désir de vendre, expliqua Hugues sans la regarder davantage.

Lily éclata d'un rire trop sonore et désigna la façade.

— Ce bazar ? C'est ça ou y mettre le feu, non ? Je ne crois pas que ton mari te laissera garder un truc pareil, ma chérie !

— De quoi te mêles-tu ? riposta Anne, exaspérée.

Elle n'avait pas souvent eu l'occasion de voir Lily dans son numéro de charme avec les hommes. Pourtant, en deux phrases, sa sœur avait trouvé le moyen de dire qu'Anne avait un époux, autoritaire de surcroît, ce qui était faux, et qu'elle se comportait de manière puérile. Une façon de se mettre elle-même en avant ?

— Son héritage la rend très susceptible, précisa Lily à l'intention d'Hugues. Vous disiez que vous aviez un client ?

— Désolée, ça ne m'intéresse pas pour l'instant, trancha Anne.

Hugues avait suivi l'échange, et sans doute était-il apte à décrypter la situation car il déclara, très conciliant :

— Rien ne presse, mais j'aimerais au moins lui montrer la propriété en photo.

— Pas pour l'instant, répéta Anne en détachant ses mots.

— Vous boirez bien quelque chose ? proposa Lily comme si elle était chez elle.

Prenant le bouquet des mains d'Hugues, elle se dirigea vers le perron. Dans son dos, Anne et Hugues échangèrent un regard, puis un sourire.

— Plutôt ébouriffante votre grande sœur, chuchota-t-il d'un ton qui se voulait complice.

Anne savait qu'il essayait de gagner ses faveurs parce qu'il avait un client pour la bastide et une importante commission d'agence à la clef, néanmoins elle le trouvait sympathique de ne pas entrer dans le jeu de Lily.

Ils se rejoignirent tous trois à la cuisine où ils burent de grands verres d'eau en attendant que le café soit prêt. Lily devait brûler d'envie de demander quel prix le mystérieux client était prêt à mettre, mais elle parvint à s'abstenir car Léo venait de faire irruption, Goliath sur ses talons.

— Trop génial ! s'exclama-t-il. Dans les bois, on entend le bruit de l'océan, c'est fou non ?

— À vol d'oiseau, nous sommes tout près, rappela Hugues.

Il en profita pour se lever et serrer la main du garçon, précisant qu'il était agent immobilier. Léo regarda sa mère d'un air interrogateur, puis il alla prendre une canette de coca dans le réfrigérateur et sortit.

— Ton fils aime la nature, soupira Lily, tu as décidément tous les bonheurs…

Anne ne se donna pas la peine de répondre. Elle avait espéré que Léo apprécierait sa journée, et apparemment c'était le cas. Il connaissait déjà la bastide mais, lorsqu'il y était venu avec Anne pour rendre visite à sa grand-tante, il s'était comporté en enfant sage et n'avait pas couru partout. Là, il était libre de faire ce qu'il voulait, d'explorer la pinède, de fureter dans les recoins de la maison, de s'amuser avec Goliath, lui qui adorait les chiens. Néanmoins, Anne ne voulait pas lui donner de faux espoirs en annonçant qu'elle envisageait de conserver ce formidable terrain de jeu. La discussion avec Paul n'était pas close, et à aucun prix Léo n'y serait mêlé.

— Monsieur Cazeneuve…, commença-t-elle d'un ton ferme.

— Appelez-moi Hugues, je vous en prie.

— Je n'ai encore rien décidé et je ne veux pas qu'on me bouscule. Si vous vous êtes dérangé pour rien, j'en suis navrée.

— Ne vous inquiétez pas de ça. Tant que vous n'avez pas fait un choix définitif, l'affaire reste possible, n'est-ce pas ? Mais quand vous serez sûre de vous, ne faites pas appel à quelqu'un d'autre, gardez-moi la priorité, c'est tout ce que je vous demande.

Il la scrutait avec une insistance un peu embarrassante, et Anne soutint son regard jusqu'à ce qu'il baisse les yeux.

— De toute façon, dit-elle d'un ton plus conciliant, il faut d'abord que les formalités de la succession soient réglées, et aussi que je vide la maison. Elle est pleine de souvenirs, de choses personnelles…

— Tu n'as qu'à tout balancer dans une benne, suggéra Lily.

— Ou bien contacter des brocanteurs, temporisa Hugues. J'en connais de sérieux qui ne vous arnaqueront pas trop. La formule d'un commissaire-priseur n'est pas mauvaise non plus. Je vous donnerai des adresses si vous voulez.

Il se leva, alors qu'Anne aurait bien parié qu'il ferait tout pour s'attarder.

— Merci pour le café, et n'hésitez pas à me téléphoner.

Avant de partir, il gratifia enfin Lily d'un sourire poli. Celle-ci attendit d'entendre démarrer la Mercedes pour se mettre à rire.

— Eh bien, dis-moi, il en fait des tonnes, le monsieur ! Je ne sais pas si c'est pour la maison ou pour tes beaux yeux mais tu ne vas pas t'en débarrasser facilement…

— La propriété l'intéresse, elle est sans doute plus vendable qu'on ne l'imaginait.

— Alors, profites-en, ne fais pas l'idiote. Tu as un bol incroyable avec cet héritage, prends l'argent au lieu de chercher les ennuis. Vous avez un contrat de mariage, Paul et toi ?

— Séparation de biens. Nous l'avions choisie pour que je ne sois pas solidaire des dettes de Paul si jamais la clinique vétérinaire ne démarrait pas.

— Aujourd'hui, ça va te servir puisque te voilà riche, mais jusqu'ici tu t'étais mise en danger, ma chérie. En cas de divorce, tu n'aurais pas eu un sou.

— On n'a jamais pensé à divorcer, Lily !

— Tu n'en sais rien. Personne n'en sait rien. Dans un couple, tout peut basculer d'un jour à l'autre. Il suffit d'un désaccord, d'une rencontre, de n'importe quoi.

— Est-ce que ça va avec Éric ? s'inquiéta Anne.

— Oui, oui, pour l'instant tout va bien, mais enfin, il y a l'usure du temps, le quotidien… Parfois, je t'avoue que je rêve d'autre chose.

— Quoi par exemple ?

— Une belle aventure tant que je ne suis pas trop moche ni trop vieille. Un nouveau départ, une deuxième chance, un truc exaltant.

Anne contempla longuement sa sœur avant de lâcher :

— Je crois que tu t'ennuies.

Elle ne voulait pas la questionner de manière trop abrupte mais elle était presque certaine que Lily cherchait à se distraire loin d'Éric, mettant sa famille en péril par désœuvrement.

— Ne fais pas ta mijaurée, Anne. La tentation, ça existe.

Maintenant qu'Hugues était parti et qu'elle ne se trouvait plus en représentation, Lily avait soudain l'air morose. Le soleil qui entrait à flots dans la cuisine durcissait ses traits, la faisant paraître plus vieille que ses quarante ans.

— Je vais rentrer, décida-t-elle.

Anne la raccompagna jusqu'à son coupé et l'embrassa plus affectueusement que de coutume.

— Sois prudente sur la route.

— Ne t'inquiète pas. Tu feras la bise à Léo de ma part.

Elle s'installa au volant, baissa le pare-soleil, mit le contact.

— Anne, tu ne penses pas sérieusement à garder cette maison ?

— Je ne sais pas.

— C'était la chimère d'Ariane, pas la tienne. Sois un peu raisonnable pour une fois !

Elle démarra en faisant voler du sable, laissant Anne interloquée. *Raisonnable ?* Depuis une bonne douzaine d'années, Anne s'était montrée raisonnable, sensée, rationnelle. Sa réputation d'originale, qui lui collait aux basques, ne reposait que sur des souvenirs déjà anciens. Certes, elle avait été une jeune fille marrante, mais ensuite une femme rangée. Ses fantaisies ne charmaient Paul que dans la mesure où il s'agissait de choses mineures comme des vacances ou de simples propos exubérants. Or elle avait toujours envie, et peut-être aujourd'hui carrément besoin, d'avoir des projets un peu fous, de sortir des sentiers battus du quotidien.

— Lily est partie ? s'enquit Léo en surgissant près d'elle.

— Elle m'a chargée de t'embrasser. Tu t'amuses bien ?

— J'te raconte pas. J'ai trouvé un sentier de randonnée qui doit conduire à la plage sans passer par la route, mais je n'avais pas le temps d'aller jusqu'au bout. Et puis Goliath était inquiet, je crois que ça l'embêtait de te laisser seule.

— Tu lui prêtes des pensées d'humain et ça s'appelle…

— De l'anthropomorphisme, je sais ! Sauf que c'est un chien de garde et qu'il ne savait plus lequel de nous deux garder.

Anne sourit et prit son fils par le cou.

— Tu grandis trop vite, chéri.

— Croissance normale, m'man. Charles et moi, on fait exactement la même taille, on se mesure tous les lundis au bahut ! À propos, est-ce qu'il pourra venir ici avec nous samedi prochain ?

Ses yeux brillaient d'excitation à l'idée de montrer la bastide à son meilleur copain.

— On s'amuserait mille fois mieux qu'à la maison ! ajouta-t-il avec entrain.

— D'accord, mais vous m'aiderez à porter des cartons. Il faut vraiment que je trie tout ce bazar.

— Ça va te prendre beaucoup de temps, prédit-il d'un air réjoui.

Être ici semblait lui plaire pour de bon. Attrait de la nouveauté ? Besoin de grands espaces avec l'arrivée du printemps ? Il était comme tous les adolescents, ce qui le séduisait aujourd'hui pouvait l'ennuyer demain.

— Tu es obligée de vendre ? demanda-t-il brusquement.

Même si elle ne voulait pas le mêler à cette histoire, il était assez grand pour écouter et tirer ses déductions. Qu'avait-il surpris des conversations de ses parents, des autres membres de la famille ?

— Nous en discutons, ton père et moi, répondit-elle prudemment. Et d'ailleurs, il est tard, on va rentrer chez nous. Tu m'aides à fermer les fenêtres ?

Elle avait remarqué que, pour l'interroger, Léo avait utilisé le singulier : « *Tu* es obligée de vendre ? » Il n'incluait pas son père, il savait que la décision n'appartenait qu'à elle. Quoi qu'elle fasse, elle serait seule responsable.

**

Assis sur le coin de son bureau, Paul relisait distraitement le programme des interventions prévues la semaine suivante. Julien et lui se réservaient une matinée hebdomadaire pour opérer, ce qu'ils faisaient toujours ensemble, l'un assistant l'autre. Paul avait la main très sûre et Julien un excellent diagnostic : ils se complétaient sans chercher à rivaliser. Et si Paul investissait volontiers dans du matériel de pointe, recevant les représentants des fabricants, pour sa part Julien testait avec intérêt les nouveaux médicaments des laboratoires.

Entre leurs deux cabinets se trouvait une petite pièce où était stocké tout ce dont ils pouvaient avoir besoin durant leurs consultations, et à l'autre bout du bâtiment la salle d'opération jouxtait une salle de réveil garnie de cages de différentes tailles. Chaque année, pendant la fermeture annuelle, toute la clinique avait droit à une nouvelle couche de peinture pour conserver son aspect impeccable, très apprécié par la clientèle.

— Je trouve que c'est un meilleur antibiotique de couverture, expliquait Julien en agitant une brochure, parce qu'il est aussi efficace que les autres mais bien mieux toléré.

Paul hocha la tête distraitement, donnant l'impression de n'avoir rien écouté.

— Paul ? Où es-tu parti, mon vieux ?

— Désolé. Laisse-moi la doc, je la lirai chez moi ce soir.

— Est-ce que tout va bien ?

— Oui…

— Quelle conviction ! Voilà un oui qui signifie non.

Au fil du temps, une véritable amitié s'était nouée entre eux, ils n'étaient plus seulement des confrères ou des associés, et Paul répondit franchement.

— Pour ne rien te cacher, je pensais à Anne. Nous sommes en désaccord complet au sujet de cette maison.

— Celle de la tante Ariane ?

Ils entendirent claquer la porte de la salle d'attente, puis l'assistante passa devant la fenêtre en leur adressant un signe de la main. La journée avait été longue, comme tous les samedis, et la brave femme devait avoir hâte de rentrer chez elle.

— Bon week-end, Brigitte ! crièrent-ils à l'unisson.

Puis Paul descendit de son bureau et se mit à faire les cent pas.

— Je trouve insensé qu'Anne puisse songer, ne serait-ce qu'une seconde, à l'habiter. Elle a pourtant suivi ton conseil en contactant des agences et, après estimation, il semble qu'elle pourrait en tirer un bon prix. Mais entre-temps, elle s'est mis en tête d'y vivre ! Depuis, on se dispute.

— Comme sujet de querelle, fit remarquer Julien, c'est moins grave qu'un amant.

Paul réussit à ébaucher un pâle sourire en murmurant :

— Bien sûr...

— Et ne perds pas de vue que ce qui t'a séduit chez Anne, c'est sa personnalité un peu fantasque. Souviens-toi, elle semblait prête à toutes les folies, or vous n'en avez jamais fait. Si aujourd'hui elle a envie de se lâcher, pour une fois va dans son sens.

— Tu me vois m'installer dans cette bâtisse à l'abandon, ce palais des courants d'air ?

— À ce point-là ?

— Tu n'imagines pas. Passe voir Anne là-bas, tu te rendras mieux compte. Elle y est tous les après-midi.

— J'irai, promit Julien très sérieusement.

Il n'oubliait pas la manière dont Paul l'avait soutenu lors de son divorce et il s'inquiétait de le voir si préoccupé depuis quelques jours.

— Mais en attendant, n'en fais pas une question de principe, une affaire personnelle. C'est vraiment important, le toit qu'on a au-dessus de la tête ? Vous venez de faire un héritage, vous avez de la chance, considérez ça comme une opportunité au lieu de vous engueuler.

— Une opportunité dont je me serais bien passé, marmonna Paul. Si Anne espérait ce genre de « chance » pour pouvoir changer de vie, ça signifie que la sienne ne lui convenait pas et ça me consterne de le découvrir aujourd'hui.

— Je crois que les choses sont un peu plus compliquées, Paul. En fait, tu es agacé de ne plus être le seul à pouvoir faire le bonheur de ta femme. Un élément extérieur est venu la réveiller, la galvaniser, et tu ne veux pas le partager avec elle ni t'en réjouir parce qu'il ne vient pas de toi.

Paul resta silencieux un moment, puis il eut une petite moue désabusée.

— Ce ne serait donc que jalousie ou égoïsme de ma part ?

— Peut-être. Essaye d'y penser.

Ils ôtèrent leurs blouses en même temps, puis Paul bascula la ligne de la clinique sur son portable.

— J'espère que tu n'auras pas trop d'urgences, lui souhaita Julien. Dimanche dernier, j'ai eu droit à une crise d'épilepsie, une leptospirose, une gastro et une fracture !

Après avoir verrouillé toutes les ouvertures, ils allèrent récupérer leurs voitures garées derrière la clinique.

— J'ai bien envie de m'acheter une moto, déclara
Julien en considérant sa vieille Golf d'un œil morne.
Maintenant que je n'ai plus charge d'âmes, rien ne
m'empêche de m'amuser un peu.

— Mais quand tes jumeaux viendront pour les
vacances ?

— Je garde la bagnole, je prendrai la moto en plus !
Le seul avantage du divorce, c'est la liberté retrouvée.

Paul estima qu'il ne le disait pas très gaiement. La
famille avait de l'importance pour Julien, et durant des
années il avait cru avoir fondé la sienne. Mal remis de
ce divorce dont il prononçait le mot avec répugnance, il
cherchait des compensations.

— À lundi, vieux, marmonna Paul.

En s'installant au volant, il se demanda si son propre
couple n'était pas en danger. Le désaccord au sujet de
la bastide pouvait sûrement se régler sans trop de
dégâts, à condition que chacun fasse un effort. Anne y
consentirait-elle ? Et pour sa part, qu'était-il prêt à
concéder ? Et celui qui céderait en garderait-il rancune
à l'autre dans l'avenir ?

« Si Anne vend la bastide sous la contrainte, elle
m'en voudra. Mais si je vais y vivre, je serai de
mauvaise humeur tous les soirs… »

La tante Ariane n'avait sûrement pas imaginé qu'en
faisant d'Anne son héritière elle allait semer la
pagaille. À moins qu'elle ne l'ait prévu, au contraire ?
C'était une femme intelligente, pas du tout cinglée
comme le prétendaient la plupart des gens de sa

famille. Avait-elle cru qu'Anne se précipiterait pour reprendre le flambeau, entraînant Paul avec elle ?

« Mais je m'en fous, moi, de cette baraque ! Je n'y ai pas de souvenirs, je n'y suis pas attaché, et je refuse de m'embarquer dans une galère pareille. »

Bon, Julien avait peut-être raison quand il suggérait une forme d'égoïsme. Ou de jalousie, car, en effet, Paul s'était cru jusqu'ici le seul artisan du bonheur d'Anne. Sauf qu'une simple maison ne faisait pas non plus le bonheur.

Fatigué de retourner ces idées dans sa tête, Paul décida de s'arrêter à la boulangerie pour acheter un gâteau. Anne et Léo seraient sans doute affamés après leur journée, et dans l'immédiat l'important était de passer une bonne soirée en famille. Sans parler, si possible, de la bastide Nogaro.

⁎

Consternée, Suki tournait autour de la camionnette.

— Si j'étais vous, déclara le garagiste, je ne ferais pas la réparation, ça ne vaut pas le coup. Il y en aura pour plus cher que la valeur de l'argus !

— Je ne peux pas en racheter une neuve maintenant, répéta-t-elle.

— Pourquoi pas d'occasion ? J'ai exactement ce qu'il vous faut…

Il l'entraîna vers une série de véhicules utilitaires qui portaient tous un écriteau.

— Regardez ce Trafic Renault, il serait parfait pour vous ! Petit kilométrage, bons pneus, et je vous fais une garantie de trois mois. Qu'en dites-vous ?

La jeune femme lut le prix avant de secouer la tête, déçue.

— Prenez un crédit, insista le garagiste.

Suki n'était pas certaine que la banque accepte de leur accorder un crédit supplémentaire. Et la perspective de s'endetter davantage l'effrayait. Néanmoins, elle ne pouvait pas se passer d'une camionnette pour les livraisons. La voiture de Valère était bien trop petite, aucune plante de grande taille n'y tiendrait, et de toute façon, il en avait besoin.

— Bon, je vais y réfléchir, soupira-t-elle.

— Décidez-vous vite, ce Trafic ne fera pas long feu ici, il va trouver preneur. À ce prix-là, c'est vraiment une affaire.

Même si elle n'était pas dupe, Suki n'avait pas envie de discuter. Il serait toujours temps de marchander lorsqu'elle aurait trouvé comment financer l'achat.

En quittant le garage, elle choisit de rentrer à pied. Marcher l'aiderait à mettre un peu d'ordre dans les pensées confuses qui la tourmentaient. L'argent devenait son obsession et elle détestait ça. Pourquoi ne pouvait-elle pas uniquement se pencher sur la composition d'un bouquet délicat ? Il y avait trop de factures, de charges et d'échéances, assorties d'une épouvantable paperasserie qui lui faisait perdre un temps fou et la ramenait toujours à ses problèmes matériels. Lorsqu'elle avait ouvert son magasin, Valère l'avait poussée à ne pas lésiner, optant pour un grand local situé dans l'une des rues les plus commerçantes du centre. En conséquence, elle payait un loyer élevé qui absorbait une grande partie de ses bénéfices. Avaient-ils eu trop d'ambition ? Aurait-elle mieux fait de démarrer plus modestement ? Sans Valère, sa prudence naturelle l'aurait portée vers un autre choix, mais il n'était plus temps de le regretter, elle devait avancer, faire face, et bien sûr elle allait prendre rendez-vous avec son conseiller, à la banque. De nouveau, elle serait contrainte de surmonter sa timidité pour argumenter et quémander, même si elle détestait ça.

« Pour me sentir moins démunie devant toutes ces histoires de fric, je finirai par demander à Anne des cours de comptabilité ! »

Évoquer Anne la mit aussitôt mal à l'aise. À plusieurs reprises, Valère avait reparlé de l'héritage de sa sœur, parfois avec amusement, parfois avec un peu d'aigreur.

« Pas question de lui emprunter un seul euro. Les banques sont faites pour les prêts, pas la famille. Si Valère va lui raconter nos soucis, elle se croira obligée de nous aider, on la mettra dans une situation impossible. S'il faut absolument solliciter un proche, je préférerais me tourner vers Éric... Non, pas Éric, Lily le prendrait mal. »

Découragée, Suki pressa le pas sans s'intéresser à toutes les vitrines qu'elle longeait. Elle savait se restreindre, se montrer économe, en revanche Valère n'y arrivait pas. Un nouvel objectif, un beau pull, une soirée au restaurant : il ne résistait à rien.

Songer à son mari la fit sourire et elle baissa la tête pour qu'aucun des passants qu'elle croisait ne la remarque ou n'aille s'imaginer qu'elle se moquait. Le respect des autres faisait partie des valeurs inculquées dans son enfance par une famille très attachée aux traditions, et une vingtaine d'années passées en France n'y avaient rien changé.

« On va y arriver, c'est juste un cap à passer, l'affaire de quelques mois. Rien n'est grave quand on s'aime. »

Elle essayait de se rassurer sans y parvenir. Les soucis d'argent pourraient peut-être se régler, mais son autre obsession, qui était d'avoir un bébé, ne la laissait pas en paix. Le matin même, elle avait encore essuyé une déception en trouvant dans son courrier de mauvais résultats d'analyses. Le médecin qui la suivait, joint aussitôt par téléphone, ne s'était pas montré très optimiste, pourtant elle ne voulait pas se laisser décourager. Le jour où elle attendrait enfin un enfant, tous ses autres problèmes deviendraient insignifiants.

Arrivant en vue de son magasin, elle s'aperçut qu'elle s'était mise à courir. Pour fuir la réalité ? Elle ralentit, reprit son souffle, releva la tête. La devanture était magnifique et donnait envie d'entrer. À travers la vitre, elle vit Valère qui emballait des lys blancs pour un client. Il était venu tenir la boutique pendant qu'elle se traînait chez le garagiste dans un nuage de fumée. Tandis qu'il encaissait le prix des fleurs, il la découvrit à son tour sur le trottoir et son visage s'illumina. Elle n'avait pas de bonnes nouvelles à lui annoncer mais elle lui rendit son sourire avant de pousser la porte.

**

Anne ouvrit les yeux, les referma aussitôt, éblouie, puis s'étira en changeant de place. Le rayon de soleil qui s'étendait jusqu'à son oreiller et chauffait sa joue avait dû la réveiller. Devant la fenêtre, sur une branche du rosier grimpant, deux fleurs s'épanouissaient dans la lumière du matin.

« Merci mon Dieu pour vos menues bontés… »

Une phrase que sa tante Ariane disait souvent, en riant, pour souligner les petits bonheurs de la vie. Durant quelques instants, Anne continua de détailler les roses, grosses comme des choux, puis elle se tourna vers Paul qui dormait toujours. La veille, ils avaient passé une bonne soirée, réussissant de justesse à éviter le sujet de la bastide. Paul avait préparé un délicieux poulet à l'estragon, et Léo, en verve, les avait fait rire avec des anecdotes de sa pension. Lui aussi s'était abstenu d'évoquer la maison d'Ariane, ne glissant qu'une toute petite phrase sur sa « journée formidable » là-bas. Plus tard dans la nuit, Anne et Paul avaient fait l'amour, en silence parce que Léo se trouvait dans sa chambre, juste à côté d'eux, et ils s'étaient endormis serrés l'un contre l'autre.

Elle passa les doigts dans ses cheveux courts pour les remettre en ordre car elle avait toujours l'air d'un hérisson le matin. Son mouvement réveilla Paul qui marmonna un : « bonjour » à peine compréhensible. À son tour, il aperçut les roses contre la vitre et il les considéra avec une expression ravie. C'était Suki son fournisseur attitré, mais lui qui plantait, taillait, palissait.

— Je prépare le petit déjeuner ? proposa-t-il.

— Non, j'y vais, je n'ai plus sommeil.

— Moi non plus !

Ils se levèrent ensemble, enfilèrent leurs peignoirs et descendirent sans bruit à la cuisine. En principe, Léo était capable de dormir jusqu'à midi, comme tous les dimanches.

Anne remarqua que Paul s'affairait avec plus de nervosité que d'habitude, brutalisant le grille-pain et heurtant les bols.

— J'aimerais bien savoir où tu en es avec cette maison, finit-il par lâcher. As-tu décidé quelque chose ?

La seule réponse qu'il souhaitait entendre était celle qu'elle ne pouvait pas lui donner. Et sans doute n'allait-il pas se satisfaire d'une remise à plus tard. Dire qu'elle n'en savait rien serait d'ailleurs un mensonge parce qu'au fond d'elle-même, sa résolution était prise.

— J'ai une folle envie que nous habitions là-bas, déclara-t-elle très vite, en évitant de le regarder. Ou au moins, qu'on fasse un essai pendant l'été. Ce serait le meilleur moyen de découvrir si on s'y plaît.

— S'y plaire ? répéta-t-il d'un ton railleur.

— On pourrait considérer ça comme des vacances, avec l'océan à deux pas et toute la place pour s'ébattre ou pour recevoir des amis.

— D'abord, je te rappelle que mes vacances ne durent pas tout l'été, ensuite je refuse de passer le peu de vacances que j'ai chez Ariane !

— C'est chez nous, désormais.

— Chez toi. Désolé, je ne me sens pas concerné.

— Dommage, parce que ça me tient à cœur.

— Eh bien, vas-y ! explosa-t-il. Puisque tu en as une *folle* envie, va donc t'installer dans cette baraque à l'abandon, on se téléphonera pour se donner des nouvelles !

— Paul… Pourquoi es-tu si buté ? Je te propose juste un essai de quelques semaines. Après, nous pourrions discuter en connaissance de cause.

— Je ne veux plus en discuter. Je ne veux pas quitter ma maison, je ne veux pas bouleverser ma vie pour un caprice.

— Oui, je sais, tu tiens à ce que rien ne change, jamais. Mais en ce qui me concerne, je suis tentée par autre chose. Ton métier est plus prenant, plus passionnant que le mien. Moi, ici, je tourne un peu en rond.

— Bon sang, Anne, faut-il vraiment que tu remettes tout en question ?

— Pas *tout*, non, seulement notre cadre de vie. Pourquoi t'accroches-tu aux murs de notre petite maison ? Tu ne les as pas bâtis de tes mains !

Paul la dévisagea avant de hausser les épaules. Apparemment, il manquait d'arguments.

— Sacrée tante Ariane, laissa-t-il tomber avec hargne. Elle t'a fait un drôle de cadeau, qui nous pourrit l'existence.

— Quelle mauvaise foi ! Tu vas t'y mettre aussi ? Décidément, la pauvre Ariane ne trouve grâce aux yeux de personne. Tu crois qu'elle aurait mieux fait de laisser ses biens à une association de défense des poissons rouges ? Eh bien moi, je la remercie ! J'ai la chance de voir tomber du ciel une propriété magnifique, je ne comprends pas pourquoi nous n'en profiterions pas.

— Au contraire, je te dis de le faire. Mais je t'ai déjà prévenue, ce sera sans moi.

— Dommage.

Ils se défiaient du regard, dressés l'un contre l'autre, et l'arrivée de Léo les figea.

— Vous criez beaucoup, ce matin, fit remarquer le jeune homme d'une voix hésitante.

Ses yeux allèrent de sa mère à son père, puis il se dirigea vers la cafetière. Son tee-shirt et son bermuda semblaient trop petits pour lui, il avait encore grandi.

— C'est la bastide qui pose problème ? insinua-t-il. Moi, je la trouve…

— Formidable, j'imagine, le coupa Paul d'un ton sec. Ça tombe bien, ta mère va s'y installer pour l'été !

Anne réalisa qu'il la mettait au pied du mur, qu'il lui lançait le défi d'exécuter son projet, et aussitôt elle se braqua, ravalant de justesse une répartie cinglante.

— Ah bon ? s'étonna Léo en ouvrant de grands yeux incrédules.

Dans le silence qui suivit, Anne n'hésita qu'un instant.

— Je prendrai quelques affaires demain matin, et après t'avoir déposé à la pension je filerai là-bas. J'ai encore beaucoup d'ordre à mettre, ce sera plus pratique que toutes ces allées et venues. Goliath sera ravi, il va pouvoir veiller sur moi.

Léo se tourna vers Paul et demanda ingénument :

— Tu n'iras pas y dormir, papa ?

— Trop loin, répondit Paul de façon laconique. J'ai un travail fou à la clinique en ce moment, je finis tard. En plus, Julien doit prendre quelques jours de congé, je vais être tout à fait débordé.

Il cherchait à ménager son fils, et aussi à l'empêcher de se mêler de leur histoire. De nouveau, Léo les regarda à tour de rôle, puis il sortit en claquant violemment la porte.

— Eh bien voilà, on a gagné…, maugréa Paul.

Il paraissait toujours en colère, alors qu'Anne se sentait glacée. Comment avaient-ils pu en arriver là si vite ? Paul, toujours conciliant et mesuré, était subitement devenu intolérant et hostile.

— C'est trop bête, souffla-t-elle.

— Je ne te le fais pas dire ! Et je constate que tu avais déjà prévu de boucler tes valises sans tarder, que je sois d'accord ou pas.

— Je savais que tu ne le serais pas. Mais pourquoi faudrait-il que ce soit toujours toi qui décides, toi qui choisisses ? Je ne te connaissais pas sous ce jour-là.

Elle alla ranger son bol dans le lave-vaisselle et quitta la cuisine, beaucoup plus posément que leur fils. L'attitude de Paul la blessait, la peinait, néanmoins elle éprouvait un surprenant soulagement. Elle allait enfin pouvoir investir les lieux, s'approprier cette maison reçue en héritage. Dès la première visite d'Hugues Cazeneuve, et peut-être même avant, lors de son rendez-vous chez le notaire pour l'ouverture du testament, elle avait pressenti qu'elle rechignerait à vendre la bastide. Quelque chose d'impossible à identifier mais de très fort l'attirait là-bas, et personne ne l'empêcherait d'aller chercher ce que c'était. De toute façon, sa chambre était prête, Ariane y avait veillé, avec les *Contes* de Maupassant sur la table de nuit. Cependant, ce ne serait pas sa première lecture, elle voulait d'abord se plonger dans le gros cahier de moleskine rouge découvert au fond d'un tiroir du bureau.

En prenant un jean et un tee-shirt dans sa penderie, son regard tomba sur les sacs de voyage rangés en bas et elle reçut un choc. S'apprêtait-elle vraiment à s'en aller pour quelques jours ou quelques semaines d'un cœur aussi léger ? Le refus catégorique de Paul aurait dû la bouleverser davantage, la traumatiser ou l'angoisser, et c'était tout juste si elle ne s'habillait pas en sifflotant ! Que lui arrivait-il donc ?

Elle s'obligea à y réfléchir, assise au bord de leur lit. Elle était presque certaine d'aimer Paul autant qu'au premier jour de leur mariage mais, décidément, elle ne digérait pas sa réaction butée. Pourquoi refusait-il de tenter l'expérience ? Par égoïsme ? Parce qu'il croyait détenir la vérité ? Jusqu'ici, la stabilité de leur couple leur avait fait croire qu'ils vivaient en osmose, et voilà qu'ils se découvraient dans deux camps distincts, avec des aspirations et des points de vue radicalement opposés.

« Je ne m'effacerai pas. Pas cette fois ! »

L'avait-elle souvent fait dans le passé ? Ils prenaient les décisions ensemble, du moins l'avait-elle cru, mais en réalité les choix de Paul passaient tout naturellement en premier. L'ouverture de la clinique vétérinaire, les emprunts, la décision d'habiter Castets, les plans et la construction de leur petite maison, le rythme de leur existence : tout était régi par le métier de Paul. Si elle s'en était très bien accommodée depuis des années, aujourd'hui elle estimait que son tour était venu, et personne ne le lui prendrait. Même pas Paul.

5

Un temps exceptionnel avait accompagné les premiers jours d'Anne à la bastide. Aucun nuage à l'horizon, un petit vent marin presque tiède chargé de sel et de l'odeur des pins, des couchers de soleil tardifs qui allongeaient les ombres démesurément : tout concourait à donner une impression estivale.

Mais Anne travaillait beaucoup à l'intérieur de la maison, vidant un par un les placards. Elle mettait de côté les objets qui lui plaisaient et entassait les autres sur la grande table de la salle à manger dont elle avait déplié les rallonges. Pour les meubles, trop lourds à déplacer, elle collait sur certains un papier avec la mention : « À vendre », et donnait un coup de plumeau à ceux qu'elle voulait garder.

Sa chambre s'était révélée aussi agréable qu'Ariane avait dû le souhaiter. Deux des fenêtres, orientées au sud, laissaient entrer des flots de lumière jusqu'au soir, et la troisième, à l'est, offrait le spectacle de l'aurore. Les draps neufs étaient d'une incroyable douceur, une bonne odeur de cire flottait dans l'air. En ouvrant le grand placard, dissimulé dans les boiseries, Anne avait découvert une rangée de cintres en bois côté penderie, et côté lingère des étagères recouvertes de papier fleuri. Sur chacune d'elles, un sachet de lavande embaumait. Là encore, ni poussière ni toiles d'araignée, tout était impeccable, prêt à l'accueillir. Anne s'était donc contentée de monter le transistor à piles de la cuisine, ainsi que le gros panier de Goliath. Même si elle n'était pas peureuse, elle préférait que le chien soit avec elle dans sa chambre car, une fois la nuit venue, elle avait conscience de la taille de cette imposante maison où elle était seule. Si elle imaginait le clair de lune éclairant la bastide posée au milieu de la clairière et cernée par les bois, regarder Goliath dormir la rassurait. En cas de danger, il serait réveillé bien avant elle.

Dès le premier soir, le lundi, elle avait appelé Paul, qui s'était montré plutôt distant. Pourtant, le lendemain, c'était lui qui avait téléphoné à l'heure du déjeuner, radouci et presque chaleureux, néanmoins il n'avait pas proposé de venir la voir. Il finirait par le faire, elle en était certaine. Rester fâchés à vingt kilomètres l'un de l'autre ne rimait à rien. S'il avait envie de sa compagnie, il savait où la trouver, et d'ici là elle refusait tout sentiment de culpabilité.

Le mardi après-midi, elle était allée remplir un caddie au supermarché de Lit-et-Mixe qui se trouvait sur la route des lacs. Puis elle s'était arrêtée chez un garagiste pour négocier l'enlèvement de la très vieille voiture d'Ariane qui n'était même plus cotée à l'argus. En rentrant, elle avait cherché la chaise longue de toile qui se trouvait dans l'office et l'avait installée au coin de la maison, dans un emplacement mi-ombre mi-soleil où elle avait enfin pu commencer la lecture du gros cahier de moleskine rouge.

Ainsi qu'elle l'avait supposé, il s'agissait d'un journal, écrit comme une chronique à la fois très personnelle et très ironique. Ariane y mêlait anecdotes et états d'âme, récits épars et jugements à l'emporte-pièce.

**

Mon père avait remarqué que je regardais beaucoup ce jeune homme qui traquait les mauvaises herbes avec sa binette, tentait de faire vivre les palmiers tant désirés par ma mère et arrosait les fleurs que le vent salé desséchait. Pour ne pas avoir à m'en parler directement, papa m'a d'abord offert un exemplaire de L'Amant de lady Chatterley. *Malgré cette lecture édifiante, mes coups d'œil n'ont pas cessé et il a renvoyé le garçon. Toujours ses méthodes expéditives, radicales. Une façon de faire qui l'a ruiné au bout du compte. Ses gemmeurs le détestaient, ça se voyait. Bien sûr, tous les forestiers étaient en conflit avec eux à ce moment-là, mais chez nous, c'était pire qu'ailleurs. Pour en revenir à ce beau jeune homme qui travaillait torse nu dans la chaleur de l'été, ses muscles luisant de sueur au soleil, je constate avec le recul qu'il aura été ma dernière gourmandise. Par la suite, je n'ai regardé les hommes qu'à l'aune de ce qu'ils pouvaient m'apporter. La faillite de mon père a fait de moi une femme vénale. Notre déchéance sociale m'a marquée du sceau de l'infamie, du moins l'ai-je vécu ainsi. La villa de Biarritz était pour moi un* placard à balais, je me suis abstenue de le dire mais, dès notre installation là-bas, je n'ai plus eu qu'une seule idée en tête : partir !

Ai-je regardé Albert lorsqu'il a commencé à me faire la cour ? Il possédait un coupé Cadillac bicolore dernier cri et une somptueuse maison à Bordeaux, sur les allées de Tourny. Mon père a pris des renseignements à son sujet et a été ébloui par la solidité de sa fortune, bâtie dans le négoce. Alors, qu'avais-je besoin de le regarder ? S'il avait été séduisant, j'aurais eu bien davantage de concurrentes et la partie aurait été plus rude. Il avait vingt ans de plus que moi et une barbe ridicule que je lui ai demandé de raser. Sans, il n'était guère mieux, mais bon, je déteste les poils. Pour sa part, Albert m'a adorée telle que j'étais. Il semblait épaté d'avoir une si belle jeune femme à son bras le jour de notre mariage. Et il avait eu la délicatesse, connaissant la gêne de notre famille, d'offrir lui-même ma robe de mariée. Ainsi qu'un diamant de la taille d'un bouchon de carafe, vraiment blanc et pur comme me l'a confirmé le bijoutier à qui je l'ai revendu bien des années plus tard.

Au bout de quelques mois de mariage, j'ai commencé à soupirer après une villégiature. Albert a suggéré le Cap-Ferret mais j'ai fait la moue, rejetant l'idée d'une station balnéaire, en prétendant que Biarritz m'en avait guérie. Et bien sûr, j'ai demandé si l'on ne pourrait pas plutôt racheter ma bastide Nogaro, l'écrin de mon enfance. Albert n'a pas dit non, mais hélas elle n'était pas encore à vendre. Devant ma déception, Albert m'a offert une surprise : une jolie petite chartreuse perdue au milieu des vignobles du

Médoc. À quoi pensent donc les hommes ? Je me suis souvent posé la question sans pouvoir y apporter de réponse. Une chartreuse, grands dieux ! Mais enfin, elle était à mon nom puisqu'il s'agissait d'un cadeau, et nous y avons passé quelques étés.

Bien entendu, il me fallait récompenser et encourager ces largesses. Or, au lit, Albert n'était pas un phénomène. Si j'avais dû découvrir le plaisir avec lui, j'en serais toujours à le chercher. Tandis qu'il s'occupait de son négoce des grands crus, je me suis donné la peine de prendre quelques cours particuliers afin d'avoir une idée plus exacte du sport en chambre. Naturellement, je faisais preuve d'une discrétion exemplaire malgré toutes les difficultés. À l'époque, Bordeaux restait une ville très collet monté dans un certain milieu, ce qui n'empêchait pas les commérages d'aller bon train. Mais Albert ne s'est jamais douté de rien, et d'ailleurs, ces leçons extraconjugales lui profitaient. Il ne m'en aimait que davantage et ne savait que faire pour me combler.

Je n'avais pas le temps de m'ennuyer, nous donnions des réceptions, je retrouvais l'atmosphère de fête de ma jeunesse, et de cela j'étais assez reconnaissante à Albert pour ne pas le priver de joies nocturnes.

Mais la machine s'est enrayée. Comme si nous avions été un couple royal à qui il aurait absolument fallu un héritier, Albert voulait des enfants. Il les espérait de toute son âme, vivait dans l'attente d'une bonne nouvelle qui n'arrivait pas. Supposant que le problème était technique, il s'est alors mis en tête d'inventer des positions acrobatiques pour nos ébats. S'il n'en voyait pas le ridicule, pour ma part j'étais très mortifiée et ce genre de câlin m'est rapidement devenu odieux. Albert insistait, je refusais : rien n'allait plus entre nous. À partir de là, j'ai commencé à envisager l'avenir sous un autre angle. En cas de divorce, je devais me retrouver à l'abri financièrement. Car je n'avais jamais, pas un seul jour depuis notre mariage, perdu de vue mon objectif unique : récupérer ma maison.

✻✻

Le téléphone d'Anne se mit à sonner, l'arrachant brutalement à sa lecture.

— Salut ma grande, content de te joindre ! Comment vas-tu ?

La voix de Jérôme surprit Anne qui, après une seconde de silence, se mit à rire.

— Ma parole, tu as pris l'accent anglais. C'est gentil de m'appeler, petit frère. Toujours à Londres ?

— Plus pour longtemps. Je rentre au pays et je vais venir vous voir. Maman m'a appris le décès d'Ariane, et elle s'est répandue sur l'injustice de ton héritage. Ne te laisse pas faire, ma grande, sinon tu auras une bande de vautours accrochée à tes basques !

— Quand seras-tu en France ?

— D'ici deux ou trois semaines. Et tu auras droit à ma première visite, promis ! Il paraît que tu t'es carrément installée dans la bastide ? Je te demanderai peut-être l'hospitalité quelques jours, je n'ai aucune envie de cohabiter avec les parents.

— D'accord, dit-elle d'un ton hésitant.

Elle se réjouissait de la venue de Jérôme qu'elle n'avait pas vu depuis trop longtemps, mais elle appréciait ces moments de solitude passés à la bastide et n'avait pas très envie de compagnie pour l'instant. D'ailleurs, serait-elle encore ici dans quinze jours ? Tout dépendait de Paul.

— Rappelle-moi pour confirmer ton arrivée, il faudra que je te trouve un lit.

— La maison n'est pas meublée ? s'étonna-t-il.

— De bric et de broc. En fait, j'ai pris la seule chambre d'amis habitable. Et comme je ne peux pas t'installer dans celle d'Ariane, je t'en aménagerai une autre.

— Ah, oui, ne me mets pas là où elle est morte, ça m'empêcherait de dormir !

En raccrochant, Anne se sentit vaguement mal à l'aise. Allait-elle rester ici tout l'été ? Si Paul s'obstinait à ne pas vouloir mettre les pieds à la bastide, que ferait-elle ? Quant à Léo, il mourrait probablement d'envie de la rejoindre tous les week-ends pour profiter des balades et de l'océan. En revenant de Lit-et-Mixe, elle avait repéré la piste cyclable qu'il pourrait emprunter avec son copain Charles. À partir du Cap-de-l'Homy tout proche, on avait le choix entre aller vers le nord jusqu'à Contis-Plage, ou bien vers le sud jusqu'à Saint-Girons-Plage. Un programme alléchant pour deux adolescents. Pour eux aussi, elle devait prévoir une chambre.

Elle reprit son téléphone et appela Hugues Cazeneuve, dont elle avait mis le numéro en mémoire, à tout hasard. Il parut ravi de l'entendre, même lorsqu'elle précisa qu'elle ne vendait toujours pas la bastide. Elle avait seulement besoin de contacter un brocanteur sérieux, mais au lieu de lui fournir le renseignement,

Hugues promit de passer dès le lendemain avec un de ses amis.

Sur le point de reprendre la lecture du cahier rouge, Anne fut alertée par un grondement de moteur et des aboiements furieux. À sa grande surprise, elle vit déboucher dans la clairière une imposante moto poursuivie par Goliath. Arrivé près d'elle, le conducteur stoppa sa machine, mit un pied à terre et enleva son casque.

Je n'ose plus bouger ! lui lança Julien en souriant.

— Sois sage, Goliath, c'est un ami… Eh bien, mon vieux, tu t'es acheté un sacré monstre, non ?

— Kawasaki 750. Je l'avais repérée depuis un moment et j'ai fini par craquer, je me suis offert ce plaisir. Je t'emmène faire un petit tour ?

— Non, ça va rendre le chien fou s'il me voit partir là-dessus. Viens plutôt boire quelque chose.

Elle le conduisit à la cuisine, persuadée que sa visite n'était pas une simple promenade. Paul l'envoyait-il en émissaire de paix ? Elle posa deux canettes de Perrier sur la table et s'assit face à lui.

— C'est une belle maison, dit-il gentiment. Quand on émerge de la forêt, on a un choc.

— Oui, mais comme tu l'as sûrement remarqué, elle aurait besoin de quelques réfections. Elle a été bâtie pour durer des siècles, à condition de l'entretenir, ce qui n'a pas été le cas. Et l'air marin n'arrange rien.

— Tu vas y rester longtemps ?

Il avait formulé sa question sans détour, et il apporterait la réponse à Paul avec la même franchise.

— Tout le monde me demande ça, soupira-t-elle. Ma mère m'a téléphoné, ma sœur… On dirait que j'ai choisi de faire retraite dans une abbaye avant de prendre le voile !

Julien esquissa un sourire et but quelques gorgées, attendant qu'elle s'explique davantage.

— Avec Paul, reprit-elle, je me suis heurtée à un mur. Que les autres réagissent de cette manière ne m'a pas beaucoup étonnée, mais lui… Parce que, après tout, où est le drame ?

— Il pense que tu t'éloignes de lui, que tu ne tiens pas compte de son avis, que tu fais cavalier seul.

— Le moyen d'agir autrement ? Il veut que je vende, moi, je ne veux pas, où se situe le compromis et qui doit céder ?

— Paul estime qu'habiter ici n'est pas réaliste.

— Ni réaliste, ni raisonnable, d'accord. C'est l'aventure, mais j'ai envie de la vivre. Pourquoi n'aurais-je pas le droit de tenter ma chance ? Pourquoi Paul me censurerait-il ? Je ne suis pas féministe, je n'ai jamais rien revendiqué, mais je n'accepte pas la manière dont il a prétendu que ce serait « sans lui ». Nous aurions pu y réfléchir ensemble, en discuter, mais non, il a choisi le refus net et définitif. Je ne suis pas une enfant à qui on interdit quelque chose, Julien.

— Si tu l'as vécu comme ça, tu t'es trompée. Paul t'adore et…

— Je le sais bien ! Sauf que ce n'est pas une question d'amour, il s'agit seulement de respecter les choix de l'autre, ou au moins d'essayer de les comprendre. Maintenant, dis-moi si c'est lui qui t'envoie.

— Oui et non. Il m'a suggéré de passer, c'est vrai. Il voulait que je me rende compte de l'état du « palais des courants d'air » pour mieux prendre sa défense. Évidemment, il y a des travaux en perspective, de ce point de vue-là il a raison, mais en arrivant tout à l'heure j'ai été séduit, je dois l'avouer.

Il reposa sa canette vide et se mit à la triturer distraitement. Anne constata qu'il avait de belles mains, ce qu'elle n'avait pas remarqué jusque-là.

— Vous ne pouvez pas vous déchirer pour une maison, Anne, ce serait trop bête. Quand ça va mal dans un couple, on a envie de tout envoyer promener. Moi aussi, j'ai dit à ma femme : « Va-t'en si tu veux ! » et quand elle est partie pour de bon le plafond m'est tombé sur la tête. On n'imagine pas l'horreur d'une rupture tant qu'on ne l'a pas vécue. Si on s'aime vraiment, se quitter, c'est…

Dans un élan d'affection, Anne posa sa main sur le bras de Julien.

— Nous n'en sommes pas là, Paul et moi, murmura-t-elle.

— Dieu vous préserve. Vous êtes un beau couple, et Léo en souffrirait énormément.

Pensait-il à ses jumeaux, qu'il ne voyait qu'un week-end sur deux ? Il n'était pas remis de son divorce, il n'arrivait pas à tourner la page.

— Tu me fais visiter ? demanda-t-il d'un ton plus gai.

Il était venu pour ça, pour faire un état des lieux dont il rendrait compte à Paul. Celui-ci ne s'était pas donné la peine d'examiner la maison en détail, il la connaissait mal et en gardait le souvenir pénible d'y avoir trouvé Ariane morte.

— Je te préviens, c'est en désordre ! Je trie, je déplace, j'en mets partout.

Elle le précéda à travers les pièces du rez-de-chaussée puis le conduisit au premier. Lorsqu'ils eurent fini d'en faire le tour, il désigna le plafond :

— Et au-dessus ?

— D'un côté une grande pièce déserte qui, à en croire les traces sur le plancher, a sans doute été autrefois une salle de billard. De l'autre, des petites chambres de service. Mais tout est vide, Ariane ne devait jamais y monter.

— Et tu n'as pas la trouille, toute seule ?

— Goliath est mon cerbère, je ne crains rien.

Ils descendirent le large escalier côte à côte. En bas des marches, le chien les attendait, assis, immobile comme une statue.

— Paul va me bombarder de questions, soupira Julien. Que dois-je lui dire ?

— Ce que tu penses, rien d'autre. Ne te crois pas obligé d'arranger nos histoires.

Anne ne souhaitait pas que ce soit Julien qui persuade Paul. S'il devait venir en traînant les pieds, leur conflit ne serait toujours pas réglé.

— Tu es gentil d'être passé, ajouta-t-elle en le raccompagnant à sa moto.

Avant de mettre son casque, il la serra brièvement contre lui.

— Fais attention à toi, Anne.

Elle lui sourit et le regarda enfourcher son engin rutilant. Pourquoi n'avait-il pas trouvé une femme pour le

132

consoler de son divorce ? Il était sympathique, charismatique, il n'avait que trente-huit ans et plaisait sûrement. Songeuse, elle le suivit des yeux tandis qu'il traversait la clairière puis, d'une brusque accélération, disparaissait au milieu des pins. Le vent tiède de l'après-midi était en train de fraîchir, le jour baissait. Anne se retourna et constata que Goliath était couché en bas des marches du perron, réconfortante sentinelle. Elle revint vers la maison à pas lents, replia la chaise longue, ramassa le gros cahier rouge. Elle n'aimait pas beaucoup le crépuscule, l'heure où les oiseaux se taisaient et où la sensation d'isolement était le plus fort. Trop tôt pour appeler Paul qui rentrait tard, en particulier les jours où il était seul à la clinique vétérinaire.

Elle gagna la cuisine, l'endroit qu'elle préférait, avec sa chambre, tant il y avait de désordre partout ailleurs. Espérant que l'ami d'Hugues Cazeneuve pourrait la débarrasser d'une partie de ce chaos dès le lendemain, elle commença à préparer son dîner. Lors de son arrivée, elle avait décidé de ne pas camper, pas pique-niquer, de mener une vie normale bien qu'elle soit seule. Pour s'habituer à la bastide et lui donner une chance, elle devait l'investir, l'habiter vraiment. Après avoir mis le four à chauffer, elle disposa dans un plat un petit rôti de porc avec des oignons et des tomates, ajouta du gros sel et quelques tours de moulin à poivre. Le temps de cuisson étant d'au moins une heure, elle pouvait se servir un verre puis se replonger dans la lecture du cahier d'Ariane.

Mais décidément c'était la journée des surprises, de nouveaux aboiements furieux se firent entendre et elle dut ressortir pour accueillir son visiteur.

— Valère ! C'est gentil de venir me voir mais tu n'as pas amené Suki ? Dommage, elle ne connaît pas la maison.

— Elle est bloquée au magasin, tu sais bien. En ce moment, elle ferme tard, elle a pas mal de boulot avec les baptêmes et les mariages. Le mois de mai est un des meilleurs pour les fleuristes !

Comme tous ceux qui arrivaient ici, il examina la façade avec intérêt.

— Dis donc, je m'en souvenais mal, c'est un sacré morceau…

Il reporta son attention sur sa sœur et parut hésiter.

— Je ne suis pas venu que par curiosité, finit-il par avouer, j'ai un service à te demander.

— Bien sûr, vas-y.

— Tu ne m'invites pas à entrer d'abord ?

Ils passèrent par la porte principale pour qu'il ait le loisir de jeter un coup d'œil au rez-de-chaussée.

— Je n'arrive pas à croire que papa soit né dans cette baraque et y ait passé son enfance, dit-il en s'arrêtant au milieu du grand salon.

— Il faut faire un effort d'imagination, la voir meublée autrement et en bon état. Des parquets cirés, des lustres à pampilles, des glaces…

Valère secoua la tête puis se mit à rire.

— Le bruit court dans la famille que tu veux garder cette ruine. C'est une élucubration de maman ou c'est vrai ?

— Si tu es là pour m'en parler, tu perds ton temps, répondit-elle sèchement.

— Ne monte pas sur tes grands chevaux, personne ne m'envoie te faire la morale.

— Encore heureux !

Elle l'emmena à la cuisine où une bonne odeur de viande rôtie commençait à se répandre.

— Tu ne te laisses pas aller, on dirait ?

— Aucune raison. Je suis très bien ici, j'en profite.

Il détailla la pièce autour de lui, les grands placards, l'imposante cuisinière hors d'âge, l'évier de grès fendu, le poêle Godin éteint.

— Y a du boulot…

— Tout ça fonctionne, ça me suffit, dit-elle en débouchant une bouteille de vin blanc.

Après avoir empli deux verres, elle leva le sien vers son frère.

— Maintenant, raconte-moi ton problème.

— Le camion du magasin nous a lâchés, avoua-t-il sans détour. On doit impérativement en acheter un autre, et bien sûr, ça tombe au milieu d'une kyrielle de factures et d'échéances. Alors, plutôt que supplier la banque qui se montre très réticente, j'ai pensé que toi, l'héritière… Il ne pas d'une grosse somme, on a trouvé une occasion.

— Grosse ou petite, où veux-tu que je la prenne ?

— Ariane ne t'a rien laissé d'autre que la maison ?

— Si, de quoi m'acquitter des droits de succession pour ne pas être obligée de vendre.

— Mais en vendant, tu toucherais le pactole, insista-t-il.

— Même si je le faisais, ça prendrait beaucoup de temps. Trop tard pour ton camion. Tu devrais plutôt demander à Lily et Éric, aux parents, ou même à Paul directement. Toute la famille peut se cotiser pour vous dépanner.

— Sauf toi ?

— Je n'ai aucune économie personnelle, expliqua-t-elle d'un ton patient. Paul et moi avons passé dix ans à rembourser nos emprunts pour la clinique vétérinaire et la maison, il n'y a pas longtemps qu'on a commencé à épargner. Mais on va t'aider, de combien as-tu besoin ?

— Laisse tomber, soupira-t-il. J'avais supposé que ça resterait entre toi et moi. Suki refuse d'avoir recours à la famille.

— Pourquoi ? On sait tous qu'elle fait un travail formidable !

— La question n'est pas là. Le magasin finira par bien marcher, c'est obligé. Mais en attendant Suki se crève à la tâche parce qu'elle ne veut embaucher personne tant qu'on est dans le rouge à la banque, et en plus elle n'est toujours pas enceinte bien qu'on se ruine en médecins et examens. Tout ça la mine, néanmoins elle ne veut pas demander d'aide pour une raison de dignité, d'honneur. Elle prétend que dans son pays, on n'agit pas de cette manière-là. On va plus volontiers voir un usurier que ses propres parents !

— Foutaises, marmonna Anne. S'adresser à ses proches est souvent le plus simple. Écoute, on va faire un tour de table, chacun mettra un peu d'argent et vous aurez votre camion.

Il vida son verre puis murmura :

— Je vais la décevoir si j'accepte cette solution. Je me sens déjà assez minable de ne pas gagner d'argent, de ne pas avoir un travail fixe… Notre vie à tous les deux repose sur elle, ça fait beaucoup de poids sur ses épaules.

— Attends, j'ai une idée ! Si Paul se porte caution pour toi, tu pourras faire un emprunt sans problème.

— Tu crois qu'il accepterait ?

— Paul est le plus chic type de la terre, dit-elle avec un sourire attendri.

Valère semblait soulagé. Même s'il avait dû espérer qu'Anne lui ferait cadeau d'une somme sans discuter et qu'il repartirait avec un chèque. La voyait-il vraiment comme une *héritière* ? Décidément, le testament d'Ariane les faisait tous fantasmer.

— Je file chez vous, décida Valère en se levant. À quelle heure rentre-t-il ? Au besoin, je l'attendrai.

Soudain pressé, il fila vers la porte, se retourna avant de sortir.

— Merci pour le tuyau, Anne. En échange, je vais te donner un conseil fraternel et désintéressé. Comme tu viens de le dire, Paul est le plus chic type de la terre et tu devrais faire attention à lui. Mettre ton couple en péril pour cette baraque me paraît loufoque. Vends-la, prends le fric et rentre dans ta vraie maison.

Anne le laissa partir sans se donner la peine de répondre. À quoi bon ? Il tenait la solution à son problème et n'avait pas envie d'entendre parler de ceux de sa sœur. Pour lui, la situation était claire : Anne avait tort.

Elle alla arroser le rôti qui commençait à dorer puis fit rentrer Goliath et verrouilla consciencieusement la porte. Il lui restait encore un quart d'heure avant que son dîner soit prêt, elle avait le temps de lire.

**

C'est avec des larmes dans les yeux qu'Albert m'a annoncé qu'il voulait divorcer. Son désir d'enfant, obsessionnel, avait pris le pas sur son amour pour moi. En ce qui me concerne, je n'ai certes pas pleuré, mais j'ai bien fait semblant. Culpabilisé, Albert s'est montré extrêmement généreux. Il m'a laissé ma chartreuse du Médoc ainsi que tous les bijoux qu'il m'avait offerts, ce qui était la moindre des choses, et s'est engagé à me verser une très confortable pension alimentaire tant que je ne me remarierais pas. Comme j'étais vraiment lasse de ses prouesses nocturnes, j'ai accepté.

Et je me suis retrouvée au milieu d'une mer de vignes, du côté de Saint-Estèphe, moi qui n'aime que les forêts de pins bordées par l'Atlantique ! Ma bastide m'a cruellement manqué durant ces premiers mois de solitude. Je m'ennuyais ferme, je n'arrivais même pas à dépenser la rente mensuelle d'Albert, et j'ai vite compris que rester dans cette ravissante chartreuse perdue allait être un véritable enterrement. J'avais bien essayé de recevoir les prestigieux viticulteurs qui étaient mes voisins, mais sans repérer un seul célibataire intéressant. De plus, il était assez mal vu d'être une femme divorcée dans les années soixante.

Ayant fait le tour de la société bordelaise et de ses plaisirs, j'ai décidé qu'il me fallait rompre avec ces gens-là et redescendre vers le sud. J'ai vendu la chartreuse sans regret et suis allée remettre le produit de la transaction – une coquette somme pour l'époque ! – à un notaire de Dax, Pierre Laborde.

Il était sympathique, ce notaire, aussi n'ai-je pas hésité à lui confier, en plus de mon patrimoine, mon projet bien arrêté du rachat de la bastide Nogaro. Il a *promis d'avoir un œil sur elle et de me signaler une éventuelle mise en vente.*

En attendant, j'ai loué un petit appartement coquet à Dax, près de la cathédrale. Il y avait des salons de thé très chics, la fameuse fontaine chaude où l'eau jaillit à plus de soixante degrés, et pour se promener le jardin de la Potinière, en plein quartier thermal. J'aimais aussi flâner au bord de l'Adour ou dans le parc Théodore-Denis, cependant il me fallait échafauder un plan au plus vite.

Quel choix s'offrait à moi ? Un nouveau mari fortuné et rien d'autre. Le mariage n'est jamais qu'une association et je pouvais y apporter ma part car, sans vanité, j'étais alors une très belle jeune femme. J'approchais de la trentaine, j'avais reçu une éducation sans faille, et ma première expérience matrimoniale me conférait une certaine expérience des choses de la vie. En donnant ma main à un homme, j'avais tout loisir de faire valoir mon désintéressement, puisqu'une nouvelle union me priverait de la rente servie par Albert.

Restait juste à rencontrer l'oiseau rare.

**

Alertée par une odeur de brûlé, Anne se leva précipitamment. Elle sortit le rôti de porc entouré des tomates et oignons noircis, versa un peu d'eau dans le plat.

— Trop cuit mais mangeable, décida-t-elle.

Goliath vint lui donner un petit coup de tête dans les jambes, ce qui la fit rire.

— Tu auras ta part tout à l'heure, gros glouton !

Elle songea aux soupes toutes prêtes d'Ariane et se demanda si sa tante avait passé ses soirées à rédiger ses souvenirs. À quand remontait l'écriture de ce cahier ? S'y était-elle consacrée à ses moments perdus, entre deux maris, ou seulement lorsqu'elle était redevenue propriétaire de la bastide, pour meubler sa solitude ? Sur ces premières pages, aucune date ne figurait, mais en feuilletant la suite Anne avait remarqué des changements de couleur d'encre.

Tout en mangeant, elle essaya d'imaginer Ariane à trente ans. Les photos en noir et blanc des albums ne lui rendaient sans doute pas justice, prises de trop loin, hormis un portrait où elle apparaissait rayonnante avec son chignon à la Grace Kelly, ses grands yeux très clairs, son port de tête altier. Grande et mince, élégante, conquérir les hommes avait dû lui être facile.

Elle repoussa son assiette vide et resta songeuse quelques instants. Dans ce qu'elle avait lu jusqu'ici, il n'était jamais question de bonheur ou d'amour. Ariane y avait-elle renoncé le jour où son père avait vendu la maison ? Pouvait-on, à dix-huit ans, ne vouloir faire de sa vie qu'une revanche ?

Prise d'une brusque envie d'entendre son mari, Anne saisit son téléphone et appela chez eux. Paul mit du temps à répondre, annonçant d'une voix morne qu'il venait juste de rentrer.

— Il reste des œufs dans le frigo, je vais me faire une omelette et aller me coucher, je suis vanné. Bonne journée pour toi ?

— Oui, Julien est passé, et Valère aussi. Il faut que je t'en parle.

— Inutile, il m'a harcelé sur mon portable. Pour la caution de son prêt, je suis d'accord, je le lui ai dit. Pas question de laisser Suki dans les ennuis.

Paul aimait bien Valère mais n'avait pas une énorme considération pour lui, estimant qu'il aurait pu travailler davantage ou carrément changer de métier. En revanche, il appréciait à leur juste valeur le talent et les efforts de Suki.

— C'est très gentil à toi, murmura Anne.

— Tu savais bien que je le ferais.

— Oui…

Il conservait un ton maussade, peu engageant, mais elle se lança :

— Si tu ne finis pas trop tard, demain, voudrais-tu me rejoindre ici ? Je te préparerai un bon dîner !

— J'ai vraiment beaucoup de travail, et j'ai envie d'être chez moi le soir, dans mes affaires.

— Alors, disons dimanche ? Léo a invité Charles pour le week-end, vous pourriez faire des trucs marrants tous les trois pendant que je…

— Anne, l'interrompit-il sèchement, on a un problème toi et moi, ne faisons pas semblant de l'ignorer.

— Mais justement ! Viens me voir, viens en parler.

— C'est toi qui es partie et ce serait à moi de me déplacer ? Ton héritage t'est monté à la tête, tu fais n'importe quoi, je ne te reconnais plus.

— Tu ne vas pas t'y mettre ! explosa-t-elle. Qu'est-ce que vous avez à me reprocher, tous ? J'en ai marre d'être traitée comme une petite fille, je suis adulte et libre de mes choix.

— Tu as choisi, en effet, jeta-t-il avec hargne avant de couper la communication.

Elle expédia son téléphone à travers la table, hors d'elle. Cinq minutes plus tôt, elle désirait ardemment la présence de Paul, mais il venait de doucher son enthousiasme. Sans doute n'aurait-elle pas dû lui proposer un « bon dîner » au lieu d'avouer qu'elle avait envie d'être dans ses bras, de faire l'amour avec lui, de s'endormir contre lui. Si seulement il ne s'était pas montré aussi froid, aussi distant ! De quoi lui en voulait-il donc ? Il s'était mis en retrait de façon délibérée, rejetant tout ce qu'elle demandait, y compris un simple essai. Toute la famille essayait de la culpabiliser, mais jamais elle n'aurait cru que Paul hurlerait avec les loups au lieu de prendre sa défense.

Elle inspira profondément à plusieurs reprises, jusqu'à ce qu'elle se sente calmée. Le silence de la maison n'était troublé que par le souffle régulier de Goliath qui dormait, allongé de tout son long sur le carrelage. Tendant l'oreille, elle perçut un lointain hululement de chouette qui lui parut sinistre. Cette brève conversation avec Paul lui avait gâché la soirée, elle n'avait plus envie de s'attarder en bas. Elle donna à manger au chien et rangea hâtivement la cuisine avant de monter, le cahier de moleskine sous le bras.

**

Les quelques années vécues à Bordeaux auprès d'Albert m'avaient fait perdre de vue ma famille mais, une fois à Dax, je pris des nouvelles. Ma mère sombrait dans ce qu'on n'appelait pas encore une dépression et mon père s'était muré dans un silence de mauvais augure. Pour échapper à leur triste compagnie, Gauthier suivait ses études avec assiduité, déterminé à embrasser la carrière d'instituteur. Je l'invitai à venir me voir à Dax un dimanche et, à peine arrivé, il se récria devant le confort de mon tout petit appartement. Décidément, il n'appréciait pas l'espace, peut-être même en avait-il peur. Ensuite, il m'expliqua qu'il s'était fait de nombreux amis à Biarritz, une ville qu'il adorait, et qu'il était très heureux de son sort. Lui et moi n'avions vraiment rien en commun ! J'étais née juste avant-guerre et lui à la Libération, or ces sept années de différence semblaient un fossé infranchissable. Non, il n'avait jamais regretté la bastide, il n'y pensait même plus, il s'était accommodé du changement avec plaisir et il ne rêvait pas de revanche, encore moins de s'enrichir. Comme il demeurait mon frère malgré tout, je lui demandai s'il avait besoin d'argent mais il déclina mon offre. Il trouvait sans peine de petits jobs qui lui rapportaient de quoi satisfaire ses besoins. L'époque n'était pas au chômage, il y avait une sorte d'insouciance dans l'air. Le voyant si bien dans sa peau, je lui confiai naïvement mon projet de racheter la bastide, ce qui lui fit ouvrir de grands yeux effarés. Et ce fut ce dimanche-là qu'il prononça pour la première fois la formule dont il devait user si souvent par la suite : « Ma parole, tu es folle ! » Je le laissai repartir sans chagrin superflu, constatant que les liens du sang ne sont pas aussi forts qu'on le prétend.

Au casino de Dax, je finis par rencontrer Maurice, l'homme qui allait devenir mon second mari. Il était là en vacances, installé dans le meilleur hôtel de la ville et *rivé à la table de roulette dès la nuit venue. Je crois qu'il avait entrepris un tour de France des casinos pour tenter d'exorciser son addiction au jeu et pour se délester d'un peu de tout l'argent que lui rapportaient ses affaires. Il avait l'allure d'un nouveau riche, d'un parvenu, d'un m'as-tu-vu, ce que je trouvais évidemment très vulgaire mais plutôt rassurant quant à ses capacités financières. Je n'eus aucun mal à le séduire car je le regardai d'abord de haut. Pressentant que ce serait le meilleur moyen de le faire réagir, je jouai à l'inaccessible avec une petite moue dédaigneuse qui le rendit vite enragé. Il se mit à m'envoyer des fleurs tous les jours, à m'inviter dans les plus grands restaurants, à me proposer de faire le tour du monde, sans jamais rien obtenir en retour. Il aurait pu finir par se lasser mais c'était un conquérant prêt à payer le prix de ses victoires. En conséquence, le dernier bouquet d'orchidées, porté par coursier, recélait une impressionnante bague de fiançailles.*

Maurice n'était pas laid à proprement parler. Il était très grand et vraiment gros, ce qui faisait de lui un colosse… poupin. Habitué à commander, il se montrait souvent brutal, et durant les premiers temps de notre mariage j'essayai en vain de polir ses manières. Mes remontrances ne faisant que l'exaspérer, nous nous prîmes assez vite mutuellement en grippe.

Il m'avait emmenée vivre à Paris où je réussis à me distraire durant quelques mois d'automne et d'hiver. Je visitais les monuments et les musées, parcourais les rues le nez en l'air, profitais des expositions, fréquentais les maisons de couture. Le soir, nous recevions souvent des gens assommants qui parlaient sans vergogne de leurs affaires, et pour me venger j'exigeai en retour des sorties au théâtre ou à l'Opéra.

Je n'étais pas heureuse et, hélas, je n'avais plus l'insouciance de mes vingt ans. En désespoir de cause, je parlai à Maurice de la bastide Nogaro, ce bijou de ma jeunesse dont le souvenir me hantait toujours. Mal m'en prit car je n'étais plus une femme à conquérir, j'étais « sa » femme, aussi balaya-t-il ma demande d'un revers de main agacé. Une maison perdue dans les Landes ne l'intéressait pas, au pire, il voulait bien envisager une villa à Deauville.

Deauville ! Pour son casino ? Je refusai tout net la Manche et ses marées, je voulais l'Atlantique et ses rouleaux. Je voulais surtout rentrer chez moi.

⁎⁎

Gagnée par le sommeil, Anne referma le cahier et éteignit la lampe. Dans le noir, elle continua de songer à Ariane, à sa drôle de vie. La phrase la plus révélatrice de ce récit assez cynique lui avait sauté aux yeux en la lisant : « Je n'étais pas heureuse. » Comment l'aurait-elle pu en ayant fait de son existence un désert affectif ? Pourquoi n'avait-elle pas rencontré l'amour ? Même racontée avec ironie, sa chasse au riche mari n'était pas gaie. Cependant l'histoire ne faisait que commencer, Anne le devinait.

⁎⁎

— Ne me demande pas pourquoi mais cette petite femme m'a tapé dans l'œil. Peut-être son air perdu ?

Puisqu'elle ne veut pas vendre, j'aurais dû l'expédier aux oubliettes et ne plus y penser, or c'est tout le contraire qui m'arrive !

Hugues souriait béatement, une main sur le volant et l'autre à la fenêtre, les courants d'air de la voiture faisant voler ses cheveux dans tous les sens. À côté de lui, son ami Francis l'écoutait avec une expression mitigée.

— Tu perds le sens des affaires, on dirait…

— Non, si elle devait se séparer de sa maison, je suis sûr qu'elle s'adresserait à moi, mais je pense qu'elle va la garder.

— Sans l'accord de son mari ?

— C'est ce qu'a prétendu sa sœur. Je ne sais pas grand-chose de la famille, sauf qu'Anne semble la seule héritière de la baraque et qu'elle l'aime, ça saute aux yeux. De là à pouvoir l'entretenir, elle risque d'avoir des surprises.

— Et ce qu'elle compte me vendre à moi ?

— D'après ce que j'ai vu, il y a de tout. Des trucs destinés à la brocante mais aussi quelques jolies choses. Pour me faire plaisir, ne l'arnaque pas trop, d'accord ?

— Je ne suis pas un voleur ! se récria Francis.

— Limite.

— Ni voleur, ni mécène.

— Débarrasse-la au juste prix. Prends ta marge sans la dépouiller.

Francis eut un petit rire avant de s'enquérir :

— Elle est si jolie que ça ?

— Des yeux verts qui pétillent, des petites mèches de cheveux courts adorables, un visage très expressif,

146

et elle est faite au moule. Rien d'extraordinaire mais quelque chose d'indéfinissable qui…

— Je vois. Tu es sous le charme et tu vas vouloir à toute force l'ajouter à ta longue liste de conquêtes.

— Je ne suis pas un tombeur.

— Limite.

Ce fut au tour d'Hugues de s'esclaffer alors qu'ils débouchaient dans la clairière. Sous le soleil de juin, les pierres blanches de la bastide tranchaient intensément sur la forêt à l'arrière-plan, et l'élégance de l'architecture prenait tout son relief. Francis émit un sifflement admiratif.

— Des maisons comme celle-ci, on n'en voit plus beaucoup ! Je comprends que ça fasse partie de ton intérêt pour la dame. Si tu arrives à la convaincre de s'en séparer, tu auras une sacrée affaire en portefeuille.

Hugues ne répondit rien et désigna Goliath qui arrivait, précédant Anne.

— Ne t'inquiète pas, il lui obéit.

Sourire aux lèvres, il alla vers la jeune femme, lui serra chaleureusement la main, présenta Francis. Sans perdre de temps, ils firent ensemble le tour du rez-de-chaussée et du premier, Francis prenant des notes sur un petit carnet. Lorsqu'il eut tout examiné, il fit une offre globale à Anne.

— Je peux venir avec un camion dès demain, précisa-t-il.

Elle jeta un rapide regard à Hugues, qui hocha la tête, et elle accepta. Soulagée à l'idée d'être débarrassée des vieilleries qui encombraient la maison, elle alla chercher un pichet de thé glacé et ils s'installèrent dans le salon.

— Vous y verrez plus clair quand ce bazar sera parti, déclara Francis d'un air satisfait. Et, de toute façon, vous avez gardé les plus belles pièces ! Le petit secrétaire à rideau, là-haut, j'aurais pu vous en donner un bon prix. Vous comptez habiter ici ?

— J'aimerais bien, mais il faudrait que mon mari et mon fils soient d'accord. Ils n'ont pas d'attaches particulières avec cette maison, qu'on peut juger trop grande, vétuste et isolée. Mais elle a une histoire, assez passionnante, et elle m'a été léguée par une tante pour laquelle j'avais beaucoup d'affection.

— On ne fait pas toujours ce qu'on veut, objecta platement Francis.

— Je trouve qu'on devrait au moins essayer.

— C'est ce que vous allez faire ? demanda Hugues.

Il la dévisageait avec une telle attention qu'elle se sentit embarrassée.

— Peut-être, marmonna-t-elle.

Croyait-il avoir encore une chance d'obtenir la vente de la maison ? Sans doute n'avait-il amené son ami Francis que dans le but de continuer à insister, néanmoins, il lui avait rendu service.

— Il va bientôt y avoir une foule de touristes sur les plages, prédit Francis, mais vous, vous serez bien tranquille.

— Ma tante n'appréciait pas les incursions dans son domaine, elle a fait consolider les clôtures des quatre hectares et poser partout des panneaux pour dissuader les promeneurs. En revanche, elle n'a jamais fermé le portail, je crois qu'il a rouillé en position ouverte !

— Si ça vous rassure, proposa Hugues, je vous le débloquerai.

Le trouvant carrément trop serviable, elle secoua la tête.

— Pour le moment, il est bien comme ça, affirma-t-elle en se levant.

— Neuf heures demain matin ? proposa Francis. Je viendrai avec un employé, nous n'en aurons pas pour longtemps à tout charger.

Il sortit de sa poche une grosse liasse de billets et compta rapidement la somme sur le coin de la table. Devant l'air étonné d'Anne, il eut un sourire entendu et précisa :

— Je paye toujours en espèces, c'est mieux pour les affaires !

Elle attendit qu'ils soient partis avant de ramasser l'argent. Où allait-elle ranger ça ? Devait-elle en parler au notaire ? Apparemment, Pierre Laborde avait fait une estimation de la maison et de ce qu'elle contenait un peu en dessous de la réalité. Sans doute était-ce souvent le cas lors d'une succession, toutefois elle prendrait rendez-vous à l'étude dès la semaine prochaine. Pas question d'avoir le moindre ennui avec cet héritage qui lui causait déjà beaucoup de soucis.

— Demain après-midi, dit-elle au chien, j'arrangerai tout à mon goût !

Elle avait déjà imaginé certains aménagements, et commandé deux lits qui devaient être livrés en fin de journée. Vendredi soir, elle irait chercher Léo et Charles à la pension, entre deux balades ils pourraient lui donner un coup de main pour installer les chambres. Et elle espérait toujours que Paul viendrait dimanche. S'il trouvait la maison différente, plus accueillante, peut-être serait-il moins mal disposé ?

« Il faut décrocher les rideaux du salon, on a l'impression qu'ils vont tomber en poussière. Changer tous les abat-jour, acheter quelques coussins de couleurs vives, mettre des bougies dans les chandeliers… »

Mais ni des bougies ni des coussins ne réussiraient à convaincre Paul de rester, elle le savait d'avance.

« Au moins, toutes les vieilleries auront disparu et les beaux meubles seront mis en valeur. En plus, Paul ne connaît pas ma chambre, une pièce qui va forcément lui plaire. »

Elle essayait de se rassurer sans y parvenir. Treize ans d'un mariage serein, et soudain cet incident de parcours. Un désaccord insignifiant qui prenait de jour en jour d'inquiétantes proportions. Le cadeau posthume d'Ariane mettait paradoxalement son couple en péril, mais au fond la bastide n'était qu'un prétexte, le problème devait couver sans qu'Anne en ait eu conscience. Elle avait cru bien s'entendre avec Paul et tout partager, or ils se révélaient incapables de gérer un évènement inattendu. Ils n'étaient plus côte à côte, ils se retrouvaient face à face.

— Viens, mon gros, on va se promener !

Lasse d'arpenter la maison, elle avait envie d'une marche au grand air, sur « ses » terres. À l'ombre des pins, elle allait explorer les quatre hectares qui lui appartenaient désormais.

⁂

— Non, pas de ça ! intima Paul au boxer qui s'était mis à grogner.

Tandis que le maître tenait plus fermement son animal, il désinfecta un endroit du pelage et injecta le vaccin.

— Voilà, c'est fini.

— Son caractère ne s'améliore pas en vieillissant, plaisanta le maître.

— Comme les humains, fit remarquer Paul d'un ton un peu acide.

Il atténua sa réflexion d'un sourire, se reprochant aussitôt son agressivité. Ses clients n'étaient pas responsables de ses problèmes avec Anne et sa vie privée ne devait pas empiéter sur son métier. Il remplit le carnet de santé du boxer, apposa la vignette du vaccin et raccompagna son client jusqu'au bureau de l'assistante. Celle-ci trônait derrière un haut comptoir d'où elle pouvait surveiller la salle d'attente, les entrées et les sorties, et derrière lequel elle pouvait aussi se réfugier en cas de bagarres de chiens.

— Il ne vous reste que le petit chat de Mme Weber, dit-elle à Paul avec une mimique encourageante.

Elle avait dû remarquer qu'il était de mauvaise humeur ces jours-ci, et sans doute l'attribuait-elle au surcroît de travail dû à l'absence de Julien. En fait, quand l'un d'eux prenait quelques jours de vacances, l'autre se retrouvait quasiment débordé. Mais il ne serait pas venu à l'idée de Paul de s'en plaindre, il adorait son métier et y trouvait autant de plaisir qu'au début de son installation. Sa vocation de vétérinaire l'avait saisi enfant, il avait réalisé son rêve, de ce point de vue il était pleinement satisfait.

Après avoir soigné le chaton, il laissa partir Brigitte en déclarant qu'il fermerait. Dans le calme de son cabinet, il resta quelques minutes assis sans rien faire. Le fond d'écran de son ordinateur était une photo prise sur la plage de Messanges un matin d'hiver. L'océan semblait gris-vert et de gros rouleaux se fracassaient sur le sable dans des gerbes d'écume. Depuis toujours, l'eau faisait partie de leur vie à tous. Plongée, surf, bateau, ils avaient pratiqué tous les sports nautiques lorsqu'ils étaient jeunes, à l'époque où Valère et sa petite sœur Anne faisaient partie de la bande que fréquentait Paul. Il était tombé amoureux d'elle très vite, presque comme une évidence, mais sans imaginer alors qu'il l'épouserait un jour. Ils avaient tous leurs projets, ils démarraient leur existence, ils s'étaient séparés, recroisés, presque perdus de vue, mais grâce à Valère qui avait fait le lien entre eux, ils ne s'étaient pas ratés au bout du compte.

— Mon Dieu, Anne, soupira-t-il à mi-voix.

Que faisait-elle là-bas sans lui, dans cette détestable bastide, ce tas de pierres tombé entre eux ? Jusqu'où allait les conduire leur obstination réciproque ? Jusqu'à la séparation, la rupture ? Une perspective impensable qui lui fit serrer les dents, et il se mordit la langue au moment où son portable se mettait à sonner.

— Paul ! claironna Estelle. Je ne vous dérange pas ? Vous êtes seul ?

— Oui, j'allais fermer la clinique.

— Alors, ça tombe bien, je voulais vous parler tranquillement. Écoutez, je me mêle peut-être de ce qui ne me regarde pas, mais je sais par Léo que vous êtes chez vous le soir tandis que ma fille s'obstine à rester dans la maison d'Ariane. Comment devons-nous l'interpréter, Gauthier et moi ? C'est tout de même une situation insensée ! Si vous voulez mon avis, vous devriez aller la chercher. La savoir toute seule dans cette grande bâtisse m'empêche de dormir. Et je me fais du souci pour vous deux. Enfin, Paul, vous êtes un couple merveilleux, vous vous adorez, vous n'allez pas laisser cette histoire d'héritage vous créer des problèmes ?

Stupéfait par ce long discours, Paul ne répondit pas immédiatement. En général, Estelle avait peu d'opinions personnelles, et sans doute Gauthier lui avait-il fait la leçon. Ils avaient dû discuter longuement de leur fille et de leur gendre, or Paul n'avait aucune envie d'être au centre de leurs conversations.

— Ne vous inquiétez pas, Estelle, finit-il par marmonner.

— Mais si, je m'inquiète ! Et que doit penser Léo ? Ah, vraiment, cette pauvre folle d'Ariane a eu une drôle d'idée ! Elle a laissé derrière elle une bombe à retardement. Qu'avait-elle besoin de faire un testament ? Elle avait un frère, elle aurait pu lui faire confiance pour gérer les choses après sa mort, non ?

Paul eut son premier sourire spontané de la journée. Même sans sympathie particulière pour Ariane, il comprenait qu'elle n'ait rien laissé à un frère qu'elle ne voyait jamais, qui ne prenait pas de ses nouvelles et qui la traitait de folle. Pour être impartial, il fallait bien reconnaître que seule Anne s'était préoccupée de sa tante, lui avait rendu visite par plaisir, avait un peu égayé la fin de sa vie.

— Cet héritage est très injuste, il crée des rancœurs, vous feriez mieux de vous en débarrasser, conclut Estelle.

Elle répétait sans doute les mots de Gauthier qui ne devait pas apprécier les dissensions familiales.

— Tout ça n'est pas si grave, répliqua Paul posément. Je vous tiendrai au courant. Au revoir, Estelle.

Il venait de couper court avec un mensonge. *Pas si grave ?* À quoi pensait-il, juste avant que sa belle-mère ne l'appelle, sinon au risque d'une rupture entre Anne et lui ? Or ce serait bien la pire chose qui pourrait leur arriver. D'un geste résolu, il appuya sur la touche du numéro d'Anne. Dès qu'il l'entendit, il se sentit soulagé et annonça qu'il viendrait passer le dimanche à la bastide.

6

Après le passage du camion de Francis, Anne se sentit vraiment à l'aise dans la bastide. Les pièces lui semblaient soudain plus grandes, plus claires et plus gaies. À l'étage, la chambre d'Ariane était quasiment vide désormais ; ne restait qu'un grand miroir vénitien et un tableau d'assez bonne facture représentant un navire dans la tempête. Ce tableau pourrait trouver sa place dans la salle à manger, et le miroir dans le hall d'entrée. Anne ne souhaitait pas occuper cette pièce pour l'instant, comme si elle voulait laisser au souvenir d'Ariane le temps de s'estomper.

Les lits neufs avaient été installés par les livreurs dans deux des chambres désaffectées, qu'Anne avait longuement nettoyées et qu'elle destinait à Léo et à son frère Jérôme lorsqu'il débarquerait d'Angleterre. Pour la dernière des chambres, dont Anne ne savait que faire, elle s'était contentée de la condamner d'un tour de clef.

Tout au bout de la galerie, à l'opposé de sa propre chambre, se trouvait le bureau qu'elle n'avait pas fini de vider. Un endroit où elle aimait se tenir, se

remémorant les heures passées avec sa tante à feuil-
leter les albums de photos. Quand elle l'aurait remis en
ordre, elle se l'approprierait pour y travailler, mais le
secrétaire à rideau et le bureau de chêne blond au
plateau balafré étaient encore pleins de papiers à trier
un par un.

Le vendredi matin, elle était allée acheter des draps
et des oreillers, puis elle avait fait un énorme ravitaillement au supermarché. Léo et son ami Charles allaient
forcément dévorer tout le week-end, et dimanche, Paul
serait enfin là lui aussi. Sa venue remplissait Anne
d'allégresse, elle se prenait à espérer une réconciliation spontanée qui reléguerait leur désaccord au rang
de bouderie sans conséquence. Ils s'aimaient, ils
seraient ravis de se retrouver et le problème se réglerait
de lui-même. En tout cas, elle était prête à faire tous les
efforts possibles pour que Paul apprécie la maison.

Léo et Charles passèrent la matinée du samedi à
fureter partout, dedans et dehors. Après le déjeuner, ils
aidèrent Anne à déplacer des meubles, et en récompense elle les conduisit à la plage du Cap-de-l'Homy.
Le temps était radieux, déjà estival, et au lieu de rentrer
travailler comme elle se l'était promis, car elle
commençait à avoir du retard dans ses dossiers, Anne
resta avec les garçons pour prendre son premier bain de
l'année. Malgré la température plutôt fraîche de l'eau,
elle s'amusa dans les vagues pendant plus d'une heure
avant d'aller s'écrouler sur le sable tiède. Fatiguée
mais détendue, elle demeura un long moment les yeux
fermés, laissant son esprit vagabonder. L'océan se
trouvait à cinq minutes à peine de la bastide, elle aurait
l'occasion d'en profiter tout l'été, chaque fois qu'elle

aurait envie de nager, et c'était une perspective réjouissante. Bien sûr, à Castets, elle n'avait qu'une vingtaine de kilomètres à faire pour gagner Saint-Girons-Plage, mais cette distance l'avait souvent découragée, empêtrée dans ses habitudes et son quotidien. Finalement, elle constatait que sa décision de venir passer quelque temps à la bastide changeait beaucoup de choses dans son existence. Toutes ces dernières années, elle avait travaillé sans se poser trop de questions, afin que Paul ne soit pas seul à supporter les charges financières. Et aussi parce que conserver une activité professionnelle avait été pour elle le moyen de rester autonome, de ne pas perdre contact avec le monde extérieur. Rien ne lui avait manqué jusqu'ici, du moins l'avait-elle cru ou ne se l'était-elle pas demandé. Sa vie de femme, de mère, d'épouse, et même de comptable, avait été *satisfaisante*. Mais sans passion, sans élan, sans un grain de folie, juste *bien*.

— Maman ?

Elle rouvrit les yeux, découvrit Léo au-dessus d'elle, qui se découpait sur un ciel très sombre.

— Il va pleuvoir, on devrait rentrer.

Alors qu'elle se levait en hâte, les premières gouttes de pluie commencèrent à tomber. Le temps avait radicalement changé durant la demi-heure où elle s'était endormie. Un vent fort et tiède s'était mis à souffler, les vagues grossissaient. Charles avait déjà ramassé leurs affaires et ils rejoignirent la voiture en courant.

— Tu sais quoi ? dit Léo après avoir claqué sa portière. On va en profiter pour remonter dans la grande pièce du second. Charles et moi, on se disait qu'on pourrait d'abord faire un super-ménage là-haut, et puis transformer ça en salle de jeux. Peut-être même qu'un jour on pourrait y remettre un billard ? Est-ce qu'on en trouve d'occasion ?

— Je ne sais pas…

— Je regarderai sur Internet. Ce serait génial, non ? Tu crois que papa serait d'accord ?

Paul risquait surtout de ne pas se sentir concerné par la question. Mais, apparemment, Léo se voyait bien passer tous ses week-ends et toutes ses vacances à la bastide, ce qui créerait un conflit supplémentaire si Paul ne changeait pas d'avis. Anne se sentit aussitôt coupable, réalisant qu'elle mettait son mari dans une situation difficile vis-à-vis de leur fils. Comme prévu, Léo était séduit par cette grande maison et par les terres qui l'entouraient. Pour lui, tout était excitant, nouveau, plein de possibilités extraordinaires, et sans doute voyait-il dans ce terrain de jeux géant le moyen d'échapper à l'ennui de l'adolescence. Le refus dédaigneux de son père allait inévitablement le braquer, et Anne en serait responsable. Or elle ne voulait pas être celle qui, à cause d'un « caprice », semait la zizanie dans sa famille.

« Trop tard, c'est fait. De toute façon, il n'y a qu'une alternative : céder ou poursuivre, imposer ou se laisser imposer. Il y en aura toujours un qui se considérera comme perdant. »

Sous une averse diluvienne d'orage, ils regagnèrent la bastide où ils eurent la surprise de découvrir, recroquevillé à l'abri de l'auvent du porche, un homme assis entre deux valises défraîchies.

— Jérôme ! s'exclama Léo en le reconnaissant.

Anne se demanda comment son frère avait pu arriver jusque-là alors qu'il n'y avait aucun véhicule en vue. Et bien sûr, il était venu plus tôt que prévu et sans se donner la peine de l'avertir. Écourtant les effusions à cause de la pluie, elle poussa tout le monde dans la maison.

— Il est à toi, ce monstre ? s'enquit Jérôme en désignant Goliath. Je le voyais à travers les vitres et ça ne me donnait pas envie de forcer la porte. J'ai aussi vu arriver les gros nuages noirs car j'attends depuis une bonne heure. Tu avais coupé ton portable ?

— Nous étions à la plage, je n'ai rien entendu.

— Bref, je commençais à désespérer. Surtout après avoir fait du stop toute la journée ! J'ai eu la chance de trouver des conducteurs serviables, mais enfin, c'est le bout du monde ici, j'ai dû finir à pied avec mes valises.

— Tu as fini quoi ? railla Anne. L'allée depuis le portail ? Arrête de ronchonner, je vais t'offrir à boire.

— Et un dîner copieux et un lit confortable, j'espère ? Je suis là pour passer de bonnes vacances, ma grande ! Et je vois que tu as toute la place voulue, je ne risque pas de te gêner. Je ne me souvenais pas de la taille imposante de cette baraque.

— Personne ne s'y est jamais beaucoup intéressé, fit remarquer Anne.

— Toi, oui, et tu as été bien inspirée. C'est un sacré don que t'a fait la tante Ariane en récompense de tes bons soins parce que…

— Quels bons soins ? l'interrompit Anne. Je venais la voir par plaisir, j'aimais bien discuter avec elle. Elle n'était ni gâteuse ni impotente, elle n'avait pas besoin qu'on s'occupe d'elle.

L'écoutant à peine, Jérôme regardait autour de lui en ouvrant de grands yeux, visiblement séduit par le décor.

— En tout cas, c'était plus triste de son temps, plus sombre et plus poussiéreux. Si tu donnais un coup de peinture…

— Tu pourras t'en charger, ça paiera tes vacances !

Il éclata de rire, pas du tout vexé par le ton ironique de sa sœur.

— Je ferai ça avec ton mari, pourquoi pas ? À propos, où est-il ?

— Il finit toujours tard le samedi, mais il sera là demain.

Avant que Jérôme pose une autre question, Anne se tourna vers Léo.

— Aide ton oncle à monter ses valises et montre-lui sa chambre. Pendant ce temps-là, je prépare l'apéritif avec Charles.

Elle ne voulait pas parler de Paul maintenant, elle attendrait d'être seule avec son frère pour lui résumer la situation. Dehors, l'averse se calmait, cependant les gouttières, percées par endroits, ruisselaient bruyamment. Anne nota dans un coin de sa tête qu'elle devrait s'en occuper avant l'hiver. Mais serait-elle encore ici dans quelques mois ? L'avenir lui parut soudain trop compliqué, quasiment indéchiffrable.

— Je sors des chips ? demanda Charles d'un air gourmand.

C'était un très gentil garçon, bien élevé et facile à vivre, aussi Anne se força-t-elle à lui adresser un grand sourire en hochant la tête. Autant passer une soirée agréable, profiter de l'inépuisable gaieté des deux adolescents et de la présence de Jérôme qu'elle n'avait pas vu depuis longtemps. Et peut-être son frère se rangerait-il à son avis, peut-être serait-il le seul à lui conseiller de garder la bastide ? Dans ce cas, le conseil ne serait pas forcément innocent. Jérôme avait besoin d'un toit pour l'instant, à en croire son arrivée en stop et ses valises hors d'âge. De toute façon, il avait *toujours* besoin de quelque chose quand il revenait dans les Landes, cherchant un peu de réconfort auprès de sa famille entre deux aventures. Après une leçon de morale, leurs parents finissaient par lui donner de l'argent et il repartait, sans jamais dire où il allait. Jusqu'ici, il avait largement profité de l'existence, il s'était amusé, mais il allait fêter ses trente-quatre ans et sans doute commençait-il à se sentir moins bien dans sa peau.

— Je suis content, tu auras de la compagnie dans la semaine ! lança Léo qui venait de redescendre.

Anne le prit par le cou et lui déposa un baiser sonore sur la joue.

— Je sais que tu ne veux plus de bisous mais j'en avais trop envie, tu es trop mignon. Tiens, mets les olives dans un bol, je débouche le blanc.

Elle n'avait aucun besoin de compagnie, pourtant elle s'abstint de le dire à son fils. Les quelques jours de solitude passés à la bastide lui avaient apporté une sérénité inattendue malgré toutes les questions qu'elle se posait, et elle se sentait de plus en plus déterminée à rester quoi qu'il puisse arriver. En ouvrant le réfrigérateur pour prendre une bouteille, elle eut l'impression étrange d'être vraiment chez elle, de n'avoir jamais habité ailleurs.

Maurice n'allait pas tarder à se lasser de moi, j'eus l'intelligence de le deviner à temps. D'ailleurs, je m'étiolais à Paris où rien ne me retenait, surtout pas un mari aussi peu avenant. Le jour où je reçus un courrier de Pierre Laborde m'annonçant que la bastide était à vendre, mon sang ne fit qu'un tour. Je ne disposais pas tout à fait de la somme nécessaire et je ne pus faire qu'une offre trop basse, qui fut refusée. Dans un état d'agitation extrême, je me résolus à solliciter Maurice mais n'obtins qu'un haussement d'épaules agacé. Je ne savais vers qui me tourner, je n'avais pas d'amis et ma famille n'avait pas d'argent. Par une lettre de Gauthier, je savais mon père assez malade, or je voulais par-dessus tout racheter notre maison avant qu'il ne disparaisse. Cadeau, provocation ou revanche, je souhaitais désespérément qu'il en franchisse encore une fois le seuil. Aux abois, je ne voyais plus qu'un moyen de trouver ce qui me manquait : obtenir le divorce aux torts de Maurice. Malheureusement, si désagréable qu'il fût, il n'était pas en tort, du moins pas à ma connaissance. Avait-il des maîtresses ? Dilapidait-il sa fortune dans les casinos ? J'ignorais tout de sa vie, nous faisions chambre à part et ne nous adressions la parole qu'au moment des repas. Dans un second courrier, Pierre me suggéra – habilement et entre les lignes – d'engager un détective privé. Le post-scriptum m'apprit de surcroît une intéressante nouvelle : Albert, mon premier mari, venait d'avoir un enfant. Il n'était donc pas stérile et sans doute le problème venait-il de moi, comme l'avaient prouvé à la fois mes infidélités sans consé-quence de l'époque et ma deuxième union toujours aussi peu féconde. (Bien des années plus tard, je pourrais ainsi compatir au désespoir de la jolie petite Suki, mais ceci est une autre partie de l'histoire.)

Je me mis donc en quête d'un détective avec un déli-cieux frisson d'excitation. Enfin quelque chose d'amusant à faire, d'insolite, de secret ! Pour un peu, je me serais déguisée avant d'aller à nos rendez-vous, mais j'avais heureusement le sens du ridicule. Max, car mon détective se faisait appeler ainsi même si ce n'était sans doute pas son nom de baptême, réunit en deux mois toute une série de preuves accablantes contre Maurice. Celui-ci avait en effet une maîtresse attitrée pour qui il avait loué une jolie maison à Saint-Cloud. Il l'entretenait largement et lui faisait l'amour sans fermer ses volets, l'imbécile ! Plus grave encore, il la trompait elle aussi et s'accordait des extras avec des femmes douteuses, dans des hôtels miteux cette fois, pour le plaisir discutable de s'encanailler. Je payai Max en liquide, choisis un bon avocat et entamai une procédure de divorce en prenant l'attitude de la femme bafouée, trahie, meurtrie de chagrin. Le juge ne devait pas apprécier les coureurs de jupons car il prononça très rapidement la séparation de corps puis fixa une prestation compensatoire à la hauteur de mes espérances.

J'étais enfin libre de rentrer dans mes Landes, hélas ! la bastide avait trouvé preneur pendant que la justice statuait sur mon sort et condamnait Maurice à me dédommager de ses frasques. Ce défaut de synchro-nisation m'atteignit profondément, je le vécus comme *une intolérable injustice. Avoir l'argent mais pas la maison faillit me rendre folle, pourtant je dus me rendre à l'évidence : l'attente allait recommencer.*

Pourquoi la voulais-je à ce point ? J'aurais vendu mon âme pour l'obtenir, même en la sachant passée par d'autres mains qui l'avaient forcément salie, mais ses murs étaient les miens, ils avaient en mémoire toute l'histoire de la famille Nogaro, ils m'avaient vue naître et grandir, ils m'avaient connue heureuse. Croyais-je donc que le bonheur ne pouvait se trouver que là et nulle part ailleurs ? La blessure d'orgueil subie à dix-huit ans m'avait-elle entièrement gangrenée ? En vendant la bastide, en la perdant par incompétence, mon père m'avait coupé les ailes, il avait été le fossoyeur d'une jeunesse de rêve promise à un bel avenir, et il m'avait appris une chose inconcevable : le mépris des siens. Et par la suite, si j'avais cherché des hommes fortunés, des hommes nantis jouissant d'une position sociale élevée, des hommes qui réussissaient leurs affaires, ce n'était que pour laver l'affront de ce père faible et déchu.

Je n'hésitai pas longtemps à quitter Paris pour m'installer à Hossegor où je louai, par l'intermédiaire de Pierre Laborde, une charmante villa 1920 située entre la mer et le lac, juste sous les pins. Ah, retrouver l'odeur des pins et me jeter dans l'océan ! Il me fallut plusieurs semaines pour me rassasier de mes Landes lors de cet été 1970. J'oubliai instantanément Bordeaux et Paris, j'avais trente-trois ans – l'âge du Christ –, et les quinze années qui venaient de s'écouler n'étaient plus qu'un mauvais souvenir. Je le chassai pour en cerner de plus anciens et je me mis à parcourir

les forêts sur la trace des gemmeurs disparus, deve-
nant ainsi une marcheuse chevronnée. Sans le savoir,
je courais après l'amour, il était grand temps de m'en
soucier avant de n'être plus qu'un cœur sec.

⁂

Anne reposa le cahier sur la table de nuit, à côté des
Contes de l'angoisse de Maupassant qu'elle n'avait
toujours pas lus. Autour d'elle, la maison était silencieuse, son frère, son fils et son copain Charles
devaient dormir. À Castets, Paul dormait-il lui aussi ?
Elle se leva et alla ouvrir une des fenêtres, celle qui
donnait sur l'arrière de la maison, là où les arbres
étaient plus proches. Une chouette poussait son cri à
intervalles réguliers, avec une sorte d'entêtement
sinistre. La nuit paraissait très sombre, sans aucune
étoile visible, et les hautes silhouettes des premiers
pins se distinguaient à peine. Anne essaya d'imaginer
Ariane arpentant la forêt, s'approchant peut-être des
anciennes terres des Nogaro et continuant à soupirer
après sa bastide perdue, hors de portée. Quand avait-
elle rédigé ce cahier ? Il ne portait aucune date mais
sans doute avait-elle commencé à l'écrire lorsqu'elle
était revenue chez elle. Pensait-elle que quelqu'un le
lirait un jour ou éprouvait-elle seulement le besoin de
retracer son existence pour en déchiffrer le sens ? En
tout cas, l'histoire intéressait prodigieusement Anne.
La *vieille toquée* possédait un humour que sa famille
n'avait pas soupçonné.

— Anne, tu ne dors pas ?

Goliath avait levé la tête et grondait en fixant la porte. Elle alla ouvrir à son frère qu'elle découvrit affublé d'un pyjama à pois tout déchiré.

— On peut se parler ? demanda-t-il avec un gentil sourire. Devant les gamins, je n'ai pas voulu dire grand-chose.

Il s'assit en tailleur au pied du lit et jeta un coup d'œil circulaire.

— Jolie chambre… Tu l'as bien arrangée !

— Je l'ai trouvée comme ça.

— Alors, tu as pris la bonne, parce que dans la mienne le papier peint pendouille. Maintenant, j'aimerais que tu m'en racontes un peu plus à propos de ton héritage. Papa et maman font la grimace, Lily et Valère se sentent lésés.

— Tu les as vus ?

— Je les ai appelés à tour de rôle pour annoncer mon retour, et j'ai compris qu'ils avaient du mal à avaler la pilule.

— Dommage pour eux, répondit-elle froidement.

— Oh, tu sais bien comment sont les choses ! Dès qu'il y a du fric en jeu, ça rend tout le monde fou, voire méchant.

— Et toi, de quelle façon réagis-tu ?

— Je suis de ton côté, je me réjouis pour toi. Surtout en redécouvrant cette maison ! C'est un sacré cadeau, je comprends que tu veuilles en profiter. Mais ton mari n'est pas d'accord, paraît-il ?

— Pas pour l'instant. Il refuse d'y habiter, il aimerait que je vende et que je garde l'argent. Moi, je ne supporte plus d'entendre ce mot : « argent », « argent » ! Dès le premier jour, il a paru évident que je devais vendre. C'est ce qu'aurait fait papa, donc j'allais forcément le faire, mais quand j'ai annoncé que je souhaitais d'abord y réfléchir, je suis devenue la bête noire. Aujourd'hui, j'ai toute la famille contre moi, y compris mon mari ! Tout ça, pourquoi ? Jalousie, appât du gain ? Eh bien, je ne m'y attendais vraiment pas…

Elle refoula les larmes qu'elle sentait monter. Définir à voix haute ce conflit qu'elle essayait depuis des semaines d'ignorer ou de minimiser la rendait soudain très triste.

— Dans une vie parfaite, reprit-elle avec effort, tout le monde serait venu me donner un coup de main pour retaper la maison et on y aurait passé des étés merveilleux tous ensemble. J'aurais adoré ça, mais je n'ai eu droit qu'à la réprobation. À croire qu'être propriétaire de cette bastide te colle sur-le-champ l'étiquette de cinglée. Ils en veulent à Ariane de me l'avoir laissée, et ils m'en veulent de l'avoir acceptée.

— Qu'est-ce que tu comptes faire ?

— Attendre. Essayer de convaincre Paul. Ou au moins comprendre les raisons de son refus. Et puis…

S'interrompant, elle dévisagea Jérôme quelques instants. Était-il le confident idéal ? Certes, il possédait plus de fantaisie que les autres membres de la famille, il n'était ni raisonnable ni conventionnel, mais il lui arrivait aussi de parler à tort et à travers.

— Et puis quoi ? insista-t-il. Vas-y !

— Être seule ici me permet de prendre du recul, avoua-t-elle du bout des lèvres.

— Vis-à-vis de Paul ?

— De tout. Mon existence en général.

— Oh ! là, là ! tu nous fais la crise de la quarantaine avant l'heure ?

— Ce serait plutôt une parenthèse, une pause.

Jérôme sortit un paquet de cigarettes froissé de la poche de son pyjama. Il en alluma une, souffla la fumée vers le plafond.

— Ça ne te gêne pas ?

— Non.

— Tu n'as jamais été une emmerdeuse, c'est vrai.

— Tiens, donne-moi juste une bouffée, par curiosité.

Il la regarda inspirer puis tousser et il se mit à rire, lui reprenant la cigarette.

— Bon, je vais te laisser dormir, petite sœur.

— Attends un peu ! Tu m'as questionnée mais tu ne m'as pas parlé de toi. Que faisais-tu à Londres depuis des mois ?

— Des petits boulots à droite à gauche, surtout des cours de français dispensés à des cancres de la bonne société et payés en liquide. J'ai d'abord squatté chez des copains avant de trouver une colocation avec des mecs sympas dans un genre de loft. On s'amusait comme des fous, on vendait des fripes le jour et on jouait de la guitare toute la nuit. On voulait monter un groupe, mais ça ne s'est pas fait.

— Et quoi d'autre ?

— Ben… ça n'a l'air de rien dit comme ça, pourtant j'étais tout le temps super occupé. Londres est une ville fantastique, tu n'imagines pas !

Elle le regardait en fronçant les sourcils, apparemment peu convaincue.

— Tu as des projets d'avenir ? finit-elle par demander.

— Pas vraiment. Je sais que le moment est venu d'y penser, que j'ai dépassé la trentaine et qu'il faudrait que je sois sérieux. J'entends d'ici la leçon de bonne conduite que vont m'infliger les parents, ce qui ne me donne pas très envie de les voir.

— Sauf que tu finiras par avoir besoin d'eux, non ? De quoi vis-tu ?

— Ces dernières semaines, j'étais serveur dans un pub. Mais je n'ai pas d'économies, si c'est ce que tu veux savoir. Je me dégotterai un job, ne t'inquiète pas.

— Un « job » ? On est en pleine période de chômage, de crise, de récession ! Même les gens qui ont des diplômes ne trouvent pas de travail.

— Comme quoi j'ai bien fait de ne pas m'embêter avec les études, ironisa-t-il. Allez, Anne, ne vois pas tout en noir.

Il quitta le pied du lit, pressé de mettre un terme à cette conversation inutile, et il s'éclipsa après avoir souhaité une bonne nuit à sa sœur. Il regagna sa chambre, éteignit sa cigarette, en alluma aussitôt une autre d'un geste nerveux. En réalité, il était dans les ennuis, ne possédait pas un sou vaillant et avait laissé des dettes en Angleterre. Atterrir ici était somme toute inespéré. D'autant plus que, s'il manœuvrait habile-ment, il aurait un toit pour longtemps. Connaissant Anne, que d'ailleurs il aimait bien, il devinait qu'elle allait conserver la maison. À l'évidence, elle l'avait décidé et ça tombait à pic pour lui. Au lieu d'essayer de la faire changer d'avis avec le vague espoir d'obtenir d'elle un peu d'argent après la vente, mieux valait se mettre dans son camp et devenir son unique allié contre tout le reste de la famille. Elle lui en serait reconnaissante, l'hébergerait et le nourrirait sans problème. Et comme, en effet, elle n'était pas donneuse de leçons, il aurait la paix. Or c'était tout ce qu'il désirait pour l'instant.

Bien qu'il se soit promis une grasse matinée, Paul s'était réveillé tôt, déçu, une fois de plus, de ne pas voir Anne couchée à côté de lui. L'absence de sa femme l'attristait autant qu'elle l'irritait. Et, contrairement aux autres dimanches, Léo n'était pas là lui non plus. Pour voir les siens, Paul allait être contraint de les rejoindre dans cette maudite bastide Nogaro dont le simple nom l'exaspérait désormais.

Son bol de café à la main, il erra un moment au rez-de-chaussée et finit par s'arrêter devant le petit bureau d'Anne. L'ordinateur et les dossiers n'étaient plus là, le chien non plus, ce coin semblait abandonné. Et si Anne s'obstinait à rester là-bas et ne revenait jamais ? L'idée était ridicule, mais pas forcément impossible. Sauf que, dans ce cas, ils vivraient une séparation bien réelle qui les conduirait droit au divorce.

— Ah non !

Sa voix furieuse résonna dans le séjour, le surprenant lui-même. Il était tout aussi fautif qu'Anne dans cette histoire, et il serait bien inspiré de se souvenir des conseils de Julien. Ce dernier reprenait le travail lundi matin et il avait suggéré à Paul de rester un peu avec sa femme. « Offrez-vous un moment en tête à tête, allez à la plage et au restau en amoureux. Dans une semaine, Léo aura terminé son année scolaire et vous ne serez plus seuls tous les deux, profitez-en maintenant pour vous réconcilier. »

La suggestion n'était pas mauvaise, mais Paul estimait faire déjà une grosse concession en allant passer son dimanche là-bas, il n'y emporterait pas sa brosse à dents !

« Et pourquoi pas ? Pourquoi ne pas mettre un mouchoir sur ton foutu orgueil ? »

Il avait beau juguler ce défaut depuis qu'il était en âge de raisonner, une réaction de fierté incontrôlée lui échappait parfois. Durant ses études, il avait mis un point d'honneur à obtenir d'excellentes notes, tout comme il s'était fait fort de conquérir Anne, quitte à s'armer de patience. Conscient de sa valeur professionnelle, il estimait avoir réussi sa vie et en tirait une certaine vanité.

« Accepte Anne comme elle est puisque c'est comme ça que tu l'aimes, fantasque, imprévisible, et capable de se toquer d'une maudite baraque ! »

Mais il devinait que l'attitude d'Anne exprimait bien autre chose qu'un coup de tête pour un lieu. Peut-être était-elle restée trop longtemps dans l'ombre et était-ce à lui de s'effacer pour une fois.

« Nous n'avions pas de problème avant la mort d'Ariane. Aucun… »

Il le pensait sincèrement, tout en sachant qu'il avait tort. Dans un couple, les problèmes ne naissent pas du hasard, ne surviennent pas un beau matin. L'héritage n'avait été qu'un catalyseur.

Après avoir pris sa douche et s'être rasé soigneuse-ment, il enfila un polo et un jean puis sauta dans sa voiture. La route de Castets jusqu'à la bastide ne lui prit que vingt minutes, ce qui rendait un peu dérisoire son prétexte de la distance pour ne pas habiter là-bas.

En débouchant dans la clairière, il vit d'abord la façade majestueuse éclaboussée de soleil – et qui avait tout de même beaucoup d'allure, il fallait bien l'avouer –, avant de découvrir une Mercedes garée à côté de la petite voiture d'Anne. Elle avait déjà des visiteurs, un dimanche à dix heures du matin ? Il alla droit à la porte de la cuisine et frappa un coup léger au carreau avant d'entrer.

Installés à table autour d'une corbeille de viennoi-series, un homme inconnu et son beau-frère Jérôme entouraient sa femme, face à Léo et Charles.

— Bonjour tout le monde ! marmonna Paul, vague-ment désemparé par cette assemblée.

Il embrassa Anne, puis son fils, tapota l'épaule de Charles et serra la main de Jérôme, s'arrêta enfin devant l'inconnu.

— Je te présente Hugues Cazeneuve, agent immo-bilier, déclara Anne avec un sourire ravi. Paul, mon mari…

Les deux hommes se saluèrent, ensuite Anne se décala sur le banc pour faire une place à Paul tandis que Léo allait lui chercher une tasse de café.

— Hugues fait visiter une maison dans la région et il en a profité pour nous apporter des croissants, expliqua Anne. Tu en veux un ? Quant à Jérôme, il a débarqué hier après-midi sous une belle averse !

Elle semblait très à l'aise, détendue, heureuse de recevoir *chez elle*, et Paul eut aussitôt l'impression d'être exclu. Néanmoins, il était décidé à faire la paix et il lui entoura les épaules de son bras.

— Tu es de passage ? demanda-t-il à Jérôme.

— Non, je vais me poser ici un petit moment puisque ma sœur a la gentillesse de m'offrir l'hospitalité. Remarque, ce n'est pas la place qui manque !

Depuis la veille, Anne avait dû discuter avec son frère. Lui avait-elle suggéré de rester pour avoir de la compagnie ? Et quelles étaient les motivations de cet agent immobilier pour apporter des croissants ? Existait-il encore une chance qu'Anne veuille vendre ?

— Vous êtes intéressé par la propriété ? lança-t-il à Hugues d'un ton innocent.

— Oh oui ! J'ai même un bon client qui serait prêt à y mettre le prix, mais je crois que votre épouse n'est pas disposée à s'en séparer malgré toute mon insistance. On finira bons amis sans avoir fait affaire ensemble.

Un silence s'abattit sur la tablée jusqu'à ce que Jérôme murmure :

— Sacrée tante Ariane, hein ? C'est ce qu'on appelait autrefois les tantes à héritage…

Paul leva les yeux au ciel puis reporta son attention sur Hugues. Le côté ouvertement séducteur de cet homme lui déplaisait, ainsi que la familiarité dont il semblait user avec Anne.

— La météo annonce du grand beau temps pour aujourd'hui, déclara Léo. Est-ce que tu as pensé à prendre ma planche de surf ?

Paul avait oublié, ce qui le fit se sentir coupable de négligence envers son fils.

— Ça m'est sorti de la tête, désolé, mon grand. Mais si tu veux, on appelle Julien pour qu'il passe cet après-midi en apportant les siennes ? Tiens, il pourrait même déjeuner avec nous. Plus on est de fous… Est-ce que vous restez, monsieur Cazeneuve ?

— Non, je dois me sauver, j'ai rendez-vous. Et appelez-moi, Hugues, je vous en prie. À bientôt, j'espère, et très bonne journée à tous.

Bientôt ? Il comptait donc revenir ? Paul le regarda serrer la main d'Anne un peu trop longtemps, affirmant qu'il n'avait pas besoin d'être raccompagné.

— Sympa, ce type, dit Jérôme à mi-voix.

Paul tourna la tête vers lui et le toisa ostensiblement.

— Si j'ai bien compris, tu t'installes ici ?

— Oui. Ça t'embête ?

— Pas du tout.

Il avait failli répondre que ça ne le regardait pas et qu'il s'en moquait. Depuis l'époque où il s'était lié d'amitié avec Valère, au lycée, il n'appréciait pas ce petit frère désinvolte qui se voulait marginal mais n'était à ses yeux qu'immature et paresseux. Valère, lui, possédait un réel talent de photographe, même s'il n'avait pas encore eu la chance de pouvoir s'imposer dans son métier.

— Je vais d'ailleurs en profiter pour bricoler un peu, ajouta Jérôme d'un ton goguenard. Il y a un million de choses à retaper dans cette baraque.

— Où as-tu appris à bricoler ? Dans mes souvenirs, tu ne savais pas planter un clou.

174

— Figure-toi que, à Londres, j'ai acquis pas mal de connaissances pratiques.

— J'ai hâte que tu nous offres une démonstration !

— Ne vous chamaillez pas, intervint Anne. Les garçons vont faire une balade en forêt, tu les accompagnes, Jérôme ?

Elle le poussa vers la porte pour lui faire comprendre qu'elle voulait rester seule avec son mari. Une fois qu'ils furent sortis tous les trois, elle se retourna vers Paul et lui adressa un nouveau sourire radieux.

— Je suis heureuse que tu sois là, tu m'as tellement manqué !

— Toi aussi, murmura-t-il en se levant.

Il la rejoignit, la prit dans ses bras et la serra contre lui. Pendant quelques instants, il oublia leur désaccord et sa propre rancœur, tout au plaisir de la retrouver, de sentir le parfum familier de son eau de toilette et la douceur de ses cheveux qui lui chatouillaient le cou.

— Tu veux voir ma chambre ? souffla-t-elle.

L'expression était maladroite, faisant de Paul un visiteur. Pourtant, elle ne pouvait pas dire « notre » chambre, il n'aurait pas apprécié non plus qu'elle veuille lui forcer la main.

— Viens…

Elle l'entraîna et il la suivit parce qu'il avait envie d'elle, tout en sachant qu'une réconciliation sur l'oreiller serait très éphémère.

**

Gauthier et Estelle avaient invité Lily, Éric et leurs deux filles à déjeuner au restaurant. Ils avaient leurs habitudes « Chez Albert », sur le port de pêcheurs, à deux pas de leur appartement, où ils allaient régulièrement déguster des fruits de mer ou des sardines grillées de Saint-Jean-de-Luz au beurre fondu.

Après le dessert, les deux adolescentes s'éclipsèrent pour aller se promener et Lily en vint aussitôt au sujet qui lui tenait à cœur :

— Est-ce que quelqu'un sait où en sont Anne et Paul ? D'après ce que j'ai compris, elle s'est installée pour de bon chez Ariane et il est resté à la maison. Je pense qu'elle est cinglée de le négliger ! Il travaille beaucoup, il a droit à un minimum de considération.

— Content de te l'entendre dire, marmonna Éric.

— Oh, je t'en prie, je m'occupe de toi tout le temps ! De toi, de la maison, des filles : je ne fais que ça. Anne n'a pas beaucoup de contraintes, avec Léo en pension et…

— Elle a son travail, intervint calmement Gauthier.

De leurs quatre enfants, seule Anne exerçait une véritable activité professionnelle et il s'en étonnait parfois. Enfant, elle avait été distraite, fantasque, pas très bonne élève, ce n'était pas sur elle qu'il aurait misé pour l'avenir. Mais finalement, Valère peinait à gagner sa vie malgré ses études de photographie réussies, Lily n'avait pas de métier, et Jérôme non plus. Au moins, Lily élevait ses enfants, mais que faisait donc le benjamin de son existence ? Sans l'avouer à voix haute, Gauthier était très déçu par Jérôme, il ne comprenait rien à son mode de vie désordonné, et lorsqu'il lui donnait un peu d'argent il n'avait même pas l'impression de l'aider. En regardant ses gendres, Éric et Paul, ou bien sa belle-fille Suki, tous acharnés à

176

réussir, il se demandait ce qu'il avait raté dans l'éducation de ses enfants. Trop de sérieux, trop de routine ? Mauvaise communication ? Il n'avait pas réussi à transmettre ses valeurs et il s'en voulait.

— Papa, tu ne m'écoutes pas ! protesta Lily. Je te disais que tu étais le mieux placé pour parler à Anne. Toi, elle t'écoutera.

— Écouter quoi ? Quels conseils suis-je censé lui donner ? Laissez-la faire son expérience, elle finira par se lasser toute seule.

— Ariane ne lui a pas seulement légué ses biens mais aussi ses idées folles, murmura Estelle.

— Ma sœur était très attachée à cette maison, tenta d'expliquer Gauthier. Je n'ai jamais très bien compris pourquoi elle l'avait rachetée mais je sais qu'elle y tenait énormément. En ce qui me concerne, dans mes souvenirs d'enfant j'avais souvent peur là-bas, c'était trop grand. D'ailleurs, Ariane s'amusait à me flanquer la frousse au détour des portes ! Une fois vendue, mon père lui-même n'en a plus jamais reparlé, je ne crois pas qu'il la regrettait, ou alors il déplorait d'y avoir englouti tant d'argent.

— Eh bien, justement, ne laisse pas ta fille commettre la même bêtise ! s'emporta Lily. D'ailleurs, si Anne avait été correcte, elle n'aurait pas accepté cet héritage injuste, elle te l'aurait rendu.

— Ton père en aurait fait tout autre chose, s'empressa d'ajouter Estelle. Répartir l'argent entre vous quatre, par exemple…

— On ne peut pas « rendre » un héritage à quelqu'un, trancha Gauthier d'un ton sec. Ce serait illégal. De toute façon, je respecte sans réserve les dernières volontés d'Ariane. Nous n'étions pas proches l'un de l'autre, elle n'avait aucune raison de me choisir pour héritier.

Il était consterné que sa femme ait émis l'idée d'une quelconque répartition. Désormais, Lily allait se sentir lésée et elle l'exprimerait ouvertement, avec le soutien de sa mère. Une manière de mettre le ver dans le fruit, surtout connaissant le tempérament facilement envieux de Lily, qui n'allait pas manquer de vouloir rallier Valère et Jérôme à son point de vue. Et quand toute la famille en viendrait à se quereller…

Estelle avait baissé les yeux pour fuir le regard de reproche qu'il lui adressait. Fallait-il qu'elle ait cet héritage sur le cœur pour avoir parlé de la sorte, elle toujours si réservée. Éric lui-même semblait surpris et gêné par les propos de sa belle-mère, tandis que Lily gardait les lèvres pincées.

— Vous ne voudriez pas qu'on change de sujet ? proposa Gauthier. J'en ai par-dessus la tête de cette histoire.

— On s'inquiétait pour Anne, rappela Estelle en essayant de se rattraper. Pour Anne et Paul…

— Vraiment ? Eh bien, je crois qu'ils se débrouilleront sans qu'on s'en mêle !

Il leva la main pour réclamer l'addition mais, n'obtenant pas l'attention du serveur, il finit par se lever pour aller payer. Contrarié par les chamailleries familiales, il était obligé de constater que la bastide de son enfance, qu'il avait si facilement oubliée et jamais regrettée, revenait s'imposer à lui cinquante ans plus tard comme un élément de discorde. Bien sûr, il aurait aimé qu'Anne la vende sans se poser de questions au lieu de reprendre à son compte la démence d'Ariane. Qu'elle achète, par exemple, un appartement destiné à Léo lorsqu'il serait en âge d'habiter seul. Ou qu'elle en profite pour changer de maison si la sienne ne lui convenait pas. N'importe quoi de simple et de sensé, ce qui malheureusement n'était pas dans son tempérament. Ariane lui avait ouvert une porte sur l'aventure et elle s'y était engouffrée, mais peut-être Paul saurait-il la ramener à la raison ?

— Merci pour ce bon déjeuner, dit Éric en le rejoignant. Je me suis régalé avec le plateau de fruits de mer mais, la semaine prochaine, vous serez nos invités, chez nous. Je me propose de réunir toute la famille pour l'anniversaire de Lily et, avec Jérôme, nous serons pour une fois au complet !

Gauthier esquissa un sourire, amusé parce que Lily devait déjà ronchonner à l'idée de recevoir tout ce monde. Au moins, ce serait l'occasion d'observer Anne et Paul sans en avoir l'air. D'ici là, il ferait la leçon à Estelle pour qu'elle tienne sa langue au lieu de dresser leurs enfants les uns contre les autres.

⁂

La tête d'Anne nichée dans le creux de son épaule, Paul ne se sentait pas aussi apaisé qu'il aurait dû l'être. Passé le moment de plaisir qu'ils venaient de partager – et en fait ils s'étaient jetés l'un sur l'autre comme de jeunes mariés qu'ils n'étaient plus –, les questions en suspens revenaient le tarauder. Sans bouger, il détailla la chambre inondée de soleil. Cette pièce accueillante ne ressemblait pas au reste de la maison, Anne semblait s'être donné du mal pour la rendre aussi propre et pimpante. Dans le but d'y rester définitivement ?

Par l'une des fenêtres ouvertes, il entendit le rire de son fils, puis la voix rauque de Jérôme qui lançait une plaisanterie incompréhensible à cause des aboiements de Goliath. Tout le monde avait l'air de s'amuser, allait-il vraiment jouer les trouble-fête ?

— Il est affreusement tard, il faut que je m'occupe du déjeuner avant que ça devienne un goûter, marmonna Anne.

Elle s'écarta de lui en soupirant, embrassa son poignet au passage et se leva. Dans la lumière crue de l'été, Paul la trouva très belle, ce qui le rendit triste.

— Qu'est-ce que ce type faisait ici ? demanda-t-il, parce qu'il mourait d'envie de poser la question depuis son arrivée.

— Hugues ? Ben… il passait, comme il l'a dit. Je suppose qu'il ne perd pas espoir et qu'il veut être le premier sur les rangs au cas où je changerais d'avis. Un agent immobilier, c'est pire qu'un jack russell, ça ne lâche pas sa proie !

Avec un rire insouciant, elle balaya la question, mais il avait saisi une pointe d'embarras dans son attitude.

— Je crois qu'il te drague, hasarda-t-il.

— Et alors ? Je t'aime et je ne m'intéresse pas aux autres hommes. À part ça, plaire est toujours un peu flatteur, tu sais bien.

— Non, je ne sais pas !

Elle revint vers lui, se pencha pour l'embrasser.

— Ne te mets pas en colère pour des riens, chuchota-t-elle à son oreille.

Il la prit par la taille, la fit asseoir.

— Parlons de ce qui fâche, Anne. Ce Hugues Caze-neuve n'est qu'un détail désagréable de plus dans une situation explosive. Où allons-nous, toi et moi ?

Elle le dévisagea avec insistance jusqu'à ce qu'il se sente mal à l'aise.

— Je n'ai rien fait de mal, Paul. Rien contre toi, rien de répréhensible.

— Nous vivons pratiquement séparés, fit-il remar-quer d'un ton aigre. Il faut bien que ce soit la faute de quelqu'un !

— Non, pas de « faute », je refuse que tu me serves ça.

Pour ne pas envenimer les choses, il se contraignit au silence, ravalant les répliques cinglantes qui lui venaient à l'esprit. Si Anne ne s'estimait responsable de rien, ils n'arriveraient jamais à trouver une solution.

— Je vais passer l'été ici et tu es libre de me rejoindre quand tu veux. Plus tu viendras souvent, plus ça me rendra heureuse.

— En somme, plus je céderai, plus tu seras contente ?

— Quel vilain mot…

— « Céder » ? L'un de nous deux va devoir s'y résoudre, non ?

Il s'en voulait de ne pas rester serein, il avait l'impression de jeter de l'huile sur le feu malgré lui.

— On vous attend ! cria Jérôme sous la fenêtre ouverte.

Anne ramassa ses vêtements, annonça qu'elle allait prendre une douche en vitesse, puis elle quitta la chambre sans rien ajouter. Paul garda quelques instants les yeux fixés sur la porte, se demandant s'il devait rester, déjeuner, s'amuser avec Léo et Charles comme si de rien n'était. Mais leur fils ne comprendrait pas qu'il s'en aille maintenant, qu'il ne soit venu que pour s'enfermer avec sa mère dans une chambre. Il se rhabilla, passa nerveusement ses mains dans ses cheveux et sortit à son tour.

*
**

À peine installée à Hossegor, je m'étais offert une voiture anglaise décapotable qui me permettait de filer le long de la côte, remontant immanquablement vers Lit-et-Mixe. Je me garais sur des chemins peu fréquentés et, munie de bonnes chaussures, je m'enfonçais dans la forêt. Comme une voleuse, je tournais autour de ces quatre malheureux hectares clos de grillages infranchissables, au milieu desquels se trouvait ma bastide. Désormais, la propriété n'était plus qu'une petite enclave préservée parmi nos terres d'autrefois.

Lorsque mon père avait vendu, en catastrophe, il s'était d'abord séparé de ses forêts, aussitôt rachetées par un autre forestier plus malin que lui, qui avait su prévoir la fin d'une époque et, à l'instar d'autres gros propriétaires forestiers, l'avait même provoquée. Car ces gens riches et puissants – ainsi que nous l'avions été – ne voulaient plus avoir affaire aux résiniers qui provoquaient sans cesse des grèves et des conflits sociaux de plus en plus violents. Ces employés mal payés devenaient trop exigeants, il fallait s'en débarrasser, organiser une reconversion. Elle fut simple et rapide puisque les pins avaient toujours été destinés, en fin de vie, à la coupe de bois. Et au fond, si les récoltes de résine ne devaient servir qu'à payer les résiniers, autant s'en passer ! Organisée en coulisse avec la complicité de l'État, ce fut donc la mort du gemmage... et la ruine de ma famille.

Lors de mes errances discrètes autour de notre ancienne propriété, je cherchais donc en vain des traces d'entailles sur les troncs ou des pots de terre cuite au pied des arbres. Tout cela n'existait plus, les pins étant désormais voués à finir en pâte à papier, et les pinèdes restaient désespérément silencieuses, vides d'activité. Je ne rencontrais presque personne tandis que je longeais obstinément ces fichus grillages, sans être dérangée mais sans rien voir de « ma » maison non plus. À chaque fois, au bout de mes longues marches, je me retrouvais devant un portail fermé qui me faisait bouillir de rage. Il aurait fallu oser l'ouvrir ou l'escalader, avancer en tapinois sur le chemin jusqu'à l'endroit où les arbres s'éclaircissent et laissent deviner la clairière. Jeter un regard, un seul, et puis m'enfuir en emportant l'image comme un trésor.

Mais je n'osais pas. Oh, pas par discrétion ou bienséance, ni même par crainte d'être surprise ! Non, je n'osais pas car j'avais peur de ce que je risquais de découvrir. Et si la bastide avait subi d'horribles transformations ? Si je ne reconnaissais plus rien ou si, bien plus grave, je ne ressentais rien en la contemplant ? J'y avais pensé chaque jour depuis quinze ans, et je ne souhaitais pas que ce rêve obsessionnel disparaisse d'un coup. En somme, je tenais à conserver mon

fantasme intact car c'était le seul moteur de mon existence, j'en étais douloureusement consciente.

Entre deux randonnées, je profitais parfois de la
plage d'Hossegor dont j'appréciais le sable fin, ou
bien je m'offrais une flânerie autour du lac marin. Le
soir, il m'arrivait de dîner au restaurant du casino,
sans avoir la moindre pensée pour Maurice qui devait
continuer à se ruiner autour des tables de roulette ou
de black jack.

Ce fut le moment que choisit mon père pour mourir,
ainsi que me l'apprit Gauthier venu de Biarritz afin de
m'annoncer en personne la mauvaise nouvelle. Il
n'était alors qu'un simple instituteur, jeune marié et
jeune papa de la petite Lily qui venait de naître. Je
n'avais pas assisté à son mariage car j'étais à cette
époque-là en plein divorce d'avec Maurice, mais il ne
m'en avait pas tenu rigueur et il continuait à m'appeler
de temps à autre. À son air fatigué, à ses vêtements
informes, je compris tout de suite qu'il ne roulait pas
sur l'or et je proposai de payer l'enterrement, ce qui
parut le soulager. Puis, comme nous ne nous étions pas
vus depuis longtemps, je l'emmenai dîner et le fis
parler. En deux heures, il me raconta tous les détails
qu'il avait préféré m'épargner durant nos conversations téléphoniques. La terrible et inexorable dépression de notre mère dont on ne comptait plus les hospi-
talisations ; la longue maladie qui avait rongé notre
père et fait de ses derniers jours un calvaire. Ainsi que
le dévouement de sa jeune épouse, Estelle, qui semblait
une femme modèle.

Son récit me laissa tout à fait désemparée. Éprou-
vais-je un quelconque chagrin ? J'avais aimé mon

père jusqu'à mes dix-huit ans, je m'en souvenais très bien, mais ensuite ma rancune envers lui avait occulté tout autre sentiment. Depuis qu'il m'avait conduite à l'autel, le jour de mon premier mariage, je l'avais effacé de mon existence. Était-ce pour le punir de m'avoir autant déçue, autant frustrée ? J'avais également rangé ma mère dans un petit recoin obscur de ma mémoire, jugeant impardonnable qu'elle se soit si bien accommodée de sa déchéance. Quant à Gauthier…

Au cours de ce dîner, je ne cessai de le regarder, ébahie de voir l'homme qu'il était devenu. En vain, je cherchais sur ses traits une ressemblance avec le petit garçon d'autrefois, ce petit frère que je traînais derrière moi dans les forêts et que je m'amusais à effrayer le long des couloirs de la bastide. Mon Gauthier, celui que j'appelais « Titi » lorsqu'il était enfant, m'apparaissait à la fois familier et étranger, en tout cas il m'intriguait. Avec la mort de notre père et l'aliénation mentale de notre mère, Gauthier restait donc ma seule famille, une constatation qui me fit froid dans le dos. Et je ne connaissais même pas sa femme, ma belle-sœur ! Pour réparer toute cette indifférence qui me donnait soudain des remords, je décidai de séjourner quarante-huit heures à Biarritz. Une fois notre père enterré – et je comptais faire les choses en grand –, j'aurais le temps de m'intéresser un peu à Estelle et à la petite Lily.

✳✳

— Qu'est-ce que tu lis de si passionnant ?

Anne leva les yeux du cahier de moleskine, stupéfaite de découvrir Julien debout à côté de sa chaise longue.

— Le récit de jeunesse de ma tante Ariane. Un truc édifiant ! Mais dis-moi, tu es venu à pied ? Je n'ai pas entendu ta moto.

Amusé, il désigna sa voiture garée un peu plus loin.

— J'ai pris le break pour pouvoir apporter les planches de surf à la plage. Ton fils et son copain se sont bien amusés, ils ne vont pas tarder à rentrer avec Paul et Jérôme. Mais pour que tu n'entendes même pas un bruit de moteur, il faut que tu sois vraiment perdue dans ta lecture ou tes pensées…

Il la regardait d'un air interrogateur, sans oser formuler de question plus précise.

— Paul est toujours braqué contre cet endroit, déclara-t-elle avec un geste éloquent vers la façade de la maison. Et contre moi par la même occasion. C'est pour ça que je suis restée ici, pour le laisser seul avec les garçons.

Un peu embarrassé, il se contenta de hocher la tête.

— Je sais que tu ne peux pas prendre parti, Julien, et personne ne te demande de le faire. Tu dînes avec nous ?

— Volontiers.

— Alors, je vais faire une omelette et une salade géantes !

La présence de Julien améliorerait peut-être l'humeur de Paul, du moins l'espérait-elle. Sachant que l'instant crucial aurait lieu en fin de soirée, lorsque Paul déciderait soit de monter se coucher avec elle, soit de rentrer à Castets, elle voulait mettre toutes les chances de son côté. Avoir fait l'amour ne les avait pas vraiment rapprochés puisque dès le plaisir passé ils avaient recommencé à se quereller, mais s'endormir tendrement dans les bras l'un de l'autre pouvait les réconcilier.

— Tu as de la ciboulette sauvage au coin de la maison, fit-il remarquer. Veux-tu que j'en coupe pour l'omelette ?

Suivant son regard, elle se mit à rire.

— Elle n'a rien de sauvage, c'est Ariane qui l'avait plantée !

— Ta tante jardinait ?

— Pas du tout, sauf en cas de lubie. D'ailleurs, elle prétendait ne rien savoir faire de ses dix doigts. Elle avait été élevée comme une princesse, on ne lui avait rien appris de pratique.

Julien lui jeta un coup d'œil scrutateur mais affectueux.

— Tu l'aimais bien, hein ?

— Oui.

La brièveté de sa réponse exprimait toute sa lassitude à parler d'Ariane car elle n'avait pas envie de se justifier une fois de plus.

— Allez, hop, en cuisine ! décida-t-elle.

Coinçant le cahier sous son bras, elle précéda Julien. À eux deux, ils préparèrent une jolie table, une salade de tomates et laitue, un plateau de fromages. Puis Anne battit les œufs pendant que Julien rinçait et coupait la ciboulette.

— Quand Paul se lance dans une recette, déclara-t-elle, il préfère qu'on le laisse tranquille et je n'ai

187

même pas le droit de le regarder faire. Je crois que c'est parce qu'il goûte dix fois sa préparation en se léchant les doigts ! Mais il est doué, il concocte des plats vraiment délicieux.

— En ce qui me concerne, j'arrive à peine à nourrir les jumeaux avec du jambon, des frites surgelées et des esquimaux. Comme je vais les avoir quinze jours à la maison, j'ai pris une jeune fille au pair. C'est une Irlandaise qui vient d'une famille nombreuse et qui sait faire de vrais menus, avec des légumes frais et des gâteaux maison. Évidemment, c'était plus simple quand elle était là…

Il se refusait toujours à prononcer le prénom de son ex-femme. Par chagrin ou par rancune ?

— Tu penses encore à elle, Julien ? demanda doucement Anne.

— Pour la déception sentimentale, je crois être à peu près remis. Mais pour le gâchis que nous avons fait, j'ai beaucoup de regret. Et, sincèrement, j'espère qu'il ne vous arrivera pas la même chose, à Paul et à toi. Briser une famille pour une connerie d'infidélité…

Elle se tourna vers lui en se demandant s'il la croyait infidèle. Imaginait-il qu'elle était venue habiter la bastide pour y cacher un amant ? Comme s'il avait lu dans ses pensées, il lui adressa un sourire désarmant.

— Vous deux, c'est encore plus bête, il ne s'agit que d'un malentendu. Avec un peu moins d'orgueil et de susceptibilité, vous devriez vous en sortir facilement. Mais ne laissez pas pourrir la situation jusqu'à ce qu'elle devienne inextricable. Bon, en disant ça j'ai l'air de donner des leçons alors que je suis très mal placé pour le faire !

— Arrête de te fustiger.

Elle l'observait avec une attention nouvelle, presque de la curiosité. Que savait-elle de lui sinon qu'il était l'associé de Paul, un mari trompé, un père responsable et un bon ami ?

— Julien, tu devrais sortir, voir des filles, tomber amoureux.

Ils restèrent une seconde les yeux dans les yeux puis elle baissa la tête, mal à l'aise, ayant senti passer quelque chose d'un peu ambigu entre eux. À croire que s'être éloignée de Paul depuis quelques jours et avoir bouleversé sa vie changeait son regard sur les hommes. Sur les hommes et sur la vie en général. Elle avait retrouvé une sorte d'appétit, d'impatience, le même état d'esprit que lorsqu'elle avait vingt ans. Et elle venait de regarder Julien comme un homme, pas comme un copain faisant partie du paysage.

— On peut prendre l'apéritif dehors en les attendant, déclara-t-elle. On n'aura qu'à s'asseoir sur les marches du perron, je n'ai pas de meubles de jardin !

Elle sortit pendant qu'il servait deux verres. Les ombres des pins commençaient à s'allonger dans la clairière et un vent léger tiédissait l'air du soir. Pourquoi Paul détestait-il un endroit si privilégié ? Tous ceux qui venaient ici admiraient l'architecture de la bastide et sa situation exceptionnelle. Hugues Cazeneuve, qui devait pourtant avoir vu des centaines de propriétés, affirmait que celle-ci était rare et que, malgré ses défauts de vétusté, elle était l'une des plus séduisantes de la région. Paul refusait de l'admettre et s'accrochait à leur petite maison de Castets, rejetant la bastide sans appel. À cause d'Ariane ? Il n'avait aucune raison de la détester et le fait de l'avoir trouvée morte ne l'avait sûrement pas traumatisé à ce point. Non, son refus ne visait qu'Anne, ils s'étaient lancés dans un bras de fer dont il voulait sortir vainqueur à tout prix.

Assise sur la pierre chaude du perron, elle vit la voiture de Paul qui remontait le chemin menant à la clairière. Léo agitait la main par une fenêtre et elle se força à sourire, le cœur serré.

7

Lily avait bien fait les choses et le dîner s'était déroulé dans une ambiance joyeuse. Mais quand Éric apporta le gâteau d'anniversaire, chargé de quarante et une bougies, elle eut une petite moue irritée.

— On ne doit plus préciser mon âge, chéri !

— Nous sommes en famille, ton âge n'est un secret pour personne. Et tu es rayonnante…

Il l'embrassa, avant de l'aider à souffler les bougies tandis qu'une de leurs filles remarquait que la cire avait coulé sur les fraises. L'autre en profita pour s'adresser à Anne, qui était en face d'elle, et lui demanda d'une voix faussement innocente :

— Alors, ta nouvelle maison ? Léo dit que c'est génial !

Le garçon fusilla sa cousine du regard mais elle l'ignora.

— Très agréable, répondit posément Anne, surtout l'été. Il faudra que vous veniez, tous, on fera un barbecue.

Estelle leva les yeux au ciel, comme s'il s'agissait d'une invitation tout à fait incongrue, mais Gauthier approuva :

— Bonne idée ! On ira passer un dimanche avec vous et je préparerai des brochettes de poisson.

Anne eut un sourire reconnaissant. Au moins, son père ne semblait pas contre elle alors qu'il aurait pu être le seul à lui en vouloir. Et sans doute n'avait-il pas vraiment envie de remettre les pieds là-bas, pourtant il faisait contre mauvaise fortune bon cœur. En le regardant, Anne essaya d'imaginer le petit garçon, puis le jeune instituteur qu'évoquait Ariane dans son cahier. Elle était impatiente de lire la suite, de savoir si le frère et la sœur s'étaient rapprochés lors de l'enterrement.

— Je reviens tout de suite, chuchota Suki qui était assise à côté d'elle.

Très pâle, la jeune femme se leva en hâte et s'éclipsa. Vaguement inquiète pour elle, Anne attendit deux minutes avant de la suivre. Elle se dirigea vers la salle de bains du rez-de-chaussée qui se trouvait à l'autre bout de la maison et vit Suki qui sortait des toilettes, la mine bouleversée, les larmes aux yeux.

— Qu'est-ce qui se passe ? Tu te sens mal ?

Suki lui tomba dans les bras et s'accrocha à elle en sanglotant.

— Encore une déception ! Mon Dieu, pourquoi ? Pourquoi je n'y arrive pas ? J'avais huit jours de retard et j'étais presque sûre que… Mais non, c'est raté une fois de plus, je n'attends pas de bébé.

Elle s'écarta, frotta rageusement ses joues.

— Pardon, Anne, je ne devrais pas t'ennuyer avec ça.

— Tu ne m'ennuies pas, ne sois pas bête.

Anne la fit entrer dans la salle de bains et la regarda se laver les mains puis se passer de l'eau sur le visage. Quand elle releva la tête, elle s'observa dans le miroir avec une expression de dégoût.

— Nous n'aurons jamais d'enfant, dit-elle d'une voix désespérée. J'en suis incapable !

— Tu n'en sais rien. Sois patiente.

— Je l'ai été. Mais je crois qu'on a tout essayé.

— Et vous n'avez jamais pensé à… à l'adoption ?

— Pas encore. Il paraît que c'est compliqué, un interminable parcours du combattant, et qu'il faut avoir un dossier en béton.

Elle avait donc pris des renseignements et à l'évidence, elle y songeait, même si elle n'en avait pas parlé à Valère.

— Tu as Léo, ajouta-t-elle, et Lily a ses filles. Tu ne peux pas imaginer à quel point je vous envie. En plus, j'ai peur, je me dis qu'un jour Valère en aura assez d'attendre.

— Il t'aime, Suki.

— Avec moi, il voulait fonder une famille. Eh bien, c'est raté ! Tu sais, il ne m'a rien caché de son passé, de toutes ses aventures, et il a dit que j'étais la première femme en qui il voyait la mère de ses enfants. Une belle déclaration, non ? Mais voilà, je ne suis pas fichue de lui en donner un seul parce que mon corps *ne veut pas*. Saloperie, tiens !

Elle venait de se donner une grande claque sur le ventre et Anne se précipita vers elle.

— Ne fais pas ça !

193

— Dans mon pays, il n'y a pas si longtemps, une femme se serait fait hara-kiri.

— Heureusement, le monde a changé. Je…

— Mais qu'est-ce que vous fichez ? s'exclama Lily d'une voix suraiguë. Vous pourriez au moins venir manger mon gâteau d'anniversaire !

Anne lui lança un regard furieux, que Lily interpréta de travers.

— Eh bien quoi ? Vous faites bande à part devant un lavabo, ce n'est pas très gentil pour moi. Vous avez des secrets ? Anne raconte qu'elle va quitter son mari ? Ce n'est un mystère pour personne, ma chérie !

Éberluée, Anne fit un pas vers sa sœur.

— Tu es cinglée ? Où as-tu été chercher une idée pareille ?

— Dans un couple, faire chambre à part est plutôt mauvais signe, alors maison à part, tu penses !

Elle eut un petit rire détestable, celui dont elle usait déjà, jeune fille, pour se moquer de sa cadette. Leurs six ans d'écart lui avaient toujours conféré une sorte de supériorité, sauf maintenant qu'elle refusait de dire son âge.

— Tu ne comprends rien, soupira Anne.

Elle la planta là, abandonnant Suki à regret, mais elle ne voulait pas se disputer avec sa sœur un jour d'anniversaire. Et surtout pas au sujet de Paul. Certes, ils n'allaient pas vraiment bien, mais ça ne concernait qu'eux. Le dimanche précédent, Paul n'était pas resté dormir, agacé tout le long du dîner par les plaisanteries douteuses de Jérôme et l'air de chien battu de Léo. Celui-ci avait bien compris que ses parents n'étaient pas d'accord du tout au sujet de la maison et qu'il restait peu de chances d'y habiter tous ensemble. En bon fils, il n'avait rien dit de sa déception, cependant elle était perceptible et devait contribuer à l'exaspération de Paul.

Au lieu de rejoindre la famille, Anne sortit de la maison. Située non loin du lac, c'était une petite villa basco-landaise typique qui faisait la fierté de Lily et qu'Éric avait dû payer cher. Mais Hossegor était bien trop touristique pour Anne, elle n'aurait jamais vécu là, dans ce que les brochures appelaient « la capitale du surf, le paradis du golf ». Lorsque Paul avait choisi Castets pour exercer, elle avait été ravie que ce soit un peu retiré dans les terres, hors du parcours des vacanciers. Elle n'appréciait pas beaucoup la foule et l'agitation, peut-être était-ce l'une des raisons de son coup de cœur pour la bastide. Mais il y en avait d'autres, qu'elle n'avait pas encore réussi à identifier. Au-delà de l'histoire d'Ariane consignée sur les pages du cahier, Anne avait la sienne à écrire.

— Qu'est-ce qui se passe ? chuchota Paul dans son dos. Tu ne veux pas revenir à table ? Je te rappelle qu'Éric fait du très bon café…

Comme il avait passé ses bras autour de sa taille, elle se laissa aller contre lui en poussant un long soupir. Enfin un geste de tendresse et des mots prononcés d'une voix conciliante ! Elle eut envie de s'abandonner, de lâcher prise.

— Lily dit des horreurs sur nous, Paul.

— Et tout le monde nous regarde avec curiosité, je sais. Bon, écoute, j'ai quelque chose à te proposer.

Elle sentait son souffle dans ses cheveux, sa chaleur dans son dos. Elle s'appuya de tout son poids, heureuse qu'il soit là avec elle, solide et rassurant.

— Puisque tu t'y plais, tu n'as qu'à rester tranquillement là-bas jusqu'à la fin de l'été avec Léo, il sera content. Je viendrai tous les week-ends, et même certains soirs de semaine si je ne finis pas trop tard. En échange…

Il l'embrassa près de l'oreille et la serra davantage, mais déjà elle s'était raidie.

— En échange ?

— Tu vas me promettre d'envisager une mise en vente cet automne. Pas forcément de le faire, Anne, juste d'y penser.

Elle faillit accepter. Pour avoir la paix, pour qu'ils se retrouvent complices comme avant, pour faire taire toute la famille, pour profiter du délai. Mais c'était malhonnête. L'idée de se séparer de la bastide la rebutait, et qu'on cherche à l'y forcer la hérissait.

— Oh, Paul…, soupira-t-elle, déçue.

Il attendait qu'elle dise quelque chose, qu'elle se montre un peu conciliante, et sans doute croyait-il avoir fait de son côté une grosse concession. Pourtant, c'était toujours donnant-donnant, la même forme de chantage, et aussi le même refus.

— Je la garde, finit-elle par articuler, sachant que mentir ne servirait qu'à repousser le problème, à le rendre plus aigu.

— On dirait une enfant qui s'accroche à son jouet !

Elle fit volte-face et plongea son regard dans celui de son mari.

— À part toi et notre fils, je n'ai jamais autant tenu à quelque chose qu'à cette maison. Tu peux trouver ça puéril ou égoïste mais c'est vraiment important pour moi. Tu ne veux pas essayer de me comprendre ? Jusqu'ici, je t'ai aidé de mon mieux, j'ai respecté tes choix, tes ambitions, tes désirs. Mais j'ai aussi les miens.

— Tu considères que tu t'es sacrifiée ?

— Non, ça me convenait, on marchait main dans la main et je trouvais ça normal. Aujourd'hui, parce que pour la première fois je ne fais pas ce que tu souhaites, tu cries à la trahison. Tu t'éloignes de moi comme si tu voulais me punir. D'ailleurs, tout le monde a l'air de vouloir me punir de cet héritage dont il faudrait que je me défasse au plus vite. On m'ordonne de rentrer dans le rang et de ne rien laisser dépasser. Eh bien, j'en ai marre d'être une gentille fille qui doit faire plaisir aux autres et se conformer à ce qu'on attend d'elle !

Il détourna son regard mais il avait le visage fermé, il était en colère.

— Depuis combien de temps ne m'as-tu pas dit : « Je t'aime » ? poursuivit-elle d'une voix plus sourde. Tout ce que j'entends, depuis des mois, c'est : « Vends, vends, vends ! » Tu n'as pas cherché à savoir si ça me faisait de la peine, ni pourquoi. Ce que j'éprouve ne semble pas compter, je ne suis qu'une enfant qui s'accroche à son jouet…

Elle s'éloigna de lui, soudain très fatiguée. Elle n'avait plus envie d'argumenter et de se justifier. Sûr de son bon droit, Paul ne lui disait en effet plus rien de gentil, il ne l'appelait plus trois fois par jour, il boudait dans son coin, et le marché qu'il venait de lui proposer était sordide. Il lui ferait le cadeau de sa présence si elle acceptait ses conditions ? Mais bon sang, ça ne ressemblait pas à Paul ! L'homme qu'elle avait épousé et qu'elle connaissait si bien ne marchandait pas. Il ne rejetait pas, n'exigeait pas, ne menaçait pas. Que lui était-il donc arrivé ?

Et elle, que lui arrivait-il ? Elle aurait voulu partir sur-le-champ, rentrer chez elle, ne pas avoir à se soucier de Léo et de Jérôme qu'elle devait ramener, de Paul qui allait recommencer à bouder, du regard inquiet de son père et de l'air pincé de sa mère. S'enfuir, en quelque sorte, ce qui était évidemment impossible. Elle passa ses doigts dans ses cheveux, tira dessus un bon coup, s'obligea à sourire, puis elle se tourna vers Paul qui n'avait pas bougé.

— Allons boire ce café, dit-elle en lui tendant la main.

**

L'enterrement fut ce qu'il devait être : sinistre. Peu de gens s'étaient déplacés, mon père ayant perdu toute relation avec son ancien milieu et ne s'étant pas fait d'amis dans la dernière partie de sa vie. Pour le cercueil et les fleurs, j'avais mis le prix qu'il fallait et nous n'avions pas à en rougir. Ma mère, bourrée de tranquillisants, assista à la cérémonie avec hébétude, ne sachant pas où elle était, et d'ailleurs, elle ne me reconnut pas. Gauthier faisait semblant de lui parler normalement, sans obtenir la moindre réponse, et la douce Estelle lui cramponnait un bras tandis qu'une infirmière tenait fermement l'autre. Il s'agissait sans doute de sa dernière sortie, car à l'évidence elle devrait désormais rester en maison de repos. Pour assurer cette retraite médicalisée, je suggérai à Gauthier de vendre l'horrible maison de Biarritz achetée après la vente de la bastide. Il fit un peu la grimace car il considérait qu'il y avait été heureux durant son adolescence, mais comme il était logé par l'Éducation nationale et n'avait pas besoin d'un toit, il s'y résigna. Notre mère fut mise sous tutelle pour nous permettre de réaliser l'affaire, et je réussis à convaincre Gauthier de confier les fonds à un notaire, Pierre Laborde en l'occurrence. Cette idée m'était venue en entendant Estelle proclamer qu'elle souhaitait « beaucoup » d'autres enfants après la petite Lily. Libre à elle de pondre toute la ruineuse marmaille qu'elle désirait, mais ma mère devait pouvoir finir ses jours dans la dignité, une dignité qui coûtait fort cher et qui serait ainsi réglée d'avance. Quel paradoxe de songer que c'était tout ce qui restait de l'ancienne fortune des Nogaro ! À une époque, nous avions été riches, puis quasiment ruinés, et le peu qui subsistait lui servirait juste à ne pas finir dans l'indigence.

Durant mon passage à Biarritz, je ne parvins pas à m'attacher à la petite Élisabeth, dite Lily, une enfant peu avenante et capricieuse. Quant à Estelle, je la jugeai étriquée, terne, incapable de proférer une opinion personnelle. En conséquence, j'abrégeai mon séjour, consternée par le peu d'affinités – et d'affection véritable – entre Gauthier, sa petite famille et moi. Néanmoins, de retour à Hossegor, je me demandai pour la première fois depuis quinze ans si ma quête du bonheur n'était pas totalement absurde. Car même si j'avais trouvé mièvres et déplacés les petits gestes câlins d'Estelle envers son mari, ces deux-là semblaient s'aimer pour de bon. Or je ne savais rien de l'amour. J'avais connu le désir avec certains hommes – en dehors de mes maris, s'entend –, mais jamais la tendresse, encore moins le cœur qui bat la chamade. Et j'étais lucide, ce ne seraient pas les murs d'une maison qui m'offriraient ce sentiment. Seulement, les murs, je pouvais finir par les racheter à force d'entêtement, tandis que l'amour... Où le dénicher ?

Je m'en ouvris à Pierre Laborde, qui venait de Dax une fois par mois pour déjeuner avec moi. Son conseil fut de « regarder autour de moi ». Parlait-il pour lui ? Je ne voulais pas la moindre ambiguïté dans nos rapports et je ne l'encourageai pas à poursuivre dans cette voie. Cependant, j'adoptai sa suggestion et me mis à considérer les hommes pour ce qu'ils étaient plutôt que pour leur compte en banque. En retour, je me fis modeste, ne voulant pas non plus qu'on me courtise pour mon argent.

Six mois plus tard, je rencontrai Paul-Henri et j'eus l'impression de m'éveiller à la vie.

**

Interrompue dans sa lecture par la sonnerie du téléphone, Anne reposa le cahier. La mère de Charles, qui invitait Léo à passer deux semaines en Espagne, voulait planifier les derniers détails du voyage. Chaque été, les deux garçons s'arrangeaient pour être séparés le moins possible, et en échange de ce séjour en

Andalousie, Charles viendrait finir les vacances avec Léo à la bastide.

En raccrochant, Anne se souvint que Léo n'avait pas abandonné son idée de billard. Il comptait demander de l'argent pour son anniversaire, qui tombait en août, et dénicher une bonne occasion sur Internet. Mais ce projet signifiait une chose : Léo avait compris que sa mère resterait là. Or, s'il aimait bien la bastide, il devait néanmoins s'inquiéter de voir ses parents se quereller. De quelle manière un adolescent réagissait-il, pris entre le marteau et l'enclume ? Comme tous les garçons de son âge, il voulait protéger sa mère et ne tarderait pas à s'affronter avec son père pour affirmer sa virilité. Cette histoire de maison lui en fournissait l'occasion, et Paul le vivrait très mal, forcément. Pendant ce temps-là, le reste de la famille ne manquerait pas de faire remarquer qu'Anne avait semé la zizanie entre le père et le fils. Or, même si elle était décidée à ne pas tenir compte de ce genre de commentaire acide, elle en souffrirait malgré tout.

Elle se leva pour aller ouvrir la fenêtre et l'odeur des pins chauffés par le soleil envahit la pièce. À présent, elle était bien installée dans l'ancien bureau d'Ariane devenu le sien. Elle avait gardé le vieux tapis aux couleurs passées, néanmoins encore assez confortable, ainsi que l'élégant secrétaire à rideau où s'entassaient les albums photos, et bien sûr le bureau de chêne blond dont elle avait enfin vidé tous les tiroirs. Les balafres du plateau étaient plus ou moins cachées par son ordinateur et son imprimante, mais ces marques laissées par des stylos au fil du temps ne la gênaient pas. Chaque jour, elle venait travailler deux ou trois heures et elle expédiait régulièrement leurs bilans comptables à ses clients. En revanche, elle avait repoussé à septembre ses visites aux entreprises qui l'employaient, dont la plupart allaient d'ailleurs fermer pour les vacances.

Baissant les yeux vers la clairière, elle constata une fois de plus que le sol était couvert d'épines de pin mêlées à une fine couche de sable apportée par le vent depuis les dunes. Impossible de faire pousser de l'herbe là-dessus. Comment était donc organisée la clairière, à l'origine ? Sur une vieille photo, elle semblait faite de petits cailloux blancs, avec des parterres de fleurs le long de la façade. Des fleurs entretenues à l'époque par le jeune homme bien bâti qu'Ariane regardait trop. Cette petite confidence du début du cahier avait fait sourire Anne, mais depuis qu'il était question dans le récit de son père et de sa mère, présentés sous un jour inattendu, elle prenait sa lecture beaucoup plus au sérieux.

Quoique traiter Lily d'enfant « capricieuse et peu avenante », c'était assez drôle…

Elle aperçut Jérôme qui revenait du portail où il était allé chercher le courrier, comme chaque jour. Il s'était approprié cette petite corvée, mais c'était bien l'une des rares tâches dont il se chargeait. Pour le reste, il faisait semblant de bricoler ici ou là sans rien entreprendre de vraiment constructif. Anne allait devoir établir une liste des réparations urgentes, à condition qu'il soit capable de s'y atteler. Ce qu'il avait appris à Londres ne se voyait pas beaucoup jusqu'ici.

« Il faut qu'il trouve un travail pour la rentrée, il ne peut pas rester oisif. »

Quelque chose dans l'attitude de son frère l'inquiétait. Il paraissait vivre au jour le jour, ne parlait pas d'avenir, ne cherchait pas à sortir de la maison, sinon pour aller à la plage. Il prétendait avoir laissé la plupart de ses affaires en Angleterre et il n'avait que deux jeans troués, des chaussures éculées, des tee-shirts informes. Ne possédait-il rien d'autre ? Elle aurait bien voulu en parler à quelqu'un mais Paul ne serait sûrement pas disposé à l'écouter, quant aux autres membres de la famille, elle avait un peu l'impression d'être devenue pour eux une brebis galeuse. Il n'y avait guère qu'avec Suki qu'elle aurait pu discuter, si celle-ci n'avait pas eu des problèmes bien plus sérieux. Anne lui avait téléphoné deux fois depuis le début de la semaine et l'avait trouvée vraiment déprimée.

Elle ferma la fenêtre, éteignit son ordinateur et alla chercher son sac. Elle avait rendez-vous avec Pierre Laborde, dans son étude de Dax, et il était temps de partir.

⁂

Paul ôta son masque et ses gants, puis il échangea un regard avec Julien.

— Je crois qu'on a gagné, vieux !

Ils se tapèrent dans la main, un geste rituel pour saluer les opérations réussies. Une heure plus tôt, le chat étendu sur la table avait été amené en urgence par son propriétaire. Celui-ci l'avait récupéré sur la route, devant chez lui, percuté par une voiture et éventré.

— Il revient de loin, soupira Julien en jetant un coup d'œil vers la pendule murale.

Dans la salle d'attente, les rendez-vous s'étaient entassés, tout le monde devait s'impatienter malgré les explications de Brigitte. Julien prit délicatement le chat et passa dans la pièce voisine où il l'installa dans une cage.

— Je viendrai surveiller son réveil entre deux clients, dit-il à Paul. D'ici là, je crois qu'on peut annoncer à son maître que Méphisto s'en est tiré pour cette fois.

— Et qu'il ferait mieux de ne plus le laisser sortir de la maison !

Ils enlevèrent leurs blouses tachées de sang et en enfilèrent d'autres. Puis ils se dirigèrent vers leurs cabinets respectifs mais Julien arrêta Paul une seconde.

— Tu es vraiment décidé, pour tes vacances ?

— Oui, ça me fera du bien et j'en ai besoin !

Contournant Julien, il se dépêcha d'aller chercher un client auprès duquel il s'excusa pour son retard. La tête ailleurs, il enchaîna ses consultations. Sa décision de s'éloigner quelques jours le soulageait. Plus de disputes avec Anne, plus de maison vide le soir. Restait juste à le lui annoncer, et il comptait le faire par téléphone pour éviter un affrontement supplémentaire. Il s'était programmé une semaine à Paris, il en profiterait pour rendre visite à ses parents qui avaient choisi de s'installer dans la capitale au moment de leur retraite. Et pour se vider la tête, il ferait ce qu'il n'avait jamais le temps de faire, visiter des musées, voir des expositions, aller au cinéma. Indirectement, Julien lui en avait fourni l'idée car il s'était distrait de cette façon-là après son divorce. Mais bien sûr, quand Paul lui avait annoncé qu'il allait suivre son exemple, Julien s'était récrié. Il prônait la réconciliation pure et simple, exhortant Paul à aller habiter la bastide au lieu de se buter pour de mauvaises raisons.

Mauvaises, sûrement. Susceptibilité froissée, orgueil mal placé, besoin d'avoir raison et d'imposer sa volonté : Paul admettait tout cela. Mais aussi, de manière légitime, il ne s'imaginait pas travaillant d'arrache-pied pour engloutir tout son argent dans la réfection d'une vieille bâtisse. Lorsqu'il était petit, ses parents s'efforçaient d'entretenir une maison ancienne pleine de courants d'air et de fissures, dont il ne gardait pas un très bon souvenir. Il avait toujours su qu'il se ferait construire un jour une habitation moderne, douillette, pratique, et qui ne lui causerait aucun souci. Son cadre de vie l'intéressait d'ailleurs assez peu puisqu'il passait tout son temps dans sa clinique vétérinaire. Alors, rentrer le soir pour se mettre à bricoler ou à étudier des devis d'artisans ? Non, jamais.

Seulement, il y avait Anne. Même si elle l'exaspérait avec son entêtement ridicule, il l'aimait. Et il ne voyait pas comment ils allaient s'en sortir tous les deux, après s'être enferrés dans une telle dissension. L'éloignement leur permettrait peut-être de se calmer l'un et l'autre. Jusqu'ici, Anne n'avait pas dû mesurer les conséquences, elle faisait comme si de rien n'était quand il se rendait à la bastide, et sans doute finissait-elle par se persuader que tout s'arrangerait. Trop facile !

Après avoir expédié son dernier client et mis les fichiers de l'ordinateur à jour, il trouva Brigitte et Julien en train de bavarder dans la salle d'attente déserte. Son arrivée les fit taire abruptement, preuve qu'ils devaient parler de lui.

— J'allais partir, déclara Brigitte, mais je voulais vous souhaiter de bonnes vacances. Reposez-vous et revenez-nous avec meilleure mine !

— Je vais essayer. Voulez-vous que je vous rapporte une petite tour Eiffel, Brigitte ?

Sans se vexer de la plaisanterie, elle répondit du tac au tac :

— Plutôt des macarons de chez Ladurée. Allez, amusez-vous bien et tâchez de rentrer de bonne humeur.

Elle s'en alla en agitant la main tandis que Julien retenait Paul par la manche.

— Tu es sûr que c'est une bonne idée, ce séjour en solitaire ? Anne aurait peut-être aimé t'accompagner, vous n'allez jamais à Paris ensemble ! Léo sera en Espagne et Jérôme pourrait garder Goliath, pourquoi ne pas en profiter ?

Paul le dévisagea sans répondre et Julien se hâta d'enchaîner :

— D'accord, je me mêle de ce qui ne me regarde pas, mais tu n'arrangeras rien en fuyant. Je suis triste pour vous de voir la tournure que ça prend. Voilà, mon vieux, j'ai dit ce que j'avais à dire.

Il donna une bourrade un peu maladroite à Paul, comme pour s'excuser de sa franchise, puis il récupéra son casque de moto qu'il avait posé sur le comptoir. Pour lui, Paul avait tort, il s'étonnait même de le découvrir sous ce jour inattendu. Mais bien sûr, l'expérience des autres ne servant à rien, Julien aurait beau lui crier casse-cou, Paul n'en ferait qu'à sa tête. En l'occurrence, une vraie tête de mule. Il faisait toute une histoire parce qu'il trouvait sa maison vide le soir, mais rien ne l'empêchait de rejoindre sa femme. Julien aussi était seul quand il rentrait chez lui, toutefois il avait eu le courage de se demander quelle était sa part de responsabilité dans ce désastre. Si sa femme l'avait trompé, si elle était tombée amoureuse d'un autre, ce n'était pas forcément le hasard ou la fatalité. Il n'avait rien vu venir parce qu'il ne s'était pas occupé d'elle, de ses désirs et de ses frustrations, trop absorbé par son travail, trop certain que leur existence était sur des rails. Tombé de haut, il avait fini par comprendre qu'il aurait sans doute pu éviter la chute s'il s'était montré plus vigilant. Il se souvenait des scènes inutiles qu'il avait faites, de sa colère égoïste, et surtout de son chantage : « Pars si tu veux, la porte est là ! », qui s'était retourné contre lui. En voyant Paul commettre la même erreur, bien que le contexte soit différent, il se sentait sincèrement désolé. Il ne voulait pas que son couple d'amis se défasse, il n'avait pas envie de consoler Paul et de devenir le confident d'Anne. La manière dont elle l'avait regardé, quelques jours plus tôt dans la cuisine de la bastide, était édifiante. Ou plutôt, le regard qu'ils avaient échangé, car il n'était pas innocent. Un homme, une femme, en train de se jauger et de se *plaire* ? Impensable ! Bon, inutile de jouer les naïfs, ce genre de coup d'œil ne signifiait rien d'autre qu'une sorte de reconnaissance. On identifiait l'autre comme quelqu'un qui *aurait pu* vous plaire dans des circonstances différentes. Même très amoureux, on ne devient pas aveugle pour autant, et si les hommes ne peuvent pas s'empêcher de se retourner sur les jolies femmes, elles ont le droit d'en faire autant.

Sans s'en apercevoir, Julien s'était mis à rouler beaucoup trop vite et il rétrograda. Sa moto était puissante, nerveuse, il devait faire attention à ne pas se laisser prendre au piège de la vitesse. Surtout pas maintenant qu'il allait avoir les jumeaux avec lui pour deux semaines. La jeune fille au pair arrivait demain matin, il irait l'attendre à la gare de Dax en voiture et ne toucherait plus à la moto qu'il allait remiser dans le garage sous une housse.

*\
**

— Je ne l'ai jamais eu entre les mains, mais elle m'avait parlé d'une sorte de journal. D'après ce qu'elle disait, elle ne chercherait ni à le cacher ni à le mettre en évidence. Après sa mort, soit vous vous donneriez la peine de trier ses affaires, et en ce cas vous tomberiez fatalement dessus, soit vous feriez tout débarrasser en vrac sans vous intéresser à rien, et ce récit disparaîtrait au fond d'une décharge sans regrets ni dommages pour personne.

Pierre Laborde esquissa un petit sourire ému tout en contemplant Anne d'un air satisfait.

— Elle vous connaissait bien, elle ne s'est pas trompée.

— C'est une lecture intéressante, murmura Anne, je découvre l'histoire de ma famille.

— Eh bien, souhaitons que vous n'appreniez que des choses agréables !

Elle n'en était pas certaine mais peu importait, la vision d'Ariane était assez lucide et détachée pour être le reflet de la vérité.

— Avez-vous pris une décision en ce qui concerne la bastide ? s'enquit-il d'un ton neutre. Mais peut-être est-ce encore trop tôt, rien ne vous presse…

— J'y suis plus ou moins installée, et je m'y plais. Malheureusement, mon mari semble détester l'endroit, ce qui pose problème.

En l'avouant, elle voulait faire comprendre au notaire toutes les difficultés qu'elle rencontrait, et elle espérait qu'il allait l'aider à y voir plus clair. Mais il resta silencieux, attendant qu'elle poursuive.

— Cet héritage crée pas mal de remous, enchaîna-t-elle. Disons que le choix d'Ariane ne fait plaisir à personne. Mes parents, ma sœur… L'un de mes frères a tout de suite cherché à m'emprunter de l'argent, et l'autre est venu me tenir compagnie en sautant sur l'occasion d'avoir un toit. Plus grave, Paul et moi nous retrouvons en total désaccord, et notre fils est pris entre deux feux. Pour éviter ce chaos, j'aurais dû vendre, car en gardant la maison j'ai l'impression de les provoquer, de les déposséder de quelque chose.

— Et vous vous culpabilisez ? Il ne faut pas. Je règle des successions à longueur d'année, et ça se passe souvent assez mal.

— Pourquoi ?

— D'abord parce que, prosaïquement, chacun veut sa part du gâteau, ensuite, parce que les membres d'une même famille ont presque toujours des contentieux et que c'est l'occasion de les régler. Si vous saviez ce que j'ai pu entendre dans mon étude, vous seriez édifiée. Maintenant, dans le cas d'Ariane…

Laissant sa phrase en suspens, il tapota le dossier d'Anne ouvert devant lui.

— Je crois qu'elle savait que vous auriez des ennuis, finit-il par avouer. Mais elle n'avait pas d'autre choix. Laisser sa maison revenir à l'État n'était pas concevable à ses yeux et, parmi les siens, vous étiez la personne qu'elle préférait, de loin. Elle comptait sur votre personnalité pour assumer l'héritage d'une façon ou d'une autre, cependant vous ne devez pas vous sentir obligée de conserver la bastide. Votre tante s'est consumée toute sa vie pour cette maison, c'était très personnel, il n'y a aucun flambeau à reprendre.

— Non, je sais, je ne le vis pas de cette façon-là. En fait, Ariane m'a ouvert une porte sur… eh bien, sur la liberté ! Une grosse somme d'argent aurait fini à la banque, en plans d'épargne ou autres comptes bloqués. Du confort financier, sans doute très agréable, mais qui au fond n'aurait rien bouleversé. Avec la maison, mon horizon a brusquement changé. Je remets beaucoup de choses en question, comme si le fait d'avoir mainte-nant ces murs de pierre derrière lesquels m'abriter me permettait enfin de souffler, de réfléchir. Je prends le temps. Je regarde ceux qui m'entourent d'un œil neuf. Je fais le bilan de ma petite existence sans en être fière, ni même satisfaite. Où sont passés mes rêves ? Qu'ai-je réalisé de mes grands projets de jeunesse ? Cette maison est une vraie boîte de Pandore, j'ai soulevé le couvercle et je ne peux plus le refermer. Aujourd'hui, je vois la vie sous un angle différent. Et je pense qu'Ariane l'avait prévu aussi.

— Elle était très fine sous ses airs tranchants et, en effet, elle ne laissait rien au hasard.

Il paraissait triste à l'évocation de sa vieille amie. Anne se remémora la phrase d'Ariane dans le cahier : « Je ne voulais pas la moindre ambiguïté dans nos rapports et je ne l'encourageai pas à poursuivre dans cette voie. » Elle essaya de les imaginer jeunes tous les deux, attablés dans un restaurant chic d'Hossegor, mais elle n'y parvint pas.

— Elle disait que son prénom contenait le vôtre, rappela-t-il avec émotion, et que c'était un signe du destin. Ariane, Anne, ça l'amusait… Mais les derniers temps, elle parlait surtout de sa propre mort, elle voulait que tout soit en ordre.

Après s'être raclé la gorge, il reprit d'un ton plus ferme :

— Je suis en train de régler le dossier avec l'administration fiscale concernant vos droits de succession, les arriérés d'impôts et tout ce qui s'ensuit. Il devrait y avoir un solde en votre faveur. En attendant, j'ai quelques documents à vous faire signer.

Il lui tendit des feuillets qu'elle ne prit pas la peine de lire. Homme de confiance d'Ariane durant tant d'années, il agissait forcément au mieux des intérêts d'Anne.

— Prenez soin de vous, dit-il en se levant. Et ne vous mettez pas en péril, tout ça n'en vaut pas la peine.

Sur le point d'ouvrir la porte, il suspendit son geste.

— J'aimerais vous demander une faveur, Anne. Lorsque vous aurez terminé la lecture du cahier, et si toutefois il ne contient rien de trop intime ou secret, croyez-vous pouvoir me le prêter ?

Sa question n'était pas surprenante, il devait se douter qu'Ariane parlait de lui au fil des pages. Hochant la tête sans répondre formellement, Anne sourit puis lui tendit la main.

— N'hésitez pas à me rendre visite à l'occasion. Vous verrez, la maison n'a pas beaucoup changé, c'est juste un peu plus… gai.

— Je le ferai, promit-il.

Une fois dehors, Anne retrouva la chaleur écrasante qui régnait sur Dax. À trente kilomètres de l'océan, l'air marin ne parvenait pas à traverser la forêt landaise et, à moins de gagner les bords de l'Adour, on avait l'impression d'étouffer. Anne hésita à monter dans sa voiture, garée en plein soleil. Pourquoi ne pas faire un peu de shopping dans le centre-ville avant de rentrer ? Elle pourrait en profiter pour acheter un nouveau maillot de bain, une chemise digne de ce nom pour Jérôme, et aussi quelques vêtements d'été pour Léo avant son départ en Espagne. Cette année serait sûrement la dernière où son fils la laisserait choisir à sa place ! D'un pas décidé, elle se dirigea vers les rues piétonnes mais fut obligée de s'arrêter en entendant son téléphone sonner au fond de son sac. Constatant que c'était Paul qui l'appelait, elle prit la communication avec un pincement au cœur. Leurs rapports ne s'arrangeaient pas et Paul se tenait à distance depuis qu'elle avait refusé sa proposition, le jour de l'anniversaire de Lily. Ils échangèrent d'abord quelques phrases prudentes, chacun prenant des nouvelles de l'autre, puis Paul lâcha brusquement :

— Je vais passer quelques jours à Paris. Ce sera l'occasion de voir mes parents, et aussi de lever le pied parce que j'ai beaucoup travaillé ces temps-ci.

— À Paris ? répéta-t-elle, éberluée.

— Ne le prends pas mal, ma chérie, mais j'ai besoin de me vider la tête. Tu mets une telle mauvaise volonté à ce que les choses s'arrangent que je préfère m'éloigner un peu !

— Eh bien, éloigne-toi, dit-elle froidement.

— Ça nous permettra de faire le point, de…

— Quand pars-tu ?

— Demain.

— Tu as prévenu Léo ?

— Non, fais-le. Je ne veux pas répondre à des questions embarrassantes, tu sauras mieux lui présenter les choses.

— Ben voyons !

— De toute façon, il s'en fiche, il s'en va en Espagne.

— Il voit ce qui se passe, Paul, il n'a plus cinq ans.

— Écoute, ce n'est pas de Léo qu'il s'agit mais de nous deux. Je ne sais pas si tu te rends compte de ce qui nous arrive !

— Crois-tu ?

Elle était déterminée à lui tenir tête, à le prendre de haut, au lieu de quoi elle fondit en larmes. Paul s'en allait à Paris, Paul devenait un étranger, la complicité avait disparu, et bientôt leur amour disparaîtrait lui aussi.

— Tu as vraiment décidé de tout saccager, avec ton foutu orgueil ? hurla-t-elle. Toi, toi, il n'y a que toi ! Mais je ne suis pas ta chose, Paul, je ne suis pas censée faire tout ce que tu veux. Et, au passage, j'en ai marre de tes menaces. Va donc à Paris, va au diable !

À bout de souffle, elle coupa la communication. Puis elle s'adossa à une vitrine, essayant de recouvrer son sang-froid. Son explosion de rage la surprenait elle-même, et Paul devait être pétrifié. Elle l'imagina regardant son téléphone avec stupeur. À quoi s'était-il attendu avec cet appel comminatoire ? Elle n'allait évidemment pas le supplier de rester, ni promettre de rentrer à Castets après avoir accroché un panneau À VENDRE sur la bastide.

Elle regarda enfin la rue autour d'elle et vit que certains commerces étaient en train de fermer.

— Je rentre chez moi, dit-elle à voix haute, faisant se retourner un couple de passants.

Pour la première fois depuis bien des années, elle éprouvait une sorte de froid intérieur, de vide. Au contraire de Paul, elle n'avait aucune certitude, même pas celle d'avoir raison.

— Anne, est-ce que ça va ?

Stupéfaite de s'entendre appeler par son prénom, elle tourna la tête et découvrit Hugues Cazeneuve sur le pas de sa porte. Jetant un coup d'œil à la vitrine, elle s'aperçut qu'elle était devant une agence immobilière.

— J'étais sur le point de sortir pour vous dire bonjour mais vous étiez lancée dans une conversation trop animée et j'ai préféré attendre. Vous entrez une seconde ? Je peux vous offrir un café ou un verre d'eau.

— Merci, c'est gentil, mais je n'ai pas le temps.

Devant sa déconvenue, elle saisit le premier prétexte qui lui vint à l'esprit :

— Je dois encore aller voir ma belle-sœur. Elle tient un magasin de fleurs un peu plus loin.

— Suki ? s'écria-t-il. La meilleure fleuriste de la ville ! J'adore ce qu'elle fait et je me sers toujours chez elle. Saluez-la pour moi.

— Entendu. À bientôt, Hugues.

Elle réussit à lui sourire et se remit en marche, mais il la rattrapa.

— Anne, j'aimerais vous inviter à déjeuner ou à dîner un de ces jours. Comme je n'ai plus de motif valable pour aller chez vous, ni pour vous téléphoner, je saute sur l'occasion, même si c'est un peu cavalier.

Il avait l'air moins sûr de lui que lors de leurs précédentes rencontres, néanmoins elle faillit rire devant son numéro de charme improvisé sur le trottoir.

— Bon, soupira-t-il, je vois que vous allez vous moquer de moi, je suis navré d'être aussi balourd. En tout cas, c'est une proposition ferme, et si vous avez deux heures à perdre à Dax un de ces jours, je vous promets de vous faire découvrir un restaurant fabuleux. Pensez-y, ça n'engage à rien !

Beau joueur malgré le silence éloquent d'Anne, il retourna vers son agence en agitant la main. Machinalement, elle s'éloigna dans la direction opposée en se demandant ce qu'elle allait faire. Passer voir Suki pour lui raconter qu'elle se faisait draguer par un agent immobilier ? Elles auraient pu s'en amuser ensemble, mais Anne n'avait pas le cœur à rire. Le départ de Paul, qui ressemblait à un ultimatum, la laissait désemparée maintenant que sa colère était tombée. Elle n'aurait pas dû crier, encore moins lui raccrocher au nez, hélas ! ils étaient désormais dans une impasse et n'arrivaient plus du tout à communiquer. Elle ne le reconnaissait pas dans ce personnage buté, froid, fermé. Où était passé *son* Paul, l'homme qu'elle aimait et avec qui elle avait construit une partie de sa vie ? Tout à l'heure, le notaire avait recommandé à Anne de ne pas se mettre en péril, or c'était arrivé.

Coupant à travers les rues piétonnes, elle parvint à rejoindre sa voiture sans repasser devant l'agence. Tant pis pour les courses, elle reviendrait une autre fois, elle n'avait plus envie de rien. Paul partait sans elle à Paris et, à son retour, il n'y aurait probablement rien de changé. Sauf si ses parents arrivaient à le raisonner ? Mais non, il irait les voir en coup de vent et ne leur ferait pas de confidences. Il avait toujours voulu leur donner l'image d'un fils modèle, puis d'un homme accompli, qui réussissait aussi bien sa vie privée que professionnelle.

« Oh, Paul, que sommes-nous en train de faire ? »

La gorge nouée, elle sentit les larmes qui lui montaient aux yeux et qu'elle stoppa net en respirant un grand coup. Elle avait déjà pleuré tout à l'heure, dans la rue, et n'en avait éprouvé aucun soulagement. Se désespérer ne servait à rien. Elle mit le contact, écouta le moteur ronronner, baissa les vitres. Il faisait encore très chaud sur Dax, et l'idée de retrouver la bastide balayée par l'air marin avait quelque chose d'apaisant. Cette maison était peut-être la source de tous ses problèmes, mais elle était aussi son meilleur refuge.

8

Pour la quatrième fois, Jérôme relut le SMS reçu une heure plus tôt, alors que l'aube se levait à peine. Comment avait-il pu être assez bête pour dire qu'il venait ici ? *« Bien arrivé dans les Landes ? Crois-moi, tu as intérêt à régler notre problème de fric avant la fin de l'été. On pense tous à toi. »* Pas un mot amical là-dedans. Jack ne plaisantait pas avec les dettes, Jérôme aurait dû le savoir. Et il avait laissé à Londres une ardoise trop lourde pour être effacée. *« On pense tous à toi… »* Quel euphémisme ! Jérôme était parti sans demander son reste et sans donner d'adresse précise, les autres devaient le maudire.

D'accord, il n'avait pas été correct, il le savait. De toute façon, une cohabitation entre mecs finissait toujours par générer des histoires. Que leur devait-il au juste ? Quelques mois de loyer, et mille euros directement empruntés à Jack. Plus une dette d'honneur car il avait été mal inspiré de lui piquer son petit ami. Or Jack ne rigolait pas non plus avec ça.

Après être resté un long moment assis sur les marches du perron, à contempler son téléphone,

Jérôme se leva. Les oiseaux s'en donnaient à cœur joie ce matin, et il n'y avait pas le moindre nuage à l'horizon. Il traversa la clairière, s'engagea dans le chemin qui menait au portail. Il préférait aller chercher le courrier lui-même, en cas de mauvaise nouvelle. Mais enfin, les Landes, c'était grand, immense, même ! Bien sûr, Ariane Nogaro devait encore figurer dans les annuaires. Nogaro Jérôme, le rapprochement serait vite fait. Jack aurait-il le culot de venir jusqu'ici ? Il n'allait sans doute pas entreprendre le voyage pour mille euros, ni pour le simple plaisir de mettre son poing dans la figure de Jérôme.

La boîte aux lettres ne contenait qu'un prospectus, il était bien trop tôt pour le passage du facteur. Oh, et puis inutile d'avoir la trouille, il n'avait qu'à rembourser ! Anne accepterait peut-être de lui prêter de l'argent ? Il devait la convaincre, quitte à lui raconter n'importe quoi sauf la vérité. Parce que, malgré ses idées larges, elle n'apprécierait pas le récit de ses aventures londoniennes. Difficile de lui décrire Jack découvrant William dans son lit, puis la bagarre homérique durant laquelle Jérôme avait malencontreusement cassé la guitare de Jack, une Castelluccia de toute beauté sur laquelle Jack s'essayait avec succès au flamenco. De la voir en morceaux l'avait rendu tout à fait fou. Jérôme avait dû s'enfuir en pleine nuit et dormir dans la rue sous un porche crasseux. Il n'était retourné à l'appartement qu'une fois Jack parti au travail. Il y avait trouvé William en pleurs – quelle mauviette ! – et s'était dépêché de rassembler quelques affaires, dont son passeport. Le suivant de pièce en pièce, William lui avait demandé s'il ne pouvait pas partir avec lui. Est-ce qu'il était cinglé ? Jack les poursuivrait jusqu'en enfer s'ils s'en allaient ensemble. Et de toute façon, Will n'était pour Jérôme qu'une petite aventure en passant, le coup d'un soir. Ce garçon était joli comme une fille, tentant comme un fruit, mais Jérôme ne voulait s'en encombrer pour rien au monde. Il s'était enfui en hâte, mais pour ne pas perdre totalement la face il avait lancé par bravade qu'il rentrait chez lui en France, dans les Landes. D'où le SMS de Jack, la dernière personne dont Jérôme souhaitait avoir des nouvelles. Parce que, aux mille euros, il fallait ajouter les mois de loyer, et surtout le prix de la Castelluccia… À peu près, trois mille euros en tout. Ou quatre, parce que, même d'occasion, cette guitare valait cher. Comment les obtenir d'Anne avant la fin de l'été ?

Revenu dans la clairière, il regarda la maison endormie. S'il se rendait *vraiment* utile, Anne serait mieux disposée à son égard. Mais par où commencer, grands dieux, tout était plus ou moins abîmé dans cette vieille baraque ! Après réflexion, il se décida pour la cuisine, une pièce nécessaire à la vie de tous les jours, ce qui rendrait son travail visible. Lessiver les murs, repeindre, passer le sol de tomettes à l'huile de lin : l'endroit deviendrait pimpant et sa sœur lui en serait reconnaissante. Tout comme elle devait trouver agréable d'avoir de la compagnie. Après le départ de Léo pour l'Espagne, elle se serait retrouvée seule s'il n'avait pas été là, ça valait bien une petite rémunération.

Il reprit son portable enfoui dans la poche de son pyjama, relut une dernière fois le message et l'effaça.

Sentant la truffe glacée de Goliath dans son cou, Anne ouvrit les yeux. Assis près du lit, le chien la fixait, sa queue balayant joyeusement le sol. Il était toujours d'une humeur de chiot au réveil, pressé d'attaquer une nouvelle journée quel que soit le temps, et il avait pris l'habitude de tirer sa maîtresse du sommeil en lui donnant de petits coups de tête. Faisait-il la même chose avec Ariane ? Anne sortit une main de sous son drap et le gratouilla derrière les oreilles.

— Il est trop tôt…, marmonna-t-elle avant de se retourner paresseusement.

Étalée en travers du lit, elle s'étira, grogna, finit les bras en croix. Au fond, c'était assez agréable d'avoir toute la place pour soi. Et Goliath ne lui demandait pas si elle avait bien dormi, ne lui énumérait pas les corvées qui l'attendaient, ne lui rappelait pas d'appeler le plombier.

Au-delà du grand tapis moelleux, une flaque de soleil faisait briller le parquet. Sans doute ferait-il chaud aujourd'hui encore. Comme chaque dimanche, Julien devait passer prendre Léo pour l'emmener faire du surf mais il n'y aurait pas beaucoup de rouleaux et ils se rabattraient probablement sur la plongée. Que faisait Paul à cette heure-ci ? Était-il déjà en route pour Paris ? Depuis qu'elle lui avait dit d'aller au diable, il n'avait pas rappelé. Elle ne savait même pas s'il comptait prendre le train ou sa voiture, ni s'il descendrait à l'hôtel ou chez ses parents. Est-ce que ce séjour modifierait son attitude ? Elle ne voyait pas ce qui pourrait le faire changer d'avis en quelques jours. Et bien sûr, dès que la famille apprendrait qu'il avait pris des vacances seul de son côté, Anne serait bombardée de questions insidieuses et de conseils bien intentionnés.

Elle fila prendre une douche, mit un short, un tee-shirt et des ballerines. Quand elle descendit à la cuisine, elle trouva Jérôme en train de déménager les meubles, tout heureux de son idée de s'improviser peintre.

— J'ai découvert des pots de peinture entassés à la cave. Il y a du jaune, du blanc et du bleu. Ariane devait avoir des projets qu'elle n'a pas eu le temps de mettre à exécution !

— À la cave ? Je n'y avais vu que des bouteilles de vin… En passant, je t'interdis d'y toucher, ce sont de grands crus.

— Je sais, j'ai lu les étiquettes. Mais au-delà des clayettes, il y a une petite porte qui donne sur une deuxième cave pleine d'un bric-à-brac tout poussiéreux.

Anne se souvint de l'éclairage chiche et de son impression désagréable lorsqu'elle était descendue.

— Qu'est-ce qui t'a poussé à fureter dans le sous-sol ?

— La curiosité, tiens ! Non, en fait, je cherchais un truc qui pourrait servir de bâche pour protéger les tomettes. Et comme je n'ai pas peur des souris ni des grosses araignées velues…

Il éclata de rire tandis qu'elle haussait les épaules.

— Allez, Anne, détends-toi un peu. Tu es tellement possessive avec ta maison que ça t'agace qu'on y découvre quelque chose sans toi.

Une petite pique assez juste pour la faire sourire.

— Bon, d'accord, accepta-t-elle, tu vas peindre. On achètera des pinceaux demain.

— Et un rouleau, et du white spirit.

— Mais je te préviens, si tu fais des taches sur les volets intérieurs ou sur les portes des placards, je te tue.

— En attendant, je dois lessiver le plafond et les murs, alors on va improviser une cuisine dans la salle à manger. J'y ai déjà installé la machine à café, tu peux aller te servir.

— Réveille donc Léo pour qu'il te donne un coup de main.

— Léo ? Julien est passé le chercher tout à l'heure, ils doivent déjà surfer sur des vaguelettes. Non, ne t'inquiète pas, je vais me débrouiller tout seul avec cette crasse vieille de cent ans !

Amusée, Anne décida de le laisser faire. Pour une fois qu'il se rendait utile, autant ne pas le décourager. D'ailleurs, la cuisine avait vraiment besoin d'être rénovée, ce serait beaucoup plus gai.

Elle but son café attablée dans la salle à manger, utilisant une des tasses de porcelaine fine du service dépareillé qu'elle avait conservé. Puis elle se servit une deuxième fois et l'emporta jusqu'à son bureau du premier étage. Dimanche ou pas, elle avait quelques dossiers de comptabilité à terminer et, vu la tournure que prenait son existence, elle avait intérêt à travailler. Même sans être obsédée par l'argent, elle avait bien noté la petite phrase de Pierre Laborde : « Il y aura un solde en votre faveur. » Parfait, mais de combien ? Avec ses seuls revenus, Anne allait avoir du mal à entretenir la bastide, à la chauffer l'hiver, à en acquitter les taxes annuelles. Et puisqu'elle était mariée avec

Paul et que leur résidence principale se trouvait à Castets, cette maison-ci devenait une résidence secondaire. Paul hurlerait en découvrant sa feuille d'impôts.

Elle s'assit au bureau, caressa distraitement le plateau usé. Comment ne pas se laisser entamer, comment faire face ? Elle savait à présent que ce qui l'opposait à Paul n'était pas seulement une affaire de maison. Bien au-delà, ils avaient découvert que tout n'était pas parfait entre eux, et ce constat était dangereux.

**

— Tu n'y penses pas ? s'indigna Valère.

Il toisa Lily d'un regard accusateur qui ne la découragea pourtant pas.

— Mais si, j'y pense ! Tout le monde y a plus ou moins pensé, non ? On aurait pu faire invalider ce testament. Ariane était à demi folle, on le sait bien, et je suis persuadée que si papa s'était déclaré spolié…

— Tu dis des sottises. Il ne l'aurait fait pour rien au monde. Bon sang, tu le connais, il est honnête. De toute façon, c'est une de ses filles qui a hérité, la famille n'a pas été vraiment lésée.

— La famille ? Anne toute seule ! Papa, lui, aurait *réparti* l'argent entre nous quatre, ça c'était équitable ! Est-ce que tu imagines la valeur de cette propriété ? Anne n'a cité aucun chiffre, elle s'en garderait bien, mais il n'y a qu'à jeter un coup d'œil aux vitrines des agences ou aux petites annonces pour se faire une idée. Elle est *riche*, et nous n'avons pas eu un seul euro.

Valère haussa les épaules, exaspéré par sa sœur. Bien sûr qu'il y avait pensé lui aussi. Surtout lui, sans doute, car il avait des soucis d'argent. Mais Lily ? Était-elle vénale ou seulement jalouse de sa cadette ? D'accord, Anne avait de la chance, mais enfin, elle était la seule à s'être un peu souciée d'Ariane, ainsi que leur père le faisait remarquer. Si elle avait agi avec une idée derrière la tête, tant mieux pour elle.

Il arrangea machinalement les roses blanches à longues tiges qu'il venait d'installer dans la vitrine. Suki était partie effectuer des livraisons et il tenait la boutique, ce qui ne le dérangeait nullement. Sa femme lui avait appris à aimer les fleurs, et en son absence il s'essayait à quelques compositions assez réussies. Quand il était vraiment content de lui, il photographiait le bouquet.

— En tout cas, reprit Lily, son héritage la rend aussi cinglée qu'Ariane, elle s'obstine à vivre là-bas comme une châtelaine et figure-toi que Paul en a eu marre, il s'est barré à Paris !

Valère scruta Lily pour voir si elle affabulait, mais elle paraissait trop contente d'elle, ce devait être vrai.

— Il a tort de jouer au con, dit-il entre ses dents.

— Mais ce n'est pas lui qui a tort, le malheureux, c'est elle ! Tu te vois laisser Suki toute seule à la maison ? Tu me vois abandonner Éric et les filles pour aller m'installer Dieu sait où ?

— À t'entendre, on croirait qu'elle est partie vivre dans une yourte ! Moi, je la comprends, c'est une belle maison. Bien plus belle que celle qu'ils ont à Castets, ou même que la tienne à Hossegor. C'est ça qui t'embête, ma grande ?

Il défendait Anne contre Lily mais il ne pouvait pas s'empêcher de penser au petit appartement qu'ils occupaient, Suki et lui, avec ses fenêtres sur cour.

— Bon, dit-elle d'un ton pincé, je te laisse. Je dois retrouver Éric et les filles chez « Une cuisine en ville », j'adore ce restaurant.

— Vous n'en avez pas à Hossegor ? ironisa-t-il.

— J'en ai marre des touristes en tenue de plage.

Elle ramassa son sac abandonné sur le comptoir, fit mine de caresser une orchidée.

— Tu m'accordes une ristourne ? demanda-t-elle en riant.

— Je ne suis pas le patron. Mais prends-la, bien sûr, je te la donne. Et soigne-la !

Il la regarda partir, trouvant que sa robe était trop courte et trop voyante, ses talons vertigineux. Elle s'habillait toujours avec une certaine ostentation, s'attachant à paraître jeune, bientôt elle piquerait les tenues de ses filles. Éric appréciait sans doute, mais pour sa part Valère préférait les petits jeans ajustés de Suki et ses chemisiers en soie. En ce moment, elle était triste, obnubilée par son incapacité à devenir mère. Mais il avait une bonne nouvelle à lui annoncer, qui la dériderait peut-être. Plus tôt dans la matinée, alors qu'elle venait juste de partir avec la camionnette, le type de l'agence immobilière située plus bas dans la rue était venu le voir. Il avait à la main une des cartes professionnelles que Valère distribuait un peu partout, et il était justement à la recherche d'un photographe. D'après lui, de très bons clichés présentant les maisons sous leur meilleur jour facilitaient les ventes. Avec une belle vitrine, les gens entreraient plus volontiers chez lui que dans les agences concurrentes, et il était prêt à payer ce qu'il fallait pour une trentaine de clichés de diverses propriétés dans la région. Une véritable aubaine. Valère avait promis de se mettre au travail dès le début de la semaine suivante. Pour une fois, c'était lui qui allait gagner de l'argent et montrer ce qu'il savait faire. Car avec son appareil et ses objectifs il était capable de mettre en valeur à peu près n'importe quoi.

Repensant aux propos aigres de Lily, il se rendit compte qu'il allait avoir l'occasion de vérifier ses dires quant à la bastide Nogaro. Avait-elle une telle valeur ? Il ne tarderait pas à le savoir grâce à sa petite incursion dans le monde de l'immobilier. Pour toute la famille, et depuis longtemps, cette maison était une ruine, sinistre et mal entretenue par « la vieille toquée ». Leur père n'en avait jamais fait grand cas, néanmoins c'était une propriété magnifique, Valère l'avait constaté lui-même lors de sa visite à Anne. Peut-être atteignait-elle un prix fou grâce à sa proximité des plages ? Si c'était le cas, Anne avait vraiment touché le pactole, et bien sûr, ça faisait envie.

✱✱

Paul-Henri était charmeur et charmant. Je sais aujourd'hui qu'en me rencontrant il avait trouvé exactement ce qu'il cherchait. Car sa quête n'était pas simple, il voulait une amie, une façade, quelqu'un qui partagerait son art de vivre. Sensible, raffiné, amateur d'art, il était aussi très timide et très bien élevé. La manière dont il me fit la cour perça ma carapace, effaçant mon mépris pour les hommes. Paul-Henri tenait ma main au clair de lune, récitait des vers de Musset face à l'océan, tournait ses compliments avec une gentillesse qui me chavirait. Il me trouvait belle et sa façon de le dire m'obligeait à le croire, je me sentais jeune et désirable : enfin je vivais !

Paul-Henri possédait deux hôtels – des palaces, devrais-je écrire –, et à l'époque de mes quinze ans mon père aurait parlé de lui comme d'un « tenancier ». Pour les Nogaro de ce temps-là, seule la terre importait, et elle se comptait forcément en centaines d'hectares. Mais nous étions loin de ce rêve évanoui et je jugeais pleinement satisfaisant le métier de Paul-Henri. D'ailleurs, il ne l'exerçait pas, il avait deux gérants pour ça.

Chaque fois que je songeais à Albert et son négoce de grands vins ou à Maurice et ses affaires louches, je bénissais ma rencontre avec Paul-Henri et ses hôtels de luxe. Durant près d'une année, il me déclara sa flamme avec une pudeur très romantique et sans rien exiger en retour, puis il se lança enfin dans une demande en mariage selon les formes.

Divorcée deux fois, je ne pouvais prétendre à une cérémonie fastueuse, néanmoins Paul-Henri insista pour faire les choses en grand. Il s'enthousiasmait en peaufinant les détails de la réception et avait décidé de m'emmener à New York pour notre voyage de noces.

Amoureuse, certes je l'étais, mais pas innocente. Or nous n'avions rien fait d'autre, depuis de longs mois, qu'échanger des baisers passionnés. Au début, j'avais mis cette réserve sur le compte de la galanterie, puis de la timidité, jusqu'à ce qu'un doute insidieux me pousse à esquisser quelques gestes... que Paul-Henri avait habilement évités. Ne pouvant pas lui mettre la main dans le pantalon, je n'avais pas insisté.

Notre première nuit ensemble m'apporta enfin l'explication de tant de chasteté. Comme je l'avais pressenti – et redouté –, la chose était minuscule. Sa taille dérisoire justifiait à elle seule toute la timidité de Paul-Henri, née de ce complexe qui le poursuivait depuis toujours. Il était si malheureux qu'il réussit à m'émouvoir malgré le marché de dupes que nous venions de conclure avec ce mariage d'amour. Je ne connaîtrais pas d'étreintes torrides, de folles nuits, d'aubes languissantes. Et je n'étais pas naïve au point de croire que mes sentiments allaient résister à l'épreuve.

De femme amoureuse, je me transformai en femme aimante, et l'amante que je ne pouvais pas être devint pour lui une amie. Il m'en fut si reconnaissant qu'il s'attacha à me donner une vie de rêve. Je n'avais quasiment aucune culture artistique et il me fit découvrir pas à pas la musique, la peinture, la littérature. Nous nous entendions comme sœur et frère – je ne parle pas du mien ! –, et tout naturellement je lui confiai ce projet de rachat de la maison de mon enfance. Ravi à l'idée de me faire plaisir, il se renseigna aussitôt, mais ce fut pour apprendre que les propriétaires du moment ne souhaitaient pas s'en séparer. « À aucun prix », selon leur expression sans appel. Une fois de plus, je fus très déçue. Tant que j'avais été amoureuse de Paul-Henri, tant que je l'avais ardemment désiré, mon obsession pour la bastide s'était un peu estompée, mais elle revenait en force maintenant que nous étions installés dans une relation affectueuse bien moins prenante.

Paul-Henri avait eu un fils d'un premier mariage, et dès notre nuit de noces je me demandai par quel miracle il avait réussi à l'engendrer. Le sujet était délicat, il n'en parlait pas volontiers mais il finit par m'avouer que lors de cette union catastrophique sa femme l'avait beaucoup trompé et qu'il n'était évidemment pas le père de ce garçon qui portait son nom. Âgé d'une vingtaine d'années, celui-ci vivait à Madrid avec sa mère, et Paul-Henri ne les voyait jamais. Je n'y pensai donc plus, une grave erreur que j'allais payer très cher par la suite.

**

Le grondement familier de la moto de Julien obligea Anne à poser le cahier. Elle s'était accordé un peu de lecture après avoir longuement travaillé sur un dossier, mais comme toujours elle avait été happée par le récit d'Ariane.

Gagnant la fenêtre du bureau, elle vit arriver Julien, Léo accroché derrière lui, et elle resta figée en constatant qu'aucun des deux ne portait de casque. Indignée par l'inconséquence de Julien, elle se rua hors du bureau, dévala l'escalier, sortit comme une bombe.

— Tu es malade ou quoi ?

— Attends, maman…, plaida Léo.

— Toi, à partir de maintenant, je t'interdis de monter sur cet engin ! Si Julien veut se tuer, ça le regarde et je m'en fous, mais pas toi. Je te croyais plus mûr, Léo, plus responsable. Tu comptes faire des imprudences pareilles en Espagne ? Je ne devrais même pas te laisser partir, je…

— Ne l'engueule pas, l'interrompit Julien. On s'est fait voler les casques.

Il désignait le coffre de la moto qui avait été grossièrement fracturé.

— Ils n'ont pas pu prendre la bécane parce que j'ai un très bon antivol, alors ils se sont vengés.

— Qui ça « ils » ?

— Je n'en sais rien. Des petits voyous, j'imagine. Nous sommes restés longtemps dans l'eau.

Il parlait d'un ton froid et semblait vexé.

— Il fallait bien qu'on rentre, ajouta-t-il.

— Tu aurais dû m'appeler, je serais venue vous chercher.

Léo les regarda l'un après l'autre et, voyant sa mère un peu calmée, il s'éclipsa.

— Bien, j'ai eu tort, admit Julien. D'ailleurs, je m'étais promis de ne plus toucher à cette moto pendant le séjour des jumeaux chez moi. Mais ma mère est venue les chercher ce matin pour les emmener passer la journée au lac de Soustons avec la jeune fille au pair, et je me suis dit que c'était l'occasion de m'offrir une belle balade. En plus, ton fils adore ce genre de virée et je lui avais apporté un casque, évidemment.

— Si vous aviez eu un accident, je ne te l'aurais jamais pardonné.

— Je suis rentré à cinquante à l'heure.

— Mais il y a des chauffards, surtout l'été.

— C'est vrai, on n'est jamais à l'abri. Je suis désolé.

Anne hocha la tête, estimant que l'incident était clos, mais Julien restait raide, toujours contrarié.

230

— On n'en parle plus, proposa-t-elle.

— Sauf que tu as dit que tu te foutais pas mal que je me tue.

— J'ai dit ça ?

— Très spontanément.

Devant son air ulcéré, Anne finit par rire.

— J'étais en colère contre toi. Tu restes déjeuner ?

— Non, je rejoins ma mère et mes enfants. Avec eux, pas de plongée sous-marine, on va barboter en mettant les brassards !

Évoquer ses fils lui avait rendu le sourire.

— Pourquoi es-tu venu ce matin ? Tu n'avais pas envie de profiter des jumeaux ?

— Si, mais ma mère aussi. Depuis notre divorce, elle est une grand-mère très frustrée, alors je lui ai laissé ce petit moment rien qu'à elle.

C'était généreux de sa part, et bien dans sa manière discrète de faire plaisir aux autres.

— Et ta jeune fille au pair, comment est-elle ?

— Jolie, souriante, trop jeune et parlant très mal français. Elle sait s'y prendre avec les enfants mais en cuisine, elle est carrément nulle. Tous les soirs de la semaine, j'ai demandé des recettes simples à Paul pour me mettre aux fourneaux en rentrant chez moi. Maintenant qu'il est en vacances, je vais devoir improviser. À propos, tu as de ses nouvelles ?

— Aucune.

Il parut stupéfait de sa réponse mais n'insista pas, sans doute pour ne pas la gêner.

— Tu en auras sûrement, toi, soupira-t-elle. Je suppose qu'il t'appellera pour savoir si tout va bien à la clinique. Si jamais…

— Oui, je te le dirai tout de suite, compte sur moi.

Elle lui fut reconnaissante de ne pas avoir eu à le demander et elle vint vers lui, l'embrassa affectueusement.

— Merci, Julien.

Son tee-shirt sentait l'iode et les pins, il avait du sel dans les cheveux.

— Tu vas rentrer sans casque ? Et si tu te fais arrêter ?

— J'expliquerai mon cas.

Il enfourcha sa moto, la fit démarrer dans un grondement sourd.

— Sois prudent ! lui cria-t-elle tandis qu'il faisait demi-tour.

Songeuse, elle le suivit des yeux. Il essayait de bien faire les choses, il était spontanément venu s'occuper de Léo ce matin puisque son père l'avait laissé tomber pour son dernier dimanche avant son départ en Espagne. Il s'occupait de ses fils comme il pouvait quand il les recevait, il versait une pension alimentaire à sa femme alors qu'elle était partie avec un autre. Un homme très gentil, sérieux et brillant dans son métier d'après Paul, fidèle en amitié.

« Où est le défaut de la cuirasse ? Trop gentil ? Trop sérieux ? Trop sentimental ? »

Elle le connaissait depuis longtemps – depuis qu'il était devenu l'associé de Paul et s'était lancé avec lui dans cette aventure d'une clinique vétérinaire loin de toute grande ville –, mais elle ne s'était jamais posé beaucoup de questions à son sujet. Au moment de son divorce, elle avait laissé Paul lui remonter le moral en évitant de prendre parti contre sa femme. Comment aurait-elle pu imaginer qu'un an plus tard ce serait à son tour de se retrouver au bord du divorce ?

« Non, nous n'en sommes pas là, tout de même ! »

Néanmoins, Paul jouait la carte de la distance et du silence. Il la traitait de haut, partait en vacances sans elle, se faisait désirer. Ou alors, il était si malheureux qu'il avait eu besoin de s'isoler. Mais ça, elle n'y croyait guère. Malheureux ? Non, il était seulement *contrarié* et *mécontent* parce qu'elle ne cédait pas. Rien de noble dans son attitude, décidément il ne ressemblait plus à l'ancien Paul, l'adorable jeune homme qui s'était acharné à la conquérir. À quel moment s'était-il transformé en censeur, en chef de famille intransigeant ? Elle n'avait rien vu car Paul prenait toujours son parti, souriait avec indulgence devant ses fantaisies.

« Indulgence »… Le mot tourna dans sa tête jusqu'à l'exaspération. Elle n'avait pas plus besoin d'indulgence que de permission, elle n'était plus une gamine.

**

Paul se réveilla avec un mal de tête lancinant qui lui serrait les tempes dans un étau. Comme il avait laissé sa fenêtre ouverte, le bruit de la circulation lui parut insupportable. Et presque aussitôt, les images du minable spectacle de strip-tease vu la veille vinrent l'assaillir. Aussi naïf qu'un touriste, il s'était laissé convaincre par le rabatteur d'un cabaret à Pigalle. La soirée lui avait coûté une fortune et il avait bu plus que de raison en regardant d'un œil apathique des femmes nues qui ne lui inspiraient rien d'autre qu'une vague compassion. Sans entrain, il s'était laissé aller à vider la bouteille de champagne posée d'office sur sa table, sachant d'avance qu'il le regretterait.

Il commanda son petit déjeuner par téléphone, demanda qu'on y joigne un tube d'aspirine puis gagna la salle de bains où il prit une longue douche tiède. Quitte à s'amuser en célibataire, il aurait mieux fait de s'offrir la revue du Lido, avec des décors, des costumes et des filles superbes. En tout cas, aujourd'hui, il essaierait d'avoir un programme plus intelligent, soirée comprise. Pour oublier son conflit avec Anne, Paris lui offrait de nombreuses distractions, il n'était pas obligé de choisir les plus nulles !

En fait, il ne savait pas s'amuser parce qu'il avait toujours été trop sérieux. Depuis sa prépa pour l'école vétérinaire, il était appliqué, studieux. Même après l'obtention de son diplôme il n'avait pas fait le fou, il s'était immédiatement endetté pour ouvrir sa clinique. Ses souvenirs « marrants » remontaient aux années de lycée, et encore, dès la terminale il s'était enfermé dans les études pour avoir de bons résultats. Il avait vécu la conquête d'Anne comme quelque chose de très important, et leur mariage comme un engagement grave. Aucune légèreté dans tout ça. Que des objectifs, raisonnablement atteints.

De retour dans la chambre, il trouva le plateau du petit déjeuner qui l'attendait. Il avala deux comprimés d'aspirine avec sa première tasse de café et, bien qu'il n'ait pas faim, il s'obligea à grignoter un croissant. Il était en *vacances*. N'ayant pas à s'occuper de son fils ni à montrer l'exemple, il pouvait faire ce qu'il voulait. Oui, mais quoi ? En d'autres temps, il aurait cherché un cadeau pour Anne, sauf qu'un cadeau n'arrangerait pas leur situation.

Pris d'un haut-le-cœur, il faillit recracher sa bouchée. Avait-il vraiment bu cette bouteille de champagne à lui tout seul, après un dîner déjà bien arrosé dans une brasserie ? Bon, aujourd'hui il irait voir ses parents, chez qui les repas se prenaient à l'eau, et il se ferait chouchouter sans rien raconter de ses problèmes de couple. S'épancher n'était pas dans son caractère, d'ailleurs son père était capable de lui donner tort. Au fond, lui dirait-il d'un ton docte, s'il ne s'agissait que de déménager pour que tout s'arrête... Mais hélas, c'était bien plus compliqué. La perspective de vivre chez Ariane – car dans l'esprit de Paul, ça resterait toujours chez Ariane – le hérissait. Il détestait ce genre de baraque, trop vaste et trop difficile, il lui fallait un environnement simple, carré, net. Cependant il comprenait qu'Anne puisse avoir le désir exactement inverse. Pourquoi n'y avait-il pas pensé en faisant construire à Castets ? Certes, il lui avait soumis les plans, mais qu'aurait-elle pu suggérer pour rendre leur petite maison moins rudimentaire ? Et en aurait-il tenu compte ? Peut-être avait-elle renoncé à discuter une cause perdue pour elle.

Dès la première nuit d'amour avec elle, il s'était émerveillé de leur entente physique. Il adorait son corps, avait su d'emblée le faire vibrer, et leur désir réciproque ne s'était pas émoussé au fil du temps. Mais s'accorder au lit ne faisait pas tout dans un couple, il n'aurait pas dû le croire. Car pour tout le reste, Anne et lui avaient des envies, des idées et des goûts très différents. Même pour l'éducation de Léo, elle avait cédé sans partager l'avis de Paul concernant l'internat. Il était persuadé de l'avoir convaincue alors qu'elle s'était seulement inclinée. Comme toujours ? Non, bien sûr que non, il n'était pas un tyran et n'avait pas l'impression d'imposer systématiquement son point de vue. Et puis, dans n'importe quel couple il existait des divergences et on ne se séparait pas pour si peu.

De toute façon, se séparer était inconcevable. Déjà, Paul s'ennuyait d'Anne chaque soir et chaque matin. Elle lui manquait au point qu'il envisageait parfois, au cours de ses insomnies, de sauter dans sa voiture pour aller la rejoindre en pleine nuit. Et c'était la vraie raison de son séjour à Paris, s'éloigner afin de ne pas succomber à la tentation. Il ne s'imaginait pas arrivant à la bastide avec un sourire penaud, tandis que Goliath aboierait en haut de l'escalier et que Jérôme ricanerait derrière la porte de sa chambre. Anne vivrait son arrivée intempestive comme une reddition et croirait l'affaire entendue. Or il ne serait venu que pour la serrer dans ses bras – que pour lui faire l'amour, en réalité – et tout serait remis en question dès le réveil. Insoluble.

Il alla jeter un coup d'œil par la fenêtre et constata qu'une pluie fine tombait sur Paris. Un temps qui allait bien avec son humeur morose. Se réfugier dans un musée fut la seule idée qui lui vint à l'esprit pour occuper sa journée.

**

Gauthier et Estelle marchaient sur le sable main dans la main. Leur promenade matinale au bord de l'océan était un rite immuable depuis qu'ils avaient pris leur retraite. Évidemment, durant l'été Biarritz était envahi par les vacanciers, mais ça ne les gênait pas, ils aimaient bien regarder les enfants jouant sur la plage, les baigneurs sautant dans les rouleaux avec des cris de peur et de joie. L'hiver était plus calme, et parfois la balade du matin s'effectuait contre un vent glacé, cependant pour rien au monde ils ne s'en seraient privés.

Les habitudes les rassuraient, leur rappelaient le temps où ils avaient enseigné au long de journées rythmées par les heures de cours. À présent, ils profitaient d'une retraite bien préparée où, en théorie, rien ne leur manquait. Mais depuis la mort d'Ariane, Estelle était rongée par le doute. L'héritage imprévu dont Anne bénéficiait lui laissait un goût de plus en plus amer. Pourquoi cette manne s'était-elle abattue sur leur fille cadette ? Il y avait là quelque chose d'injuste, de mal réparti, qui la heurtait. Peut-être aurait-elle dû ménager davantage sa belle-sœur. Pendant de nombreuses années, elle n'y avait pas pensé, tenant pour acquis qu'Ariane était une femme acariâtre et à moitié folle, cloîtrée dans cette vieille bâtisse rachetée sur un coup de tête. Gauthier n'avait pas d'affection pour elle, même s'il avait parfois suggéré d'aller lui rendre visite. En s'occupant un peu d'elle, sans doute n'aurait-elle pas eu l'idée de faire ce testament ridicule qui semblait n'être qu'une vengeance exercée contre son frère. Mais à vrai dire, avant son décès, nul n'imaginait la valeur de la bastide, parce que nul n'avait pris la peine d'y songer. Gauthier, qui y était né, la désignait comme une baraque « folie des grandeurs » d'une autre époque. Et Ariane n'ayant pas les moyens d'y faire les travaux indispensables, elle s'écroulait. Eh bien, effondrée ou pas, elle valait finalement beaucoup d'argent ! Et Anne, gâtée par ce coup de chance inouï, choisissait de l'habiter au lieu de la monnayer, quitte à se fâcher avec son mari. Quelle mouche la piquait, d'agir avec aussi peu de discernement ? Déjà, enfant, elle était imprévisible. Ses frasques amusaient Gauthier mais exaspéraient Estelle. Combien de fois avait-elle suggéré à sa cadette de prendre modèle sur l'aînée ? Lily l'enchantait par sa docilité et son sourire de petite fille sage. Anne accusait sa sœur d'hypocrisie, incapable qu'elle était de se tenir tranquille. Gauthier excusait la petite en disant qu'elle était spontanée, ce qu'Estelle ne croyait pas. Néanmoins, malgré sa préférence, elle essayait de ne pas marquer de différence entre ses deux filles.

Lorsque Lily avait épousé Éric, Estelle s'était sentie fière de ce choix qui faisait de sa fille aînée une notable. Hossegor n'était pas loin de Biarritz, tout s'organisait au mieux, elle avait été ravie d'avoir rapidement des petites-filles. Plus tard, le mariage d'Anne avec Paul l'avait moins intéressée. Castets était un village d'à peine deux mille habitants, perdu dans les terres, et le métier de vétérinaire de son nouveau gendre ne lui parlait guère, car elle n'avait jamais eu d'animal domestique. Anne avait réclamé durant toute son enfance un chat ou un chien, sans comprendre que sa mère ne pouvait pas accepter ce surcroît de travail. Et quand elle ne voulait pas comprendre, elle se montrait affreusement têtue. Aujourd'hui encore, elle s'obstinait en dépit du bon sens, et Gauthier continuait de l'absoudre.

— Tu es bien songeuse, ma chérie, lui fit remarquer son mari alors qu'ils arrivaient au bout de la plage.

Au même instant, elle se tordit une cheville dans le sable et faillit tomber.

— Je pensais à ce pauvre Paul qui doit se morfondre à Paris.

Gauthier la fit asseoir tout en répliquant :

— Pourquoi, se morfondre ? Il en profitera pour voir ses parents et pour se distraire un peu.

— Il est malheureux, c'est évident.

Elle ne prenait la défense de Paul que pour souligner l'attitude absurde de leur fille.

— Anne ne se rend pas compte. Elle a tout ! Un mari qui l'aime, un fils adorable, un travail régulier, une jolie maison où elle se plaisait avant que cette histoire ne lui monte à la tête. Ta sœur lui a fait un cadeau empoisonné qui est en train de lui gâcher la vie !

Son mari la regardait avec curiosité, surpris par sa véhémence.

— Mais non, dit-il d'un ton apaisant. Les choses vont s'arranger. Qu'ils habitent la bastide ou qu'ils la vendent, ils sont gagnants de toute façon.

— Tu les mets dans le même sac, alors qu'Anne fait le distinguo. C'est elle d'un côté, Paul de l'autre. Elle décide, elle tranche… S'il voulait, il pourrait l'accuser d'avoir quitté le domicile conjugal.

— Il n'en a pas l'intention, ma chérie. Il aime Anne.

— Sans doute, mais il a aussi son caractère et il n'acceptera pas qu'elle le fasse tourner en bourrique. On croit toujours que Paul est parfait, mais je suis sûre qu'il est capable de se révolter.

— Eh bien, on verra, dit-il lentement.

Peu habitué à ce qu'elle le contredise, il ne semblait pas disposé à discuter. Il s'assit à côté d'elle dans le sable et tourna son regard vers l'océan pour observer les baigneurs. Au bout d'un long moment, il murmura :

— Je détestais cette maison quand j'étais gosse. Elle me faisait peur, je m'y sentais perdu, j'ai été content de la quitter. En revanche, Ariane a eu beaucoup de chagrin, avec l'impression qu'on la chassait. Elle s'était juré d'y retourner et elle a tenu parole. Finalement, elle est morte là-bas, dans ce qu'elle appelait « ses murs ». Je n'ai pas compris son obsession mais je ne la juge pas, à chacun sa route. Il est possible qu'Anne ait eu un coup de cœur à son tour pour cet endroit. Pourquoi pas ?

— Mais tu viens de le dire, s'énerva Estelle, ce ne sont que des murs !

Les yeux toujours rivés sur le lointain, Gauthier ne répondit rien. Il n'avait pas parlé d'argent, il voulait seulement excuser Anne, et pour le convaincre Estelle devrait attaquer sous un autre angle.

— Quand je vois dans quelle situation se trouve Valère… Toujours à s'angoisser, à courir après l'argent bien que Suki se tue au travail ! Et Jérôme ? Te rends-tu compte qu'il aurait pu commencer quelque chose avec un petit capital ?

— Oh, Jérôme ! Il aurait claqué son argent et serait revenu à la case départ.

Gauthier avait du mal à admettre que leur fils cadet ne fasse rien de son existence. Ses rares apparitions étaient toujours inquiétantes, on ne savait ni d'où il venait ni où il allait.

— Tout ce qu'on lui a donné jusqu'ici n'a servi à rien.

— Mais c'était chaque fois juste une aumône, Gauthier.

— Tu trouves ? Les autres se sont débrouillés sans qu'on les aide jusqu'à trente ans passés. Nous avons le droit de souffler.

— Eh bien, précisément, si…

— Ne recommence pas, Estelle. On dirait la fable de *La Laitière et le pot au lait* ! Alors, oui, « Adieu veaux, vaches, cochons, couvées », nous n'aurons pas l'argent d'Ariane, fais-toi une raison.

Sa voix trahissait de la nervosité, et peut-être un peu de rancœur. Contre l'insistance de sa femme, ou finalement contre ce fichu testament qui semait la zizanie ? Elle préféra abandonner la discussion, un exercice dont elle n'avait pas l'habitude, mais elle lui en reparlerait bientôt. Après tout, ils avaient toujours formé une famille unie, et aujourd'hui ils risquaient de se dresser les uns contre les autres à cause d'Anne.

« Elle m'a toujours causé des soucis, créé des ennuis, mais là, c'est le comble ! »

Négligeant la main tendue de son mari, qui s'était relevé, elle parvint à se mettre debout toute seule. La promenade était gâchée et sa cheville la faisait souffrir. De très mauvaise humeur, elle tourna le dos à l'océan.

**

Anne vérifia rapidement sa colonne de chiffres et enregistra le fichier. Pour une fois, il ne s'agissait pas du bilan mensuel d'un client mais du sien, et les sorties excédaient largement les entrées. Elle allait devoir faire attention si elle ne voulait pas être obligée d'appeler Paul au secours. Jamais ils n'avaient eu de compte commun, mais elle utilisait l'une des cartes bancaires de Paul pour les courses de la maison. En venant s'installer à la bastide pour l'été, elle avait délibérément laissé cette carte à Castets et ne se servait plus que de la sienne.

En fond d'écran sur son ordinateur, Léo lui avait installé une photo de Goliath galopant le long du chemin, avec les zébrures du soleil à travers les pins. Elle se retourna et vit le chien couché à sa place habituelle, près du secrétaire à rideau. Où qu'elle aille, il la suivait comme son ombre, présence rassurante et apaisante. Il s'était très vite attaché à elle, plein de bonne volonté, et s'il avait semblé perdu et malheureux à Castets, ici il était chez lui.

— C'est ça, murmura-t-elle, nous sommes chez nous, mon gros...

Chaque jour qui passait enchaînait un peu plus Anne à la bastide. Elle aimait s'attarder dans la galerie, s'arrêter près d'une fenêtre pour regarder le paysage à l'arrière de la maison, elle aimait monter et descendre le large escalier, elle aimait les volets intérieurs de chêne blond qui lui permettraient de se calfeutrer l'hiver, elle aimait cette chambre claire et accueillante qu'Ariane avait arrangée pour elle. Car elle n'avait plus le moindre doute à présent, sa tante avait prévu tout ce qui se produirait après sa mort. La chambre, si bien préparée soit-elle, n'aurait pas suffi à retenir Anne si elle n'avait pas eu envie, au fond d'elle-même, de venir l'habiter quelque temps. Et les semaines risquaient de se transformer en mois puis en années. L'idée de retourner à Castets lui était déjà désagréable et finirait par devenir *inenvisageable*.

La porte s'ouvrit à la volée sur Jérôme, ce qui fit gronder Goliath.

— Les parents ont décidé de s'inviter à déjeuner ! annonça-t-il avec une grimace très expressive. À mon avis, ils sont juste dévorés de curiosité, mais ils viendront demain en apportant tout ce qu'il faut.

— Demain, Léo sera parti en Espagne, la mère de Charles passe le chercher tout à l'heure.

— C'est bien ce qui me fait penser qu'il ne s'agit pas d'une petite réunion familiale. Maman m'a appelé avec sa voix d'institutrice lisant une dictée : « On a en-vie de vous em-bra-sssser, tu diras à ta sœur qu'elle ne s'oc-cupe de rien… »

L'imitation était si réussie qu'Anne éclata de rire. Finalement, Jérôme était plutôt dans son camp, satisfait d'avoir un toit au-dessus de la tête, complice, il ne lui demandait rien, rendait service et la faisait rire.

— J'espère que tu as fini la peinture de la cuisine ? Autant ne pas recevoir les parents dans un chantier.

— Ce sera sec ce soir et je remettrai tout en ordre demain matin. Je t'ai fait un palais !

De nouveau, cette expression la fit rire. La bastide ne retrouverait sans doute jamais sa splendeur d'antan, en tout cas pas avec Jérôme pour unique ouvrier.

— Je descends voir, décida-t-elle.

La visite impromptue de ses parents la mettait mal à l'aise. Peut-être sa mère était-elle en effet poussée par la curiosité, mais pas uniquement pour la maison. Elle allait aussi poser des questions au sujet de Paul et de son voyage à Paris. Or, Anne n'avait aucune réponse à fournir, Paul ne donnant pas signe de vie. Elle s'en attristait mais restait déterminée à ne pas faire le premier pas. S'il pensait la punir par son silence, il se trompait. Il était parti seul en vacances, il boudait : grand bien lui fasse ! Elle refusait toujours de se sentir coupable et elle ne rentrerait pas au bercail la tête basse.

Elle se leva pour suivre Jérôme, et Goliath leur emboîta le pas.

**
*

La faconde et le charisme d'Hugues amusaient Valère. Dans toutes les maisons à vendre qu'ils étaient allés photographier depuis deux jours, les propriétaires recevaient l'agent immobilier comme un ami. Et tandis qu'Hugues acceptait le café ou l'alcool qu'on lui proposait immanquablement, Valère cadrait les façades et les jardins sous leur meilleur angle. Entre deux visites, ils discutaient avec animation dans la Mercedes.

— À partir d'une bonne photo, affirma Hugues, les gens se mettent à rêver, à échafauder un projet, ils se *voient* habiter là, ils sont harponnés.

— Et quand ils découvrent la réalité ?

— Trop tard, leur opinion est faite. D'ailleurs, je ne te demande pas de retoucher tes clichés mais seulement de montrer l'aspect le plus séduisant.

— Je pense avoir saisi des trucs sympas, des atmosphères ou des lumières, tu devrais être content.

Valère l'affirmait sans vanité, conscient d'avoir du talent. Et le travail accompli avec Hugues le changeait des sempiternelles photos de mariage ou de baptême dont il était las.

— Tu les vends rapidement, les maisons dont tu as la charge ?

— Ça dépend. On a connu la crise ici aussi, mais pas sur les produits haut de gamme. Les Landes restent une région prisée grâce à leurs plages immenses, leurs dunes, leurs pins et leurs étangs. Les stations balnéaires sont jolies, tous les sports nautiques peuvent se pratiquer et on bénéficie d'un bon climat. Donc, il y aura toujours des acquéreurs ! Mais il faut bien analyser les marchés. Biarritz ou Dax, ce n'est pas la même clientèle, qui se différencie encore pour les résidences principales ou secondaires. Comme il y a pas mal de concurrence, je me suis spécialisé dans les belles propriétés, les biens d'exception. Et voilà pourquoi je poursuis ta sœur, sa baraque est vraiment intéressante. Ta sœur aussi, d'ailleurs…

Valère lui jeta un regard étonné et Hugues s'empressa d'enchaîner, l'air faussement penaud :

— Bon, je sais, elle est mariée, j'ai aperçu l'heureux homme. C'est l'un des deux vétos de Castets, hein ? Tu vois, dans mon métier, il faut être au courant de tout. Enfin, mariée ou pas, j'appelle ça une très jolie femme. Et elle semble avoir du caractère, ça me plaît ! Maintenant, rassure-toi, je ne courtise pas les femmes mariées.

— Tant mieux, elle t'enverrait sur les roses. Elle adore Paul, même si en ce moment…

Il jugea superflu de terminer sa phrase. À son avis, Hugues n'avait aucune chance avec Anne, quoi qu'il arrive. Ou alors, ce serait pour se venger de la manière très excessive dont Paul réagissait.

— En attendant, elle est vraiment superbe, cette maison, reprit Hugues. On n'en voit pas souvent passer, des propriétés de ce genre, avec autant de terrain, car tout le monde a morcelé depuis longtemps.

— Je suppose que tu as une idée de sa valeur ? risqua Valère.

— Assez précise, oui. Tu veux savoir ? Eh bien… un paquet de fric ! Non, écoute, je ne crois pas que ta sœur aimerait que je crie des chiffres sur les toits. Et puis, c'est théorique, après il faut trouver l'acheteur. Mais enfin, pour l'avoir reçue en héritage, on peut dire qu'elle a de la veine. Elle pourra payer les droits de succession ?

Malin, Hugues se renseignait au lieu de répondre et Valère n'était pas plus avancé.

— Je crois, marmonna-t-il.

— Et elle va s'y installer pour de bon avec sa petite famille ?

— Paul n'en a pas très envie.

À peine prononcés, Valère regretta ses mots. Il venait de donner une arme à Hugues à double tranchant. Soit Anne renonçait à habiter la bastide et Hugues pouvait continuer d'espérer la vente, soit elle s'entêtait, se fâchant avec son mari, et Hugues sauterait sur l'occasion puisqu'il n'avait pas caché qu'il la trouvait très à son goût. Dans les deux cas, ce type allait poursuivre Anne de ses assiduités. Songeur, Valère se demanda s'il n'était pas en train de se faire manipuler. Hugues avait-il vraiment besoin de ces photos ou n'était-ce qu'un moyen de s'immiscer davantage pour parvenir à ses fins ? Un homme comme lui semblait trop malin pour ne jouer que sur un seul tableau, il avait fait d'une pierre deux coups. Et de Valère son débiteur, car le chèque de rémunération était conséquent.

Il se carra contre le dossier et l'appuie-tête de son siège. Hugues conduisait vite mais sans à-coups, la balade était agréable. Ce soir, il ferait les tirages papier, ensuite il emmènerait Suki au restaurant. Une seconde, il se demanda ce que signifiait « un paquet de fric » converti en euros. Puis l'idée lui vint de faire aussi des photos de la bastide Nogaro. À tout hasard. Quelqu'un finirait bien par en avoir besoin.

9

— Oh ! là là !…, ne cessait de répéter Estelle.

Tout ce qu'elle regardait lui arrachait la même expression, teintée de mépris, de surprise ou de dépit. En l'observant, Anne comprenait que lors de ses très rares visites à Ariane, sa mère n'avait fait attention à rien. Là, elle inspectait, furetait, notait les détails.

— Ces volets intérieurs datent vraiment d'une autre époque. Et on ne peut pas profiter de l'appui des fenêtres…

— Pour mettre des plantes vertes ? plaisanta Anne.

Elle faisait référence au goût de sa mère pour les yuccas, ficus et autres philodendrons qui avaient toujours encombré ses appartements successifs. Ignorant l'allusion, Estelle soupira :

— Et puis, ce paysage… De quelque côté qu'on se tourne, il y a des pins, encore des pins, toujours des pins.

— Évidemment, nous sommes dans une clairière taillée au milieu d'une pinède ! Je suppose que celui de mes ancêtres qui a fait construire la maison voulait voir ses forêts.

Anne rappelait qu'elle descendait des Nogaro et, contrairement à sa mère, pouvait comprendre l'amour des forestiers pour leurs arbres.

— Tu te fais aider pour le ménage ? voulut savoir Estelle.

— Non, je me débrouille toute seule.

— Tu en auras vite assez, vu la surface à nettoyer !

Passant un doigt sur la commode, elle fit remarquer que la poussière de sable s'infiltrait partout.

— Normal, avec ces vieilles huisseries vermoulues. Il ne doit pas faire chaud l'hiver ! Mais enfin, je reconnais que tu as bien arrangé ta chambre.

Anne faillit répondre que ce n'était pas elle mais préféra s'abstenir. Quoi qu'elle puisse dire à propos d'Ariane, ce serait mal interprété. Elle attendit que sa mère ait fini le tour de la pièce et la vit tapoter le jeté de lit en piqué blanc avant de se tourner vers le panier du chien qu'elle observa d'un air dégoûté.

— Cette bête dort ici ? J'espère pour toi que tu ne crains pas les puces !

Elle regarda les deux ravissants pastels sans faire de commentaire puis décida de quitter la chambre. Anne la suivit dans la galerie et lui demanda si elle voulait visiter le deuxième étage.

— Il y a un second ? Mon Dieu, je serais perdue dans un endroit pareil… Non, franchement, j'en ai assez pour l'instant, allons plutôt rejoindre ton père et Jérôme.

Gauthier avait refusé de parcourir la maison, sous prétexte qu'il s'en souvenait très bien.

— Mais avant de descendre, j'aimerais que nous ayons une petite conversation de femme à femme, ma chérie. Où en es-tu avec Paul ? Je me fais beaucoup de souci pour vous deux et je te trouve bien imprudente.

— Pourquoi ?

— Parce qu'il est fâché, loin de toi, sûrement malheureux, et peut-être cherche-t-il à se changer les idées.

— Avec une autre femme ? railla Anne. Tu crois qu'il est allé se jeter dans les bras de la première venue pour oublier que je le contrarie ?

— Qui sait…, maugréa Estelle.

— Non, Paul n'est pas comme ça. Enfin, je ne crois pas. Pas si vite.

— Te voilà bien sûre de toi ! Dis-moi au moins ce que tu comptes faire quand il rentrera.

— Faire ? Rien. Que suis-je censée faire, d'après toi ?

— Tes valises et rentrer à la maison. Chez toi, chez vous. L'accueillir gentiment. Lui préparer…

— Quoi ? explosa Anne. Un ragoût ? Nous avons un problème, Paul et moi, mais ce n'est pas la bouffe qui le réglera. Tu ne voudrais pas que je mette une jolie nuisette, en plus, pour me faire pardonner ? Je ne suis pas coupable, maman !

— La colère te rend vulgaire. Et si tu t'énerves, c'est bien que tu as quelque chose à te reprocher.

— C'est vous tous qui avez quelque chose à me reprocher. Vous vous étouffez de rage parce que Ariane m'a laissé sa maison.

— Tu as bien manœuvré pour l'avoir.

— Moi ?

— Ne fais pas l'enfant, pas avec moi, ça ne prend pas. Je ne sais pas comment tu t'y es prise pour embobiner Ariane…

— Il n'a jamais été question d'héritage. Je venais la voir par plaisir.

— Oh, à d'autres ! Bientôt, tu vas prétendre que tu adorais cette vieille toquée.

— Je l'aimais bien, oui, mais apparemment, toute la famille la détestait.

— Et tu en as profité pour te placer, hein ?

Anne recula d'un pas, effarée par l'hostilité de sa mère. Pour une femme qui fuyait généralement les discussions, elle se montrait d'une agressivité redoutable.

— Depuis que le notaire t'a appris que tu aurais tout, et ton père rien, pas une seconde tu n'as envisagé de partager !

— Mais je veux bien, articula Anne, glaciale. Venez donc habiter avec moi, je vous offre l'hospitalité. Jérôme est le premier à en bénéficier, les autres seront les bienvenus.

— Ne te moque pas de moi, s'emporta Estelle, je ne le tolérerai pas. Tu es une égoïste, ma petite fille.

— Égoïste ? Si tu le dis… mais je ne suis plus une petite fille, désolée, et je ne reçois plus de leçons.

— De générosité, tu sembles en avoir besoin ! As-tu seulement pensé à tes frères ? Valère et Jérôme sont dans des situations difficiles pendant que tu te vautres sur ton tas d'or.

Les mots choisis par sa mère étaient délibérément choquants, mais Anne décida de museler sa colère. Se quereller était démoralisant, épuisant, et elle préférait garder ses forces pour affronter Paul. Ce combat-là en valait la peine, elle voulait sauver son couple.

— Un tas d'or, pfutt ! Plutôt un tas de vieilles pierres qui s'écroulent, vous l'avez toujours prétendu.

C'était rappeler à Estelle le mépris dans lequel elle avait toujours tenu Ariane et sa bastide.

— Bon, tu ne veux rien savoir, n'en parlons plus.

À cet instant, le pas lourd de Gauthier se fit entendre dans l'escalier. Une main sur la rampe et la tête levée vers elles, il montait.

— Vous n'êtes tout de même pas en train de vous disputer ? demanda-t-il avec un sourire incertain.

— Mais non ! affirma Estelle. Tiens, puisque tu es là, montre-moi ta chambre d'enfant. Laquelle était-ce ?

Anne s'aperçut que, bizarrement, elle ne s'était pas posé la question jusqu'ici. Pour elle, cette maison était celle d'Ariane, une Ariane d'un certain âge.

— La troisième porte, répondit-il. Mes parents étaient à un bout de la galerie, Ariane à l'autre, et moi perdu au milieu, en proie à des frayeurs nocturnes.

Estelle alla ouvrir et resta sans voix en découvrant une pièce vide dont le parquet était jonché d'insectes morts et où le papier peint se décollait des murs.

— Tu vois ce que je te disais, à propos du ménage, finit-elle par ironiser. Vraiment, Anne, je ne comprends pas que tu veuilles vivre ici. Toute cette place perdue, c'est sinistre ! Il faudrait une tribu, or tu es seule. Que deviendras-tu cet hiver ? Jérôme est gentil mais il ne va pas éternellement te tenir compagnie…

Sans bouger de la galerie, Gauthier s'était contenté de jeter un coup d'œil par-dessus l'épaule de sa femme.

Il ne fit pas remarquer qu'Anne n'avait installé ni Léo ni Jérôme dans son ancienne chambre d'enfant, la laissant à l'abandon.

— Si on déjeunait ? proposa-t-il, apparemment peu désireux de s'attarder là.

La visite ne présentait aucun intérêt pour lui, il était sincère en affirmant qu'il n'avait pas d'attaches avec cette maison et pas de nostalgie de son enfance. Il s'était réalisé plus tard, loin de tout ça, alors qu'Ariane était restée bloquée sur une idée fixe qui avait régi toute sa vie. Si Anne pouvait comprendre l'indifférence de son père, en revanche l'animosité de sa mère l'avait blessée. Dans son attitude comme dans ses paroles, il n'y avait pas trace de tendresse ni même d'indulgence, elle avait adopté avec sa fille son ton sévère de maîtresse d'école et ne paraissait pas le regretter. En avait-il toujours été ainsi ? Durant son enfance, Anne était trop remuante pour réclamer des câlins et ceux-ci étaient réservés à Lily. Pourquoi y penser maintenant ? Parce qu'elle se sentait soudain très seule sans l'appui de Paul qui prenait toujours sa défense dans les conflits ?

— Je t'ai préparé des magrets, annonça Estelle d'une voix plus douce. Je sais que tu les aimes… et j'ai fait la tarte préférée de Jérôme !

Gauthier lui adressa un sourire attendri, toujours persuadé qu'elle était la meilleure des mères. Anne, elle, commençait à en douter.

**

Après avoir impatiemment réglé sa note d'hôtel, Paul s'était rué vers la station de taxis, son sac de voyage battant contre sa hanche. Puis, tout le long du chemin jusqu'à la gare Montparnasse, il avait exhorté le chauffeur à aller plus vite. Il ne comprenait pas ce qui lui arrivait, mais il avait éprouvé le soudain et impérieux besoin de rentrer. Après avoir tenté, en vain, de se distraire, il était allé déjeuner chez ses parents, et bien entendu son père lui avait lancé quelques remarques pleines de bon sens : « Tu es venu *bouder* à Paris ? Parce que ta femme a fait un héritage ? Je rêve ! La maison des Nogaro était une merveille, je m'en souviens très bien. Je ne sais pas à quoi elle ressemble aujourd'hui mais il doit bien en rester quelque chose, non ? Et c'est *ça* le nœud du problème ? Tu perds les pédales, Paul… Fais attention de ne pas perdre Anne par la même occasion ! » Tout en grignotant sa bavette aux échalotes, Paul avait joué l'indifférence mais les phrases de son père l'avaient atteint. Originaires de la région de Biarritz où ils avaient passé la majeure partie de leur existence, ses parents y avaient côtoyé bon nombre de familles, entre autres celle des Nogaro. Ils aimaient beaucoup Anne et réclamaient régulièrement qu'on leur envoie Léo à qui ils faisaient visiter Paris pendant les vacances de Pâques ou de la Toussaint. Détournant la conversation, Paul en avait profité pour parler du séjour de Léo en Espagne. Son conflit avec Anne était quelque chose de trop personnel, il ne voulait pas en discuter, néanmoins il y pensait à chaque instant. Et, à peine de retour à son hôtel, il avait jeté ses affaires dans son sac de voyage, obsédé par le désir de prendre sa femme dans ses bras. La perdre ? Pas question ! Il allait attraper le dernier train pour Dax, récupérer sa voiture et foncer à la bastide. Tant pis pour les ricanements de Jérôme et les grognements de Goliath, il voulait toucher Anne, la respirer, lui demander pardon de l'avoir laissée sans nouvelles et lui dire qu'il l'aimait. Leur brouille avait trop duré, elle était terminée, ensemble, ils feraient l'effort de trouver une solution.

**

À défaut d'être un vrai mari, Paul-Henri se révélait un excellent mentor. Tandis qu'il me faisait découvrir des auteurs et des peintres, de son côté mon frère Gauthier faisait des enfants à Estelle. Un petit Valère avait suivi Lily, puis une nouvelle fille, Anne, et un autre garçon, Jérôme. À alterner ainsi les filles et les garçons, ils étaient partis pour battre un record de fertilité, pourtant ils s'en tinrent là. Et de leurs quatre gamins, dont ils m'envoyaient régulièrement des photos, je retins surtout la frimousse d'Anne. Ses yeux verts pailletés d'or me plaisaient, ainsi que son sourire espiègle. Quand j'appris qu'elle était « infernale », je me sentis conquise.

Pour tenter de resserrer un peu des liens familiaux très distendus, j'invitai Gauthier avec sa femme et sa marmaille. Ils vinrent passer un week-end dans l'un des palaces de Paul-Henri où nous séjournions durant ce printemps de 1979. En effet, nous changions d'hôtel à notre guise et selon les saisons car je trouvais commode de profiter de tous les services d'un établissement haut de gamme plutôt que de m'épuiser à tenir

255

une maison. Cette vie de nomade me convenait d'autant mieux que nous occupions toujours la meilleure suite, avec un grand balcon sur la mer et une vaste salle de bains en marbre. Au gré de nos envies, nous descendions au restaurant – toujours panoramique – ou bien nous utilisions le room service. Je choisis cette dernière solution pour nourrir mon frère, ma belle-sœur et leurs quatre bambins. Et au long de cet interminable week-end, ce fut la petite Anne que j'observai et qui me charma. Mais par quel miracle de la génétique Estelle et Gauthier avaient-ils pu concevoir une enfant aussi mignonne, délurée, remuante et maligne ? Ces quatre qualificatifs ne pouvaient s'appliquer à aucun autre membre de la fratrie. Estelle, sous ses airs de sainte-nitouche, se serait-elle offert un amant de passage ? Un plombier, un facteur, un inspecteur d'Académie, que sais-je ? Non, c'était peu probable, encore qu'il ne faille jamais se fier aux apparences, néanmoins Anne semblait vraiment le malheureux cygne égaré parmi les canards. Ses frasques n'amusaient pas sa mère qui préférait s'émerveiller devant l'insignifiante Lily ou devant ses deux garçons aux traits mous. Moi, je voyais distinctement que la petite Anne possédait la grâce, et que sa personnalité s'affirmerait envers et contre tout. En la prenant sur mes genoux, ce dont je ne me serais jamais crue friande, j'éprouvais un élan d'affection aussi inattendu que réconfortant.

Une fois la smala partie, je m'ouvris à Paul-Henri de mes sentiments contradictoires. Bienveillant, comme à l'accoutumée, il dédramatisa mon indifférence envers mes neveux et ma nièce Lily, estimant que je n'avais pas à me soumettre à cette loi universelle qui oblige à aimer les enfants. Tous les enfants ne sont pas forcément aimables, et on n'est pas un monstre quand on ne les bade pas. Concernant Anne, il partageait mon opinion, ayant remarqué que la gamine ouvrait de grands yeux devant les jolies choses – un meuble élégant ou une gravure délicate au détour des couloirs de l'hôtel –, que son rire cristallin était communicatif au point de vous mettre les larmes aux yeux, et que, en effet, elle semblait un peu décalée au sein de sa famille. Bon, ils allaient probablement la gâcher, éteindre son énergie, sa curiosité et sa fantaisie, mais nous ne pouvions tout de même pas l'adopter !

D'accord, ce que je viens d'écrire est d'un égoïsme confondant. J'aurais bien aimé avoir une petite Anne à moi, déjà toute faite, hélas ! le destin en avait décidé autrement, et ayant fêté mes quarante ans l'année précédente, mes espoirs de maternité s'étaient envolés. Mais en avais-je vraiment eu ? Du temps d'Albert, peut-être un peu, mais c'était davantage par orgueil, de peur de me faire répudier comme la pauvre Joséphine de Beauharnais. Quel songe-creux que l'existence... Comme les choses prennent ou perdent de l'importance avec le temps ! Seul point fixe, fanal dans la tempête, lueur dans la nuit, ma bastide conservait tout son attrait pour moi, et sans me lasser je poursuivais ma chimère. Par malchance, les propriétaires du moment poursuivaient la leur et s'incrustaient. Or je savais, grâce à Pierre Laborde, qu'ils connaissaient de gros soucis financiers puisqu'ils avaient envisagé d'hypothéquer la maison. Incapables de l'entretenir correctement, ils la laissaient se dégrader tout en s'y

257

accrochant, ce qui me faisait bouillir. Paul-Henri m'avait juré ses grands dieux qu'à la première occasion, il se porterait acquéreur sans chercher à mégoter et que l'affaire ne nous échapperait pas. Mais quand ?

À peine rentré chez lui, Gauthier revint, porteur d'une mauvaise nouvelle : notre mère avait rendu son dernier soupir. Il s'en voulait terriblement d'avoir joué au nabab dans notre palace tandis qu'elle agonisait, seule au milieu d'aides-soignants indifférents. Je lui fis valoir qu'elle ne reconnaissait plus personne depuis longtemps et n'aurait pas gagné le moindre réconfort à la présence des siens qu'elle prenait pour des étrangers. Il me jeta alors un de ces regards horrifiés dont il me réservait l'exclusivité. Prenant son courage à deux mains, il m'avoua qu'il se demandait parfois si je n'étais pas folle. Il me trouvait cynique, égocentrique, hors des réalités de la vie. Il me plaignait d'être « mal tombée » avec mes maris mais supposait que c'était le juste châtiment de ma « course à l'argent ». Ne voulant pas être en reste, je lui rétorquai qu'il était mesquin, terne et sans ambition, qu'avec lui l'existence devenait un pensum. Nous étions différents, et alors ? Pour ma part, je ne lui avais pas toujours montré de l'affection, mais au moins je m'étais abstenue de l'accabler, gardant mon jugement pour moi. De quel droit m'assénait-il soudain le sien ? Parce qu'il se sentait coupable d'avoir goûté au luxe le temps d'un week-end au lieu de se lamenter au chevet de sa mère ? « C'était la nôtre à tous les deux ! » trépigna-t-il. Je ne le niai pas et proposai, pour la seconde fois, de payer l'enterrement. À cela, il n'avait rien à répondre.

Goliath se mit à aboyer furieusement et Anne en lâcha le cahier. Quelqu'un tambourinait, en bas, et dès qu'elle ouvrit la porte de sa chambre le chien fonça dans la galerie puis dévala l'escalier. Elle le suivit, un peu hésitante, allumant toutes les lumières sur son passage. Il était plus de minuit mais l'inconnu qui s'obstinait à frapper semblait décidé à se faire entendre. Au moins, pour provoquer un chahut pareil, ce n'était ni un rôdeur ni un cambrioleur.

— N'ouvre pas ! lui lança Jérôme depuis le palier du premier.

Elle était presque arrivée en bas et elle leva la tête pour lui faire signe de se taire. Stupéfaite, elle vit qu'il tenait un pistolet. Avant d'avoir eu le temps de lui demander s'il savait s'en servir et d'où il le sortait, elle perçut des cris d'homme qui se mêlaient aux aboiements furieux du chien.

— Anne ! C'est moi, Paul !

Elle déverrouilla la porte en prenant soin de murmurer :

— Tout va bien, Goliath, tu le connais…

Sensible à la douceur de sa voix, le chien se calma tandis que Paul entrait et prenait Anne dans ses bras.

— Je n'en pouvais plus, lui dit-il à l'oreille. J'ai été idiot de partir, tu m'as trop manqué.

Mais il s'écarta aussitôt, regardant derrière elle.

— Tu es cinglé, ma parole ! lança-t-il hargneusement à Jérôme. Il est chargé ?

Arrêté à mi-escalier, son beau-frère tenait toujours le pistolet pointé vers eux.

— Oh, désolé, bredouilla-t-il en baissant l'arme. Mais quelle idée, aussi, de débarquer en pleine nuit sans prévenir ! Tu n'as plus de téléphone ?

— Je voulais faire une surprise à Anne, se justifia Paul, de mauvaise grâce.

— Pas de doute, c'est très réussi.

— Où as-tu trouvé ce flingue ? s'indigna Anne.

— Dans un placard de la cuisine, pendant mes travaux de peinture. Je cherchais un chiffon et ce truc était planqué derrière une pile de vieux torchons.

— Tu aurais pu m'en parler.

— Non, tu m'aurais dit de l'apporter à la gendarmerie, et nous n'aurions plus rien eu pour nous défendre.

— Avec toi pour la défendre, Anne n'a rien à craindre, railla Paul.

— C'est toujours mieux qu'un mari absent.

Sa réplique parut figer Paul.

— Mêle-toi donc de tes affaires et retourne te coucher, finit-il par lâcher.

— Je n'ai pas d'ordres à recevoir de toi ! s'emporta Jérôme. Tu es là, tu n'es pas là, tu fais la gueule, tu reviens…

D'un geste rapide qui dénotait une certaine habitude, il retira le chargeur qu'il fit négligemment tomber dans la poche de sa robe de chambre.

— Je le garde, décida-t-il. Les journaux sont pleins de faits divers terrifiants, et cette maison est très isolée.

Il remonta l'escalier sans se presser, gagna sa chambre et claqua la porte. Paul l'exaspérait, Paul l'avait *toujours* exaspéré avec son côté premier de la classe. Anne ferait bien de se débarrasser d'un mari aussi respectueux de l'ordre établi, aussi raisonnable et aussi sérieux. Il se prit à espérer que la réconciliation sur l'oreiller qui allait immanquablement suivre ne réglerait pas leur problème de couple. Il était bien ici avec sa sœur, à profiter d'une grande maison et d'une table garnie sans personne pour lui faire la morale. Imaginer Paul rentrant chaque soir et lui demandant comment il avait passé sa journée le faisait frémir. Quant à ce pistolet, il se l'appropriait à titre d'unique cadeau posthume de la tante Ariane. Peut-être en aurait-il besoin car un deuxième message de Jack, qui réclamait son argent sur un ton encore plus menaçant, s'était affiché la veille sur l'écran de son téléphone. S'il débarquait ici, ce ne serait pas pour faire des mondanités, et une arme pourrait éventuellement jouer un rôle dissuasif. Rien de tel pour refroidir un esprit surchauffé ! En fait, quand Paul avait tambouriné comme un fou sur la porte, Jérôme s'était liquéfié dans son lit, persuadé que la visite nocturne était pour lui. Autant se l'avouer, il avait peur, mais il ne pouvait pas fuir, sans un sou en poche et sans savoir où aller. D'ailleurs, Jack était assez malin et déterminé pour le retrouver où qu'il se cache. La seule solution était de le rembourser. Et sans traîner puisque, sur le message, Jack lui avait donné ses coordonnées bancaires. Il n'attendrait pas son virement éternellement, Jérôme devait convaincre Anne de lui prêter la somme. Mais avec Paul au milieu…

Découragé, Jérôme rangea le pistolet et le chargeur dans le placard de sa chambre. La pièce était sommairement meublée d'un lit neuf et de deux vieux fauteuils récupérés à travers la maison. Pour l'égayer, Anne y avait ajouté une grosse boîte ronde, en cuir fauve, qui avait dû contenir autrefois des chapeaux et qui servait désormais de table de nuit. La boîte faisait partie des objets dont elle n'avait pas voulu se séparer, cependant elle avait vendu beaucoup de choses à un brocanteur, elle devait avoir un peu d'argent disponible. Compréhensive, elle l'aiderait sans doute s'il lui racontait ses déboires. Et, à condition de ne rien enjoliver, elle réaliserait qu'il était vraiment en danger.

**

Paul observait le rayon de soleil qui s'immisçait entre les volets intérieurs et s'étalait sur le parquet, donnant au chêne un bel aspect doré. Il avait bien fait de venir, quitte à marcher sur son orgueil, car Anne l'avait accueilli à bras ouverts. Sans parler de rien, ils avaient fait l'amour, s'étaient retrouvés physiquement comme après une très longue séparation, avides de se sentir et de se toucher. Un moment sensuel, voluptueux, encore meilleur que ce dont il avait pu rêver lorsqu'il s'ennuyait de sa femme, seul dans son hôtel à Paris.

Il se tourna vers elle pour la regarder dormir. Lentement, il fit glisser le drap le long de son dos, posa la main au creux de ses reins. De nouveau, il avait envie d'elle, mais il hésitait à la réveiller. Le charme allait se rompre dès qu'elle ouvrirait les yeux. Trop de questions restaient en suspens entre eux, comment les ignorer plus longtemps ? Et quelle serait la première qu'elle allait poser ? Ne possédant aucune réponse, il se sentait aussi bête et furieux qu'un gamin tapant du pied devant une chose impossible à obtenir. Non, il ne voulait pas s'installer ici, il voulait juste Anne avec lui, comme avant. Que la vie reprenne son cours normal, qu'ils soient de nouveau heureux ensemble, chez eux. Était-ce trop demander ? Bon sang, il l'aimait pour de bon, pour toujours, il était prêt à tout pour la rendre heureuse. Enfin, à *presque* tout…

Il se détourna, laissa son regard errer dans la chambre. La pièce était gaie et spacieuse, au contraire du reste de la maison qu'il jugeait froide, disproportionnée et vétuste. Bien sûr, on pouvait la remettre en état, mais à quel prix ? Combien faudrait-il engloutir entre ses murs avant de la rendre agréable à vivre ? Paul ne s'imaginait pas en train de surveiller un chantier, encore moins d'en régler les factures. Du matin au soir, il était enfermé dans sa clinique vétérinaire, occupé à un travail qui le passionnait mais lui prenait tout son temps. Il voulait rentrer chez lui le soir l'esprit libre et le cœur léger, or ce ne serait jamais le cas ici, il en avait la certitude. Alors, que faire pour sortir de l'impasse ? Laisser passer l'été, attendre les premiers jours gris et froids. En novembre, Anne trouverait forcément beaucoup moins séduisant d'habiter là, et sans doute serait-elle lasse de la cohabitation avec Jérôme. Cet incapable allait vite devenir une charge pour elle. Oui, la solution était de patienter, et sans faire la tête. Il y avait songé tout au long de son voyage en train, la veille, se jurant de ne plus bouder stupidement, d'arrêter de se draper dans sa dignité. S'il s'en tenait à cette bonne résolution, Anne remarquerait son effort de conciliation et lui en serait reconnaissante.

Il se leva, traversa la chambre à pas de loup et sortit. Goliath, qui était couché dans la galerie, non loin de la porte, l'ignora. Une seconde, Paul hésita à la caresser, mais il n'en fit rien. Ce chien était devenu le gardien d'Anne et les autres humains ne l'intéressaient pas, mieux valait le laisser tranquille.

Après une douche rapide dans la vieille salle de bains dont la tuyauterie semblait sur le point de céder, Paul enfila un jean et un tee-shirt puis descendit à la cuisine. Le coup de peinture de Jérôme était loin d'être parfait mais rendait la pièce plus accueillante, surtout à cette heure matinale où elle était inondée de soleil.

— Déjà levé ? lança son beau-frère qui remontait de la cave.

Son air goguenard exaspéra Paul, néanmoins il parvint à sourire.

— Le beau temps m'a tiré du lit. À Paris, il pleuvait.

— Mais tu as réussi à t'amuser malgré tout ?

— Je me suis changé les idées. Pas de chiens, pas de chats, pas de lapins. Et j'ai vu mes parents, ça leur a fait plaisir.

— Que penses-tu de mon œuvre ? s'enquit Jérôme en désignant les murs.

— Un peu vite fait mais pas mal. C'est plus propre, plus gai.

— Vite fait ? Je n'avais pas le choix. On a besoin de la cuisine, on y mange et on y vit. Pour les autres pièces, je vais prendre mon temps.

Paul le contempla quelques instants avant de laisser tomber :

— Tu n'as pas d'autre projet plus… personnel ?

Jérôme haussa les épaules et alla mettre la cafetière en route.

— Pour le moment, Anne a besoin de moi, finit-il par marmonner.

— La connaissant, je suis sûr qu'elle préférerait que tu trouves un vrai travail.

— Facile à dire ! On ne m'attend nulle part et cette région est un vrai désert. Un trou sur la carte ! Pas de grandes villes, pas de boulot.

— Qu'est-ce qui t'oblige à rester ici ?

Jérôme se retourna pour le toiser.

— Ma parole, tu me flanquerais bien à la porte si tu étais chez toi.

— Oui, ça t'obligerait à te secouer un peu, à te prendre en main. Jusqu'ici, tu as vécu aux crochets de tout le monde. Tes parents, tes copains, maintenant ta sœur…

Posant brutalement la cafetière sur la table, Jérôme se pencha vers Paul pour articuler :

— Fais-moi grâce de ton petit couplet, tu veux ? Tu n'as aucune idée de ce que je fais ni de qui je suis. Toi, on sait, tu es Paul-parfait, Paul-sans-reproche, Paul-le-modèle, et les gens de ton espèce sont à crever d'ennui. Demande donc à ta femme si elle n'en a pas marre du train-train quotidien que tu lui infliges depuis des années ! Tu as épousé une fille formidable dont tu as failli faire une emmerdeuse sans même t'en apercevoir. Sa chance, aujourd'hui, c'est cette baraque qui lui ressemble davantage que ta maison tristouille où elle ne remettra pas les pieds si elle a deux sous de jugeote.

— Tu vas trop loin, Jérôme, dit Paul en le saisissant par le poignet. Tu n'as pas à t'immiscer dans mon couple avec tes propos à la con. Tu me critiques pour te justifier, pour te donner bonne conscience ? En réalité, tu mets de l'huile sur le feu parce que tu veux passer l'hiver au chaud, mais tu n'es pas assez malin pour me manipuler. C'est comme cette histoire de flingue, pas question de te laisser jouer au cow-boy avec ma femme et mon fils au milieu. Nous irons ensemble à la gendarmerie.

— Non.

L'air de défi qu'affichait Jérôme mit Paul hors de lui.

— Eh bien, j'irai tout seul te dénoncer pour détention illégale !

— Tu n'en feras rien, railla Jérôme. Tu ne peux pas mettre la pagaille dans la vie de ta femme et dans *sa* maison. Voir débarquer les flics ne l'amuserait pas, crois-moi. Pas plus que ton air de commandant prêt à tout régenter chez elle.

— Tu m'emmerdes ! hurla Paul en tapant violemment sur la table.

— Mais qu'est-ce qui se passe ? s'inquiéta Anne qui venait d'entrer.

Elle dévisagea son frère puis son mari.

— C'est votre façon de partager un petit déjeuner ?

Son regard accusateur s'attarda sur Paul. Elle avait entendu l'injure, l'avait vu frapper du poing, et à l'évidence elle ne comprenait pas son accès de rage. Lui toujours si calme et mesuré.

— Ton frère ne tourne pas rond, finit-il par soupirer. Je veux qu'il aille rendre cette arme.

Anne se tourna vers Jérôme qui se leva.

266

— Ton mari *veut*, ton mari *exige*… Il n'est pas là depuis douze heures que les ordres pleuvent, sans parler des commentaires acides. Très peu pour moi ! Amusez-vous bien, je vais à la plage.

Il quitta la cuisine sans laisser à Anne le temps de répondre. Au bout d'un long silence, Paul soupira :

— Il ne s'arrange pas. Et j'ignorais qu'il me détestait.

— Voyons, il ne te déteste pas, essaya-t-elle de protester, sans conviction.

— Alors, c'est bien imité ! Franchement, Anne, je crois qu'il n'aime personne, il ne se soucie que de lui. En ce moment, tu es sa sœur adorée parce que tu l'héberges et le nourris.

— Ne sois pas méchant.

— Je ne dis que la vérité et tu le sais. Jérôme n'a rien fait de sa vie et il ne compte pas s'y mettre à trente-quatre ans. Être un parasite lui convient très bien parce que ça demande peu d'effort.

— Oh, assez maintenant ! Je n'ai pas envie de t'entendre le démolir, c'est mon frère.

— Ça n'excuse pas tout. Regarde Valère, il se donne un mal de chien pour s'en sortir, il…

— Lui tu l'aimes, c'est ton grand copain depuis le lycée et tu es toujours prêt à l'aider, mais tu n'as jamais apprécié Jérôme.

— Qu'est-ce qu'il a d'appréciable ?

Anne haussa les épaules, découragée, et alla se servir du café. Quand elle revint s'asseoir en face de lui, elle avait les larmes aux yeux.

— Je suis désolé, murmura-t-il.

267

Il n'avait pas prévu ce nouveau sujet de discorde entre eux.

— Que suis-je censée faire, Paul ? Tu refuses de venir t'installer ici et ça t'énerve que mon frère y soit. Écoute, nous devrions crever l'abcès une fois pour toutes. Je sais que tu n'aimes pas beaucoup cette maison, mais tu as surtout mal pris que je vienne l'habiter. Moi, je m'y suis sentie bien dès le premier jour. Tout le monde me parle d'un cadeau empoisonné, or je trouve que c'est un cadeau royal dont je n'aurais pas osé rêver. Mais tu ne veux pas la partager avec moi, tu ne veux même pas que je la garde…

— Dans un couple, les décisions se prennent à deux, non ? Imagine que je t'aie mise devant le fait accompli en trouvant sans toi un nouvel endroit pour vivre, et hop, on déménage illico ! Tu n'aurais jamais accepté que je ne prenne pas ton avis pour le choix de notre maison.

— Mais je n'ai pas *choisi* celle-ci, je l'ai reçue en héritage. Je continue d'appeler ça un coup de chance. Mon père est né ici, mon grand-père, mon arrière-grand-père, ce n'est pas un lieu anonyme pour moi.

À ce point de leur discussion, elle faillit lui raconter la découverte du cahier de moleskine et tout ce qu'elle y apprenait sur sa famille, pourtant quelque chose la retint. L'air déjà buté de son mari ? Son rejet de tout ce qui se rapportait à Ariane ? Après tout, ce n'était pas son histoire, ses racines, il ne se sentirait pas concerné. Nul ne l'était, d'ailleurs, sauf elle.

— Eh bien, nous revoilà dans l'impasse, constata-t-il d'un ton chagrin.

Il la scruta comme s'il attendait d'elle une solution puis il enchaîna :

— Qu'allons-nous faire après l'été, mon amour ?

Elle s'efforça d'y réfléchir calmement. Paul voulait savoir de quoi serait fait leur avenir immédiat, de quelle manière ils allaient s'organiser à la rentrée. Si elle refusait de rentrer chez eux pour y reprendre le cours normal de leur existence, elle aurait l'air d'avoir quitté le foyer conjugal et abandonné son mari. Pourtant, elle ne voyait rien d'autre à faire.

— Vendons la maison de Castets et aménageons celle-ci à ton goût. Léo sera fou de joie, moi aussi, sans parler du chien. Six mois par an on passera nos week-ends à la plage, on pourra recevoir tous les copains qu'on veut, organiser des fêtes de famille géantes...

— Tu rêves, Anne, dit-il très doucement.

Il n'avait pas de véritable argument à lui opposer mais il ne voulait pas céder et ne céderait sans doute jamais.

— Bon, j'abandonne, soupira-t-elle.

— À savoir ?

— Je reste.

Elle n'avait même pas prévu de le dire, en tout cas pas aussi abruptement, néanmoins c'était vrai. En effet, elle allait rester, non pas pour le contrarier ou par orgueil mais parce qu'elle en avait envie. Et que faire ce dont elle avait envie lui devenait soudain indispensable. Au-delà de la peur des disputes se profilait une joyeuse bouffée d'indépendance, un souffle de liberté retrouvée. En avouant : « j'abandonne », elle renonçait au bras de fer engagé avec Paul, elle ne cherchait plus à savoir si elle avait raison ou tort, elle s'évadait. Elle acceptait de vivre l'aventure qui s'était présentée à elle après la mort d'Ariane, et tant pis si on la jugeait folle à son tour.

La tête dans les mains, Paul essayait de surmonter sa déception. Quand il leva enfin les yeux vers elle, il la considéra avec une certaine hostilité.

— En somme, on va finir par se séparer ? Tout ça pour cette maudite baraque qui porte malheur ! Je n'en reviens pas, Anne, je te jure que suis anéanti. Hier soir, j'avais pourtant cru t'avoir retrouvée, et ce matin tu n'es plus la même. Il y a deux femmes en toi, et l'une des deux ne se soucie pas de moi.

— Quel rapport ? trancha-t-elle. Je t'aime, Paul ! Bien sûr que je t'aime, je n'ai pas le moindre doute là-dessus, je n'en ai jamais eu depuis qu'on s'est mariés. Ce ne sont pas nos sentiments qui sont en jeu.

— Et comment crois-tu que ça va se terminer ? Tu veux une chose, moi une autre, et nos chemins risquent de diverger pour de bon. Tu es prête à courir le risque ? Ah, j'ai l'impression que tu m'as déclaré la guerre !

— C'est réciproque. Tu es devenu mon ennemi, je n'aurais jamais cru ça possible. Avant, tu me soutenais, tu prenais ma défense, et maintenant tu es dans le camp d'en face, contre moi.

— Parce que c'est le camp de la raison ! Je crois que ton père n'a pas tort quand il prétend qu'Ariane était folle. Elle a dû bien rire en faisant son testament et en imaginant quel bordel elle allait mettre dans sa famille. Elle a misé sur toi, elle ne s'est pas trompée.

Il semblait à bout de nerfs et il repoussa son bol qui se renversa. Une seconde, il regarda la tache de café s'élargissant sur la table, puis il se leva brusquement et sortit à grandes enjambées.

**

Suki passa une nouvelle fois les photos en revue, s'extasiant sur chacune.

— Tu as tellement de talent, chéri ! Je suis sûre que ces maisons ne sont pas aussi belles dans la réalité.

— Si, Hugues Cazeneuve a vraiment de superbes propriétés à vendre. Mais évidemment, je les ai avantagées en les prenant sous l'angle le plus flatteur, avec la lumière idéale pour les rendre plus attrayantes. De toute façon, ce travail m'amusait, c'était bien payé et on a fait de jolies balades dans la région.

— Je ne saurais même pas laquelle choisir si une gentille fée m'en offrait une.

Elle l'avait dit en souriant mais il se sentit blessé. Acheter une maison, même modeste, n'était pas dans leurs moyens, et sans doute devraient-ils se contenter encore longtemps de leur petit appartement. En attendant, ils avaient pour une fois un peu d'argent devant eux, et Valère était demandé pour deux mariages au mois de septembre. En ce qui concernait le magasin de fleurs, les clients affluaient, ce qui permettait à Suki de rembourser leurs emprunts. Très vigilante avec sa comptabilité, qu'elle faisait vérifier par Anne tous les trimestres, elle contrôlait bien ses dépenses. Mais à quel moment seraient-ils enfin un peu à l'aise ?

Combien d'années leur faudrait-il pour être à l'abri et pour s'amuser ? Valère avait cru que les choses iraient plus vite. Il avait laissé Suki s'endetter pour acquérir son fonds de commerce, persuadé que parallèlement il gagnerait bien sa vie. Hélas, sa carrière de photographe piétinait. D'ailleurs, il n'y avait pas de carrière du tout. Si, lors de ses études, il s'était imaginé réalisant des portraits d'artistes ou shootant des mannequins pour des magazines, il avait bien déchanté depuis. Il n'était pas monté à Paris comme il l'aurait dû, il avait juste perdu son temps à courir les filles et à faire la fête durant des années, ensuite il avait rencontré Suki et n'avait plus eu envie de bouger du tout. Aujourd'hui, il s'estimait le raté de la famille, car même Jérôme semblait avoir une vie plus drôle et plus aventureuse. Pourquoi avait-il choisi un métier si difficile ? Parce qu'il était doué pour l'image ? Eh bien, ça n'avait pas suffi !

Il ramassa les photos qu'il glissa dans une enveloppe matelassée.

— Je vais les déposer à l'agence, annonça-t-il.

Dans des moments comme celui-ci, où il ne se sentait pas content de lui, il ne pouvait pas s'empêcher de repenser aux propos de Lily. Et maintenant que, grâce à Hugues, il entrevoyait la valeur réelle de la bastide Nogaro, il se disait que si leur père avait hérité, s'il avait vendu et réparti l'argent entre ses quatre enfants, chacun aurait touché une coquette somme. Avec ça, Suki et lui auraient pu faire mille choses. Pourquoi pas ouvrir un second commerce, un magasin d'appareils photo avec le conseil du professionnel et toute l'informatique voulue pour tirer en quelques instants des clichés à partir de CD, clés USB ou autres cartes mémoires ? Pourquoi pas emménager dans un bel appartement avec vue sur l'Adour ? Pourquoi pas un voyage à Paris pour que Suki puisse consulter les meilleurs spécialistes en matière de fécondation ? Mais bon, inutile de fantasmer et d'entretenir des chimères, seule Anne pouvait désormais s'offrir des projets concrets, elle avait bien de la chance.

Il s'en voulut d'avoir ce genre de pensée mesquine, d'autant plus qu'il aimait sa petite sœur et refusait de la jalouser. Il n'allait tout de même pas s'aigrir comme Lily ou comme leur mère ! Cependant, à force d'y réfléchir, il en venait à la conclusion que, même si Anne était l'unique héritière, elle aurait au moins pu vendre et donner un petit quelque chose à ses frères et sœur. Pourquoi s'obstinait-elle à garder cette maison ? La veille, Paul avait appelé et lui avait parlé à cœur ouvert, catastrophé par l'attitude d'Anne qui allait les conduire droit au divorce. Il ne savait plus quoi faire et espérait que son copain Valère pourrait intervenir : « Tu es son grand frère, elle t'écoutera peut-être, mais à moi elle oppose une fin de non-recevoir. Et Jérôme, au milieu de tout ça, s'ingénie à mettre de l'huile sur le feu ! Quand Léo rentrera, je ne sais même pas ce qu'on va lui dire. Qu'on se sépare sans raison valable ? Tu imagines ? Et où passera-t-il ses week-ends ? Un coup chez elle, un coup chez moi ? »

Paul prononçait « chez elle » avec une hargne très significative, il n'irait jamais habiter là-bas. Mais comment diable un couple aussi uni qu'Anne et Paul avait-il pu en arriver à ce point aussi vite ? En principe, l'amour était plus fort que tout, non ? Ou alors, Valère avait encore bien des illusions. Quoi qu'il en soit, il ne se voyait pas intervenir entre eux. Anne avait la tête sur les épaules, elle savait ce qu'elle faisait et n'était pas du genre à se buter sans raison. Tandis que Paul… malgré toutes ses qualités, son ego était parfois encombrant.

À vingt mètres de l'agence immobilière, Valère s'arrêta, son enveloppe sous le bras. Sa sœur n'était nullement intéressée par Hugues Cazeneuve, il en aurait juré, pourtant Paul jouait avec le feu en la laissant seule. Après l'usure de treize ans de mariage et en plein désaccord sur leur mode de vie, le risque de rupture existait forcément.

« Bon, j'irai voir Anne et je discuterai avec elle, mais ça ne servira à rien. Sauf si j'arrivais miraculeusement à la convaincre de vendre. Peut-être attend-elle que quelqu'un la sorte de l'impasse ? Quelqu'un qui ne soit pas son mari et qui lui permette de changer d'avis la tête haute. »

Connaissant sa petite sœur, il n'y croyait pas du tout, néanmoins il essaierait, par amitié pour Paul, par affection pour elle, et parce que, s'il y parvenait, au fond il ne serait pas perdant lui non plus.

**

Jérôme gara la voiture d'Anne près de la porte de la cuisine pour décharger les courses. Il avait acheté tout ce qui était marqué sur la liste, avec en prime une bouteille de vodka pour s'offrir un petit verre en douce le soir. Il aimait bien boire un coup d'alcool fort ou fumer un joint de temps à autre mais se félicitait de n'être accro à rien, hormis la cigarette. Ce qui, avec le genre d'existence menée jusque-là, relevait de l'exploit. Ou de la chance.

Alors qu'il empoignait un pack de jus de fruits, Anne sortit de la maison par la porte principale et le héla.

— Tu as un visiteur ! cria-t-elle gaiement.

Aussitôt en alerte, Jérôme se figea. Lorsqu'il tourna la tête, il découvrit ce qu'il redoutait le plus, la silhouette de Jack se profilant derrière sa sœur sur le perron. Cette idiote avait laissé entrer le loup dans la bergerie.

— Hello, Jérôme, lâcha Jack avec son fort accent anglais.

Son sourire froid était effectivement celui d'un loup. Jérôme regretta amèrement de n'avoir pas eu le courage de tout raconter à Anne ainsi qu'il se l'était promis, car elle devait être persuadée qu'il s'agissait d'un ami. Reposant le pack dans le coffre, il s'approcha d'eux.

— Salut, vieux. De passage dans la région ?

— Un passage obligé.

Jack allait toujours droit au but, il ne tarderait plus à parler d'argent.

— Ta sœur est charmante, ajouta-t-il galamment. Elle m'a préparé un excellent thé, et tu sais à quel point je suis difficile…

Il descendit les marches du perron pour flanquer une bourrade trop appuyée à Jérôme.

— En plus, vous avez une maison magnifique !

— C'est celle d'Anne, elle m'héberge.

— J'ai bien compris, oui.

Il faisait l'effort de s'exprimer en français, ce qui rendait ses phrases à peine compréhensibles.

— Mais je ne suis pas venu en touriste, tu t'en doutes.

— Je t'emmène faire un tour dans la pinède ? s'empressa Jérôme.

Il devait absolument l'entraîner loin d'Anne, redoutant la manière dont il risquait de présenter les choses.

— Je n'ai pas le temps. Will m'a déposé et va venir me récupérer au portail. Depuis notre arrivée, il s'entraîne à la conduite à droite !

Avec un petit rire, il désigna sa montre.

— À mon avis, il ne va pas tarder, alors dépêchons-nous de traiter notre affaire. As-tu ton chéquier sur toi ?

— Non, je…

— Des espèces feront l'affaire, trancha Jack.

De manière explicite, il tendit la main vers Jérôme, paume en l'air.

— Alors ?

— Tu me prends de court.

— Tu plaisantes ? s'emporta Jack.

Il revint à sa langue maternelle pour déclarer, d'une traite :

— Tu aurais dû payer ta dette depuis longtemps ! Avec les intérêts, ça fait six mille tout rond et je les veux maintenant. Mon poing dans la gueule, tu l'auras en prime de toute façon, mais envoie le fric d'abord.

— Je ne l'ai pas, Jack. Je n'ai rien à moi, pas un seul euro, et je n'ai pas encore trouvé de travail en France…

Le dernier mot s'étrangla dans sa gorge parce que Jack venait de le saisir par le col de sa chemise.

— Qu'est-ce que vous faites ? s'interposa Anne.

À son tour elle avait descendu les marches du perron, et elle s'adressa à Jack en anglais :

— Lâchez mon frère immédiatement !

— Toi, la gourde, ne t'en mêle pas. Ce connard me doit de l'argent et il va me le donner ou bien je le démolis.

— La gourde appelle la police, répliqua Anne en sortant son portable de la poche de son jean.

Jack le lui arracha et l'expédia contre la façade où il explosa.

— Goliath ! hurla Anne. Goliath !

Jack la regarda comme si elle était prise de folie, se demandant ce qu'elle criait, mais au même instant le chien surgit au coin de la maison et galopa vers eux, les babines retroussées. Les cris stridents d'Anne avaient dû lui faire peur car il semblait incontrôlable. D'instinct, Jack lâcha aussitôt Jérôme et recula de deux pas. À ses pieds, Goliath grognait en lui tournant autour. Anne le prit par le collier pour le faire asseoir, puis elle s'adressa à Jack d'une voix blanche.

— Mon frère vous doit de l'argent ?

— Six mille euros.

— Ça ne vaut pas la peine de se battre.

— Oh, que si ! Nous avons un sérieux contentieux, lui et moi… Du fric, et aussi autre chose. Il ne s'en est pas vanté, hein ?

Du coin de l'œil, il surveillait le chien, visiblement mal à l'aise devant un tel molosse. Mais s'il avait baissé le ton et cessé de faire des gestes brusques, il restait ferme sur sa position de créancier. Anne le dévisagea avant de se tourner vers Jérôme.

— Tout ça est vrai ?

— Oui, lâcha-t-il à contrecœur.

— Je ne quitterai pas la France sans mon argent, précisa Jack. Et dites-vous bien que je peux aussi revenir pour empoisonner le clebs et mettre le feu à la baraque.

— Trois fois rien ! ironisa Anne.

— Croyez-moi sur parole, dit Jack en la regardant droit dans les yeux.

Ils restèrent quelques instants à se jauger, puis Anne hocha la tête.

— Revenez après-demain, vous aurez votre argent. Je n'ai qu'une parole, moi aussi.

Jérôme retint un soupir de soulagement et se garda bien d'ajouter quoi que ce soit.

— Après-demain, répéta Jack, en français cette fois. Je serai là à onze heures.

Il s'éloigna sans hâte, traversa la clairière et s'engagea sur le chemin. Lorsqu'il fut hors de vue, Anne fit signe à Jérôme de la suivre. Ils s'installèrent dans la cuisine avec le chien et Anne ferma soigneusement la porte.

— Je suppose qu'il est sérieux ? articula-t-elle en toisant son frère.

— Très.

— Et qu'il est dangereux ?

— Jack n'a rien d'un marrant, je suis consterné qu'il m'ait poursuivi jusqu'ici. Je pensais avoir plus de temps devant moi pour régler le problème.

— Comment comptais-tu t'y prendre ?

— Oh, Anne…

Désemparé, Jérôme se laissa tomber sur un tabouret. Il ne voyait pas de quelle façon raconter son histoire pour la rendre acceptable.

— Nous étions colocataires à Londres et je lui dois quelques mois de loyer.

Les bras croisés, toujours debout, Anne attendait la suite. Elle ne le laisserait pas s'en tirer avec ce début d'explication trop vague qui ne justifiait pas la rage de l'Anglais.

— Avant mon départ, on s'est battus, lui et moi. J'ai cassé une guitare à laquelle il tenait beaucoup. Car figure-toi que c'est un très bon musicien qui a déjà…

— Je m'en fous. Alors, la guitare et les arriérés de loyer, ça représente six mille ?

— Disons qu'une ou deux fois je lui ai tapé un peu de fric, mais pas grand-chose. Il fait un compte rond à son avantage, intérêts compris.

— Et pourquoi vous êtes-vous battus ?

— À cause de…

Jérôme s'interrompit, scruta sa sœur puis finit par hausser les épaules.

— Son petit copain, William. Un soir de beuverie, je l'ai mis dans mon lit.

Anne écarquilla les yeux, incrédule.

— Tu es gay ?

— Pas toujours.

— Oh, Seigneur !

Elle contourna la table et s'assit en face de son frère.

— Bon. Le problème reste entier, il faut qu'on trouve six mille euros pour se débarrasser de ce type.

Inutile de te dire que je n'ai pas ça sur mon compte courant.

— Peut-être que…

— Ne me parle pas de Paul, hein ? Il n'est pas question que je m'adresse à lui. Nous sommes en plein conflit, ce n'est pas le moment d'y mêler des histoires d'argent. De toute façon, vu vos rapports, il ne casserait pas des plans d'épargne pour voler à ton secours.

— Mais toi ?

— Nous sommes mariés, tout est à nos deux noms.

— Et ton notaire ?

— Tant que la succession ne sera pas close, il ne débloquera pas un seul euro. Je ne sais même pas s'il y a assez de liquidités pour payer les droits et garder la maison. Je suis coincée, il faut que je les demande à quelqu'un. Les parents ?

— Non ! Je leur ai trop souvent fait les violons avec toutes sortes de bobards, ils ne veulent plus rien savoir. Et six mille, ce serait vraiment beaucoup pour eux.

— Jérôme, tu es totalement immature, inconséquent… Tu vois dans quel bourbier tu t'es mis ?

— Maintenant tu y es aussi, tu t'es engagée. Pourquoi as-tu promis son fric à Jack ?

— Parce que tu ne fais pas le poids devant lui, qu'il va t'attendre au tournant et te réduire en bouillie !

À cela, Jérôme n'avait rien à rétorquer. Avec son mètre quatre-vingt-dix et sa carrure d'athlète, Jack l'effrayait. Lors de leur bagarre, à Londres, s'il ne l'avait pas à moitié assommé avec la guitare, il n'aurait pas eu la chance de s'enfuir.

— Je vais appeler Julien, décida Anne. Je lui demanderai s'il peut faire ça pour moi en le gardant pour lui, je ne tiens pas à ce que Paul l'apprenne.

— Sacro-saint Paul, marmonna Jérôme.

— Oh, je t'en prie !

— Pardon, mais ce serait plus simple si ton mari…

— Laisse-le tranquille. Julien est une meilleure solution, à condition qu'il accepte. Mais je ne peux pas l'appeler à la clinique, la secrétaire ne comprendrait pas, elle est fichue de me passer Paul. J'attendrai que Julien rentre chez lui ce soir.

Elle se leva, Goliath l'imita aussitôt et elle lui caressa les oreilles.

— Toi, tu es un véritable ami. Si tu avais des économies, je suis sûre que tu me les prêterais.

Jérôme se mit à rire, très soulagé par la tournure des évènements. Autant la présence de Jack l'avait angoissé, autant l'attitude de sa sœur lui rendait confiance. Elle avait trouvé une solution, il n'avait plus qu'à patienter quarante-huit heures et tout serait fini. Après, bien sûr, il aurait une dette envers elle, mais les dettes en famille ne signifiaient rien. Anne était potentiellement devenue riche, elle pouvait bien lui faire ce cadeau.

— À partir de demain matin, tu te cherches du boulot, promets-le-moi.

Promettre ne coûtait pas grand-chose et il acquiesça. Il ferait semblant de chercher pour lui faire plaisir, mais il ne comptait pas se mettre au travail. Pour faire quoi ? Un job insipide et mal payé ? La vie oisive lui convenait parfaitement pour l'instant. Il se sentait las de ses années d'errance et de galère, il voulait profiter d'un hiver tranquille pour faire le point. Au printemps prochain, il repartirait peut-être à l'aventure, ou peut-être pas. S'il était temps pour lui de se ranger, il ne voyait ni où ni comment. L'exemple de son frère et de ses sœurs n'avait rien d'encourageant, avec Valère qui peinait, Lily qui s'ennuyait et Anne qui se retrouvait au bord du divorce pour avoir eu son premier mouvement d'indépendance.

Il la suivit des yeux tandis qu'elle quittait la cuisine, le chien sur ses talons. Au fond, n'était-ce pas lui rendre service que la pousser à quitter Paul ? Délibérément, Jérôme avait jeté de l'huile sur le feu lors de la visite de son beau-frère et il s'en félicitait. Cet homme n'était pas fait pour la rendre heureuse, il ne comprenait rien à sa fantaisie. Le pousser à bout était très facile, et là il se montrait sous son vrai jour : un censeur, un emmerdeur.

Se souvenant qu'il n'avait toujours pas vidé le coffre de la voiture, il se décida à bouger. Au même instant, Anne rouvrit la porte à la volée et lui lança triomphalement :

— Je viens d'appeler papa pour lui demander s'il ne pourrait pas t'aider à trouver du travail. Il a encore beaucoup de relations à Biarritz, il m'a dit qu'il allait prospecter !

— Quelle bonne nouvelle, railla Jérôme. Je rêve d'un job de pion dans un collège ou de donner des cours de rattrapage à des élèves du primaire.

— Il faut bien que tu fasses quelque chose.

— Je m'en occuperai tout seul. D'ailleurs, j'ai eu une idée ces jours-ci dont il faut absolument que je discute avec toi.

Anne eut une moue dubitative mais lui fit signe de continuer.

— Si tu es vraiment déterminée à rester ici, je sais ce que nous pourrions faire tous les deux pour gagner un peu d'argent tout en restaurant la maison. Car il faut rentabiliser ton héritage, ma vieille. Et le truc pour y arriver, ce serait de faire des chambres d'hôtes, voilà ! Un projet fiscalement intéressant qui permettrait d'amortir des travaux, et en plus, ça mettrait de l'animation. Sinon, on va s'ennuyer à mourir.

— Je ne suis pas du tout prête à…

— Minute ! Réfléchis d'abord, Anne. La baraque est grande, il y a des pièces inutilisées au second qui feraient des chambres adorables. On commence avec trois, et je te promets qu'on aura des clients à longueur d'année.

— Léo voulait aménager une salle de billard là-haut.

— Mais il y a la place !

— Et qui avancera l'argent des travaux ? Je te rappelle que même pour tes six mille euros de dette, je suis obligée de taper un ami.

— Ça n'a rien à voir. Là, je te parle d'un projet rentable, quelque chose de professionnel. Tu peux faire un emprunt ou prendre une hypothèque. Demande conseil à ton notaire, je suis sûr qu'il me donnera raison.

Cette idée, qui lui était venue cinq minutes plus tôt et uniquement pour échapper à un éventuel travail dégotté par son père, lui paraissait de plus en plus attrayante. Enthousiaste, il poursuivit :

— Je peux faire beaucoup de choses moi-même. En premier lieu gérer le chantier de l'électricité et de la plomberie, ensuite m'attaquer tout seul aux peintures, au carrelage... Quand on sera prêts pour recevoir des hôtes, je m'occuperai de la communication, je te ferai un beau site Internet, et après je me chargerai de recevoir les clients si ça t'embête. Pendant ce temps-là, tu continueras à travailler tranquillement tes dossiers compta et on gagnera sur tous les tableaux ! Dernier avantage, et pas des moindres, tu prouveras à ton mari et à toute la famille que tu as eu mille fois raison de garder la bastide. C'est une mine d'or, Anne...

Ébranlée, elle le considérait sans rien dire, pesant le pour et le contre. Jérôme espéra qu'elle allait craquer car dans ce projet il devenait indispensable et assurait ainsi son avenir sans trop se fatiguer.

— Je vais y réfléchir, finit-elle par déclarer avant de ressortir.

La connaissant, elle prendrait des renseignements avant de se décider. Néanmoins, les gîtes ruraux ou les chambres d'hôtes faisaient fureur par ces temps de crise, et les touristes ne manquaient pas dans la région. Au fond, ce plan improvisé ne présentait que des avantages, même pour elle. Et imaginer la tête de Paul faisait déjà rire Jérôme. Après tout, la journée n'avait pas été si mauvaise malgré la visite de Jack. Si Anne obtenait l'accord de Julien pour les six mille euros, tout serait parfait.

— Il les lui donnera, dit-il entre ses dents. Il l'aime bien, il l'aime vraiment bien… Et dès qu'on aura la réponse, on s'offre une vodka-orange pour fêter ça !

Depuis des années il ne s'était pas senti aussi serein. Anne était une chic fille, et venir se réfugier chez elle avait été une idée de génie. Ensemble, ils allaient faire de grandes choses, et cette histoire de chambres d'hôtes était réellement prometteuse. Si ça marchait, plus personne n'aurait le droit de le traiter de pique-assiette, une perspective qui le réjouissait au-delà de toute mesure. Avec un peu de chance, il allait enfin devenir quelqu'un, et il était prêt à provoquer la chance par n'importe quel moyen.

10

Nous avions donc enterré maman dignement. Prévoyante, j'avais offert à notre père un caveau conçu pour deux et la dépouille maternelle put le rejoindre dans la tombe. L'enterrement fut sinistre, comme il se doit, hormis une ou deux facéties de la petite Anne qui balança généreusement toute la brassée de roses sur le cercueil lorsque ce fut son tour d'en jeter une. Je trouvai son geste drôle, voire touchant, mais il n'amusa pas Estelle. Pour interrompre le sermon qu'elle débitait à la malheureuse gamine, je lui fis remarquer qu'un cimetière n'était pas un lieu pour des enfants.

En les regardant partir ce jour-là, car ils avaient décliné notre offre de collation, j'eus le cœur un peu serré. Ils représentaient toute la famille Nogaro mais, hormis la petite Anne, ils avaient pauvre allure et m'étaient assez indifférents. Je me réfugiai contre l'épaule de Paul-Henri, qui avait le don de me consoler et qui restait mon meilleur ami, à défaut d'être un vrai mari.

Ce fut quelques mois plus tard qu'il tomba malade. Je me souviens qu'au début je n'étais pas très inquiète. On nous rebat les oreilles avec les progrès de la science, et nous avions les moyens de consulter les meilleurs spécialistes. Néanmoins, il s'agissait d'un cancer et nous nous préparions à une bataille sans merci contre le « crabe ».

« Se préparer » ? Ah, la pompeuse formule toute faite, empreinte d'un optimisme délirant ! Personne ne sera jamais prêt à voir s'approcher la mort à si grands pas, ni à supporter en l'attendant des traitements dégradants qui vous laissent aussi faible, chauve et nauséeux qu'un nouveau-né. Non, nous n'étions pas du tout prêts à subir l'artillerie lourde de la médecine impuissante qui, bien que vous ayant condamné sans vous laisser d'espoir, trouve judicieux de vous torturer jusqu'au dernier instant. Car à cette époque, les doctes praticiens n'administraient de la morphine que lorsqu'ils « baissaient les bras ». Je les aurais volontiers amputés pour soulager l'agonie de Paul-Henri !

Je me rendais chaque jour à son chevet, dégoûtée par l'atmosphère morbide de l'hôpital, incapable de prier un dieu auquel je ne croyais pas et qui, s'il existait, ne m'écouterait pas. Je tenais la main de Paul-Henri, lui lisais des journaux, lui racontais des futilités pour tenter de le distraire de sa souffrance et de sa terreur. Mais au fond de ma tête des questions d'ordre pratique s'agitaient. Par Pierre Laborde, toujours dévoué à ma cause, je savais les conjoints assez mal protégés en cas de décès, surtout s'il existait un héritier légitime, en l'occurrence ce fils dont Paul-Henri ne s'était jamais soucié. Je ne connaissais même pas son prénom, mais je devinais tous les ennuis qu'il allait me causer.

Pierre Laborde, qui suivait l'agonie de mon mari par téléphone, me pressait de lui faire rédiger un testament qu'il pouvait me dicter mot à mot, mais pour la première fois de ma vie je refusai de faire passer mes intérêts d'abord. Qu'allais-je mettre de force un stylo dans la main du mourant ! Nous réussissions, grâce à mes bavardages, à ne jamais évoquer la fin, nous faisions semblant de croire à une possible rémission pour nous apaiser mutuellement, et dans ce fragile équilibre il ne pouvait être question de testament.

Cependant, Paul-Henri y songea de lui-même, effaré de n'avoir rien prévu. Je le rassurai de mon mieux tout en songeant à la bastide qu'il n'avait pas eu l'opportunité de m'offrir et qui allait sans doute continuer à m'échapper. Or le vide qui s'ouvrait devant moi à l'idée de la disparition de Paul-Henri me la rendait encore plus chère. De manière impérieuse, je voulais rentrer chez moi, seul endroit au monde où je pourrais me passer de tout, d'argent comme de compagnie, où j'accepterais de devenir une vieille dame ignorée après avoir été si convoitée.

**

Anne reposa le cahier, songeuse. Elle n'avait que très peu de souvenirs d'enfance se rapportant à Ariane, pourtant elle avait dû percevoir inconsciemment sa bienveillance, son indulgence amusée pour la petite fille qui exaspérait Estelle et qui se démarquait de sa fratrie. Au fil des pages, Anne découvrait aussi ses parents sous un nouveau jour, peu flatteur, et même en tenant compte du cynisme d'Ariane, leur portrait était glaçant.

Un coup d'œil à sa montre lui apprit qu'il était temps de descendre si elle voulait être là pour accueillir Julien. Il avait été tout de suite d'accord pour lui prêter les six mille euros, sans poser la moindre question, et il avait fait un virement bancaire dans la journée. Comme prévu, Anne s'était débarrassé du menaçant Jack tandis que Jérôme restait enfermé dans sa chambre. Une lâcheté nécessaire pour clore l'affaire sans en venir aux mains, car Anne devinait que l'argent n'était pas l'unique motif de la visite de l'Anglais, l'infidélité de son petit copain lui restant apparemment sur le cœur.

Depuis deux jours, Anne se demandait pourquoi elle n'avait pas compris plus tôt que son frère avait un penchant pour les garçons. Certes, il prétendait que ce n'était qu'*occasionnel*, pourtant ça expliquait beaucoup de choses, entre autres le fait qu'il soit toujours seul à trente-quatre ans alors qu'il était plutôt séduisant et gentil.

Gentil ? Anne en doutait parfois, ayant l'impression désagréable de se laisser manipuler. Jérôme n'était venu chez elle que parce qu'il n'avait aucun autre endroit où aller, sachant qu'elle ne l'abreuverait pas de sermons, contrairement au reste de la famille. Devant sa petite sœur, il pouvait être lui-même, sans chercher à dissimuler ses défauts, paresse ou lâcheté. Néanmoins, son projet de chambres d'hôtes, sans doute concocté pour les besoins de sa propre cause, n'était pas stupide.

À peine arrivée en bas de l'escalier, Anne entendit le grondement sourd de la moto, un bruit familier qu'elle reconnaissait toujours avec plaisir. Julien se débarrassa de son casque et de ses gants avant de l'embrasser, puis il la prit par les épaules pour la regarder bien en face.

— Tu as des ennuis, Anne ?

— Non, grâce à toi je n'en ai plus. Et ce n'était pas moi mais Jérôme. Ah, il n'est pas de tout repos !

Julien hocha la tête, apparemment soulagé, tandis qu'elle s'empressait de préciser :

— Je te rembourserai dès que possible, promis.

— Je ne suis pas pressé. Qu'a-t-il encore inventé, ton frère ? D'après Paul, c'est le pire des arnaqueurs et des affabulateurs.

— Tu lui en as parlé ? s'écria-t-elle.

— Bien sûr que non. Mais il clame son opinion sur Jérôme depuis belle lurette.

— Il ne l'aime pas beaucoup, et malheureusement, c'est réciproque. On se sert un petit apéritif sur les marches ?

— Ton salon de jardin ? ironisa-t-il en désignant le perron.

Il l'accompagna à la cuisine où ils prirent une bouteille et deux verres. La fin d'après-midi était d'une grande douceur, avec un petit vent tiède qui apportait une odeur d'iode.

— Quand il était à Londres, Jérôme a fait l'idiot, et il devait de l'argent à un de ses anciens colocataires qui n'a pas hésité à venir le relancer jusqu'ici. Un type pas commode, du genre prêt à tout, on aurait dit une dette de jeu avec des mafieux ! J'ai voulu sortir mon frère de cette embrouille avant qu'elle ne tourne mal, tout en laissant nos parents en dehors de l'histoire. Or je ne voyais pas à qui m'adresser à part toi…

— Tu as bien fait.

— Oui et non. Je me rends compte que je t'ai mis dans une situation impossible vis-à-vis de Paul. C'est ton ami, ton associé, et je te demande de lui cacher quelque chose qui concerne sa femme. Tu dois te sentir mal, j'en suis désolée.

— Ne t'en fais pas pour ça.

— Évidemment, j'ai demandé à Jérôme d'être discret mais une gaffe est vite arrivée. En plus, j'ai horreur des cachotteries !

— Moi aussi, pourtant il existe des circonstances particulières. On ne doit pas être rigide et décider qu'on fera *toujours* ça ou ça, le mieux est de gérer au cas par cas.

Anne le dévisagea, ébaucha un sourire.

— Si seulement Paul était aussi ouvert... En ce moment, j'ai l'impression qu'il est taillé d'un seul bloc, sans la moindre faille. La dette de Jérôme l'aurait rendu fou de rage et je ne pense pas qu'il l'aurait payée.

Ils restèrent silencieux un moment, sirotant leur vin blanc à petites gorgées. Le soleil disparaissait déjà derrière la cime des pins, atténuant la lumière éblouissante de la clairière.

— J'adore les soirées d'été, dit-elle d'une voix songeuse. Et j'adore cet endroit.

— Tu l'annonces comme si tu posais un ultimatum. Quand on te connaît, on se doute bien que tu ne vas pas bouger d'ici.

— Si c'était toi mon mari, qu'est-ce que tu ferais ?

La question, trop personnelle et trop directe, parut embarrasser Julien qui secoua la tête sans répondre. Au bout de quelques instants, il murmura d'une voix tendue :

— Je ne peux pas me mettre à la place de Paul.

— Mais tu crois que j'ai tort ? Que je devrais tout bazarder ?

— Peu importe ce que je crois.

— Dis-le-moi, j'ai besoin d'un avis extérieur, impartial. Parfois, je me sens très égoïste.

— Pourquoi ?

— Ma décision a semé une telle pagaille ! J'ai envie de reculer, tout annuler, faire ce qu'on attend de moi et que les choses rentrent dans l'ordre.

— Comme une gentille fille, hein ? Eh bien… Non, tu n'es pas obligée de te conformer aux désirs des autres. D'ailleurs, à force de se contraindre, on explose. Mais d'un autre côté, ton mari ne cédera pas, alors il faut que tu saches bien ce que tu veux, Anne.

— Je n'en reviens pas qu'on en soit arrivés là.

Elle posa son verre à côté d'elle, sur la pierre, et poursuivit :

— Je vais te dire un truc que je n'ose avouer à personne, même pas à Paul. Depuis que je suis ici, j'ai l'impression de revivre. J'ai des projets, des envies, des buts ! Une porte s'est ouverte sur un nouvel univers, plein de possibilités. À Castets, je m'étais endormie à force de ronronner. Le mariage, un enfant, on a construit la maison, vous avez monté la clinique, j'ai constitué ma petite clientèle… et ensuite, plus rien n'a bougé. C'était comme si on avait réglé notre existence une fois pour toutes.

— En somme, tu étais insatisfaite ? Pourquoi n'en as-tu jamais discuté avec Paul ?

— Tu me vois disant à un homme qui m'aime et qui travaille du matin au soir pour nous assurer une bonne vie que j'ai du vague à l'âme ? Je ne suis pas totalement immature, nous vivons dans un monde difficile et injuste où, quand tout va bien, on n'a vraiment pas le droit de se plaindre. D'ailleurs, je n'avais pas conscience du manque, je n'aurais pas pu mettre des mots sur mon malaise. Sans cette maison qui m'est tombée dans les bras, ma vie aurait continué à suivre un cours tranquille.

— Jusqu'à quand ? Dans quatre ou cinq ans, Léo sera parti et tu n'auras que quarante ans.

Elle médita ses paroles, reprit une gorgée tandis qu'il l'observait.

Jérôme m'a donné une idée qui, pour une fois, n'est pas trop farfelue. Il suggère de faire des chambres d'hôtes, ça me paraît intéressant et j'y réfléchis. Mais si je lance l'affaire, Paul comprendra que…

La phrase resta en suspens, et finalement Julien acheva pour elle :

— Je crois qu'il a déjà compris, Anne. Et il est très malheureux, ça se voit.

Elle se mit à pleurer sans bruit, de grosses larmes roulant le long de ses joues. Julien attendit un peu puis lui passa un bras autour de la taille et l'attira à lui pour qu'elle s'appuie sur son épaule. De sa main libre, il caressa ses cheveux tout en chuchotant d'une voix apaisante :

— Ne t'en fais pas… Tu verras, tout finit toujours par s'arranger, même les pires choses… Vous vous aimez, Paul et toi, vous devriez vous en sortir.

— Mais non, c'est terrible, on n'y arrivera pas ! Maintenant il y a un gouffre entre lui et moi, et quand tu dis qu'on s'aime, je me demande si c'est vrai. Paul, qui se prétendait prêt à tout pour moi, n'est pas prêt à grand-chose. À cause de lui, je pleure tous les soirs en m'endormant, tu trouves ça normal ?

Parler et pleurer en même temps la faisait hoqueter. Elle se serra davantage contre Julien, la tête dans son cou, laissant enfin éclater le chagrin qu'elle dominait la plupart du temps. Perdre Paul lui était odieux mais devenait inéluctable, elle devait finir par s'y résoudre puisqu'il n'existait pas d'alternative.

— Laisse-toi aller, souffla Julien, ça te fera du bien.

Il ne la jugeait pas, ne lui donnait pas de conseils, ne l'exhortait pas à se calmer et elle lui en fut reconnaissante. Avant elle, il avait vécu une séparation déchirante, il pouvait comprendre ce qu'elle éprouvait. Quelques minutes s'écoulèrent sans qu'ils bougent, collés l'un à l'autre, puis elle prit conscience de ce bras solide autour d'elle, de cette respiration dans ses cheveux. Julien sentait bon, il avait dû se doucher avant de venir. Sous la joue d'Anne, sa peau était chaude, douce. Avec un peu de retard, elle devina ce qui allait arriver mais ne fit rien pour l'empêcher.

**

Jérôme se redressa et recula silencieusement. Pas question que sa sœur l'aperçoive quand elle se déciderait à s'écarter de Julien. Penché à la fenêtre de sa chambre, il les observait depuis dix minutes et avait bien compris que ces deux-là finiraient par s'embrasser, si surprenant que ce soit. Il avait aussi entendu toute leur conversation et, Dieu merci, Julien ne semblait pas pressé d'être remboursé. Le petit flirt qui avait suivi expliquait pourquoi.

Il s'avança de nouveau, risqua un coup d'œil. À présent, ils étaient debout face à face, en train de se regarder avec stupeur. Julien était rouge, et Anne toute pâle. Jérôme réprima son envie de rire à les voir aussi empêtrés. L'instant était à la culpabilité et à l'effroi, alors qu'il n'y avait pas de quoi fouetter un chat. Julien était un naufragé du mariage, et Anne en train de le devenir, ils avaient partagé une seconde leur besoin d'être rassurés, la belle affaire ! De toute façon, il existait une attirance entre eux, qu'ils devaient être les seuls à n'avoir pas sentie.

— Tu es mal barré, mon petit Paul…

Ce qui ne chagrinait pas Jérôme, loin de là. Peut-être même pourrait-il tirer parti de la situation. Pour l'instant, il allait se taire, faire celui qui ne savait rien et garder son atout dans sa manche.

En bas, Julien paraissait vouloir remonter sur sa moto pour s'enfuir mais Anne l'en empêchait. Elle s'était recomposé en hâte le visage souriant de la bonne copine prête à faire comme si de rien n'était. Ben voyons ! Le dîner promettait d'être plein de silences éloquents et de regards gênés. Mais au fond, elle avait raison de le retenir, si elle le laissait partir il ne reviendrait pas.

Après avoir repoussé doucement les battants de la fenêtre, il les rouvrit à grand bruit.

— Vous buvez sans moi ? cria-t-il. Je descends !

Il se précipita dans la galerie, dévala l'escalier et déboucha sur le perron.

— Julien, je voulais te remercier, claironna-t-il, la main tendue.

Puisque Anne avait vendu la mèche en racontant ses déboires, autant se montrer reconnaissant.

— Je ferai tout mon possible pour te rembourser au plus vite. Et je crois que j'ai trouvé le moyen de gagner de l'argent. Est-ce qu'Anne t'a parlé de mon idée de chambres d'hôtes ?

— Euh… oui, bredouilla Julien qui essayait de se donner une contenance.

— Alors, qu'en dis-tu ?

— Je suppose qu'il faut y réfléchir, faire une simulation de budget et le tour des banques, répondit-il prudemment.

— En tout cas, ce serait un moyen de s'occuper de la maison, et de s'occuper tout court !

Julien lui lança un regard indéchiffrable, pas forcément bienveillant.

— Pour un projet qui m'intéresse, insista Jérôme, je peux me montrer beaucoup plus efficace qu'on ne l'imagine.

Une manière de contrer le jugement peu flatteur de Paul qui le traitait d'affabulateur et d'arnaqueur, ce qu'il ne digérait pas.

— Je vais préparer la pâtée de Goliath, décida Anne.

Elle devait avoir besoin de se reprendre et elle s'éloigna, lissant son tee-shirt d'un geste machinal.

— J'adore ma sœur, laissa tomber Jérôme d'une voix pénétrée. Et je trouve que cette maison lui va bien.

Paul est fou de s'être braqué comme ça ! En tant qu'ami et associé, tu ne peux pas le convaincre de mettre un peu d'eau dans son vin ?

— Je ne me mêle pas de sa vie privée.

— Mais tu as bien une opinion ?

— Se séparer pour une maison, c'est affligeant.

— Je ne sais pas s'il a pris la mesure de la situation. Il croit qu'il va pouvoir bouder pendant des mois jusqu'à ce que sa femme revienne ? Pendant qu'il fait la gueule, tout peut arriver. Anne est jolie comme un cœur, il va y avoir des volontaires pour la consoler ! Tiens, cet agent immobilier qui n'arrête pas de la relancer...

Comme prévu, Julien réagit en fronçant les sourcils, tandis que Jérôme poursuivait, impitoyable :

— Et il n'est pas le seul. Enfin, ce que j'en dis... Je te ressers un peu de vin ?

Il s'appropria le verre d'Anne et trinqua avec Julien. Il lui avait donné suffisamment de quoi s'inquiéter pour l'empêcher de disparaître après cette soirée, espérant que sa jalousie éveillée contrebalancerait sa culpabilité. Du coin de l'œil, il l'observa un instant. Sa séduction provenait de ses grands yeux sombres, d'un brun velouté, de la ligne de sa mâchoire, plutôt volontaire, et de sa carrure athlétique. Viril, chaleureux, son sourire dévoilait de jolies petites dents, et ses cheveux un peu trop longs ainsi que son énorme moto lui donnaient un côté vaguement rebelle. Jérôme comprenait parfaitement sa sœur d'avoir été sensible à son charme.

— Anne aura-t-elle envie d'avoir en permanence des étrangers dans sa maison ? interrogea Julien.

— Elle est très sociable, elle aime les gens, les rencontres... Tout ce qu'elle n'a pas quand elle s'enferme avec ses dossiers compta ! Vraiment, Paul a été à côté de la plaque avec elle. Même s'il ne l'a pas fait de façon délibérée, il l'a isolée, alors forcément elle a sauté sur l'occasion offerte par le testament de la tante Ariane. Maintenant, elle est partie pour une autre vie, vogue la galère !

— Et tu crois que ça se fait en claquant des doigts ?

Julien devait penser à son propre divorce, à ce bouleversement de son existence qu'il avait si mal vécu.

— Elle y arrivera très bien, dit posément Jérôme.

Du moins l'espérait-il car à présent il voulait vraiment qu'Anne garde la maison. Il était bien là et il comptait y faire son trou, au moins pour un petit moment. Il se resservit un verre qu'il vida en deux gorgées avant de laisser échapper un soupir de satisfaction.

*⁎

Suki n'en revenait pas, elle n'osait même pas y croire, pourtant il s'agissait du second test de la matinée car elle était ressortie en courant pour en racheter un à la pharmacie. Mais c'était là, sous ses yeux, et à force de contempler les résultats la vérité s'imposa enfin : elle était enceinte.

Enceinte ? Elle se mit à courir autour de la chambre en poussant des cris de guerre, puis s'arrêta net, déjà inquiète pour le futur bébé. Elle attendait un bébé... Une vague de joie la submergea, monta jusqu'à sa gorge, à son sourire, à ses yeux. Immobile devant le miroir, elle se regarda longuement. Les dieux avaient enfin exaucé ses prières ! Ou un seul Dieu, s'il était unique, et une seule prière, toujours la même depuis des années.

Comment allait-elle annoncer la nouvelle à Valère ? Devait-elle attendre ? Avant tout, un rendez-vous chez son gynécologue s'imposait, pour confirmation. Mais le pharmacien avait affirmé que ces tests étaient absolument fiables, et au fond d'elle-même elle sentait bien que c'était vrai. Elle mit ses mains en coupe comme si elle y enfermait un oisillon, puis elle souffla dessus, formant toutes sortes de vœux pour l'enfant à venir.

Se rhabillant à la hâte, elle décida que dès le lendemain elle chercherait ses aiguilles à tricoter, oubliées au fond d'un placard, et achèterait de la laine blanche, toute douce. Fille ou garçon, le blanc irait très bien. Elle commencerait par de petits paletots avant de se lancer dans la confection plus délicate de chaussons. En attendant, et tant qu'elle n'aurait pas mis Valère au courant de la merveilleuse nouvelle, elle se contenterait d'aligner des prénoms sur un petit carnet. Peut-être un prénom composé ? Entre deux clients, elle allait s'amuser comme une folle, le cœur battant au rythme de cette vie qui naissait en elle.

Elle claqua la porte de l'appartement et descendit rouvrir le magasin. Est-ce que l'odeur entêtante des fleurs lui donnerait mal au cœur lors des semaines à venir ? Peu importait, elle était prête à tout supporter, nausées, fatigue ou autres misères, sans jamais se plaindre. Jamais ! Et après la naissance, elle élèverait cet enfant de son mieux, en le choyant, le vénérant, mais en lui faisant respecter les valeurs auxquelles elle était attachée. Des années merveilleuses s'étendaient devant elle, déjà pleines de son amour pour Valère et enrichies par l'arrivée de cet enfant si ardemment désiré.

Rayonnante de bonheur, elle accueillit son premier client avec un tel sourire qu'il en oublia une seconde ce qu'il était venu acheter.

**

Lily avait rejoint sa mère à Biarritz pour ce qu'elle appelait une après-midi entre femmes. Plus précisément, elle faisait le tour des boutiques de mode en bavardant avec Estelle qui l'écoutait toujours béatement, et sans être harcelée par ses deux insupportables filles.

— Comment me trouves-tu ? demanda-t-elle en sortant de la cabine d'essayage.

Elle fit quelques pas sur ses hauts talons, virevolta et s'arrêta devant sa mère.

— Ravissante, ma chérie.

— Oui, mais cette robe ? Pas trop courte ?

— Tout te va. Et puis tu es bronzée, c'est joli.

Avec une petite moue dubitative, Lily s'étudia dans la glace en pied. La robe, minuscule, était faite pour une jeune fille, pas pour une femme de quarante ans, néanmoins elle lui plaisait.

— J'hésite…

— Je te l'offre, proposa Estelle.

Leur shopping se terminait souvent de cette manière, par un cadeau d'Estelle qui ne savait rien refuser à sa fille aînée et qui adorait passer du temps en tête à tête

300

avec elle. N'ayant jamais été férue de mode, elle admirait la manière dont Lily s'habillait et savait se mettre en valeur. Dans la rue, les hommes la regardaient, lui souriaient volontiers, et Estelle se sentait fière d'elle. Ne l'avait-elle pas toujours été ? Petite fille, Lily se tenait droite et ne salissait pas ses vêtements, alors qu'Anne boutonnait ses gilets de travers et ne remontait pas ses chaussettes tire-bouchonnées. Lily se taisait sagement tandis qu'Anne chantait à tue-tête des heures durant. Lily avait toujours des notes correctes mais les résultats scolaires d'Anne étaient en dents de scie.

Estelle sortit sa carte bancaire pour payer à la caisse, se disant vaguement, comme chaque fois, qu'elle aurait pu acheter un foulard ou une babiole pour Anne. Mais non, désormais ce serait ridicule et injuste, Anne étant devenue la *nantie* de la famille.

— Tu connais la dernière de ta sœur ? demandat-elle en tapant son code. Elle veut faire des chambres d'hôtes ! Je l'ai su par Jérôme et je n'en reviens pas. Si elle s'est mis en tête de transformer sa baraque en un genre d'hôtel ou assimilé, c'est qu'elle est vraiment décidée à y rester. Je trouve ça dément ! La dernière fois que j'ai eu Paul au téléphone, il a été glacial, comme si j'y pouvais quelque chose…

— Il a aussi appelé Éric pour lui demander s'il connaît un avocat.

— Tu veux rire ? s'étrangla Estelle.

Elle avait prévenu Anne qu'elle risquait de perdre Paul, mais sans y croire vraiment. Paul était très amoureux de sa femme, très concerné et attentif, toujours prêt à la défendre, et voilà qu'il cherchait un avocat pour divorcer ? Non, pas lui, il n'était pas homme à laisser détruire son foyer par des bêtises ou par un malentendu.

— Si tu savais à quel point j'en veux à cette toquée d'Ariane ! Avec son testament inique elle a délibérément semé la zizanie dans notre famille. Et Anne n'a rien vu venir, trop contente d'hériter. Ça a commencé avec l'affreux chien qu'elle a voulu recueillir, or si Paul n'en avait pas repris après la mort du leur c'est bien qu'il en a par-dessus la tête des animaux. Mais Anne s'en fiche, elle le lui a imposé, et après elle a voulu lui imposer la maison, mais là il ne s'est pas laissé faire, je le comprends. Alors elle s'est arrangée pour que Jérôme vienne lui tenir compagnie, et maintenant elle va l'embrigader dans son histoire de chambres à louer, comme si c'était une situation pour lui !

— Oh, Jérôme… Il est peut-être bien content d'avoir trouvé un endroit où se poser.

— Ce n'est pas un service à lui rendre, comme dirait ton père.

Lily haussa les épaules, peu concernée. Certes, elle enviait Anne car elle aurait adoré bénéficier d'un pareil coup de chance, mais, égoïstement, elle ne se souciait guère de ses frères et de sa sœur. Sa préoccupation principale était de plaire, et de profiter de la fin de l'été pour faire des rencontres. En robe légère ou en maillot de bain, elle séduisait encore mais avait conscience que, arrivée à la quarantaine, son temps était compté. Discrète, elle trouvait toujours un prétexte pour s'éloigner d'Hossegor afin de ne pas croiser quelqu'un qu'elle connaissait ou, pire, ses deux filles. Celles-ci affectionnaient les plages océanes mais ne dédaignaient pas une après-midi sur la plage blanche du lac, bref, elles étaient partout. Lily prenait donc sa voiture et filait cap au nord le long de la côte, vers Vieux-Boucau ou Saint-Girons. À chaque aventure, elle se promettait que ce serait la dernière, en toute mauvaise foi, puis l'angoisse de vieillir revenait, l'ennui se réinstallait et elle repartait en chasse.

— Tu ne m'écoutes pas, se plaignit Estelle.

Lily lui adressa un sourire artificiel. Sa mère ne la connaissait pas, ne la comprenait pas, la prenait pour une autre, et elle n'avait jamais eu le courage de la détromper. À quoi bon ? Estelle se trouvait heureuse comme ça, et pour Lily, être la préférée ne présentait que des avantages. Enfant, elle s'était parfois demandé pourquoi Anne ne faisait pas comme elle en se tenant tranquille afin d'échapper aux remontrances maternelles, pourquoi elle ne choisissait pas l'hypocrisie ou le mensonge, si commodes. Mais Anne était spontanée, franche, dissipée. Plus tard, elle s'était mise à plaire aux garçons sans même y prêter attention alors que Lily, sous ses airs de sainte-nitouche, avait toujours tout mis en œuvre pour qu'ils s'intéressent à elle. Les rapports des deux sœurs n'avaient jamais été formidables, néanmoins Lily aimait bien Anne, avec cette sorte de distraction qu'elle mettait dans toutes ses affections, son mari compris. Et jusqu'ici, elle ne s'était pas posé beaucoup de questions au sujet de sa petite sœur. Cependant, cette histoire d'héritage touchait une corde sensible et l'agaçait. Si la maison lui était revenue, Lily aurait su en profiter, la transformant en résidence secondaire où elle aurait pu recevoir en secret dans la semaine. La liberté ! Et le frisson de l'interdit…

— Tiens, j'entre là une minute, annonça Estelle.

Elles se trouvaient square d'Ixelles, devant l'office du tourisme.

— Qu'est-ce que tu veux y faire ? bougonna Lily.

— Me renseigner sur les chambres d'hôtes. Savoir si ça marche, si…

— Tu n'as pas besoin d'aller le leur demander, il est évident que ça marche très bien. Ne te fais pas de souci pour Anne, l'idée est bonne, voire rentable. La bastide est tout près des plages, dans un coin privilégié qui plaira beaucoup.

— À condition d'aimer l'isolement !

— Il y a des fanatiques. La pinède, les dunes, l'océan : une image d'Épinal pour les vacanciers.

Lily mit son bras sous celui d'Estelle et l'entraîna. Elles avaient mieux à faire que perdre leur temps à poser des questions superflues. Dans les rues proches du casino, Lily voulait encore faire du lèche-vitrines, et peut-être un ou deux achats supplémentaires.

*
**

Julien s'était résigné à pratiquer lui-même l'euthanasie sur le vieux terre-neuve. En pleine crise d'urée, ses reins ne fonctionnaient plus du tout et il était très mal en point. Après une première piqûre de calmant, Julien avait fait la deuxième injection, mortelle, sans cesser de parler doucement à l'animal, jusqu'à ce que ses fonctions vitales s'arrêtent.

Brigitte, venue l'assister, s'était chargée de réconforter le maître et de le faire sortir quand tout avait été fini. Découragé, Julien était allé chercher Paul pour l'aider à porter le corps du chien jusqu'à la chambre froide, à l'arrière de la clinique. Il serait ensuite déposé dans un centre d'incinération.

— Tu aurais dû m'appeler, fit remarquer Paul en observant le visage défait de son associé.

— Non, tu n'es pas le « tueur » attitré ici, tu l'as assez dit.

Julien tenta un sourire qui ne fut qu'une grimace triste. Abréger les souffrances du gentil terre-neuve qu'il soignait depuis des années l'avait secoué, comme toujours, et en plus il avait beaucoup de mal à regarder Paul en face. Le baiser échangé avec Anne le culpabilisait affreusement, il était stupéfait d'avoir pu se laisser aller. Certes, Anne lui plaisait, peut-être même depuis qu'il avait fait sa connaissance, mais il avait occulté sans problème son attirance pour elle. Et voilà qu'il profitait d'une crise de couple pour provoquer un flirt ! Son échelle de valeurs, plutôt solide, s'en trouvait très ébranlée. Comment pouvait-il aider Paul et lui offrir son amitié après avoir embrassé sa femme ? Qu'elle ait été tout à fait consentante ne changeait rien à l'affaire, c'était bien lui le traître, le sale type. Anne était perdue et malheureuse en ce moment, elle n'avait vraiment pas besoin d'un faux ami malintentionné. Que s'était-il passé, sur ce perron ? Une seconde de désir mutuel ? La tête d'Anne sur son épaule, des larmes qu'il avait eu envie de sécher, la douceur d'une soirée d'été, et l'erreur de la prendre dans ses bras pour la serrer contre lui. Un geste trop tendre, qui avait mal tourné. Et dont il aurait dû se méfier, car à l'époque où Anne l'avait gentiment consolé du départ de sa propre femme, il y avait déjà eu des instants de ce genre, toujours maîtrisés mais parfois ambigus.

— Tu viens dîner à la maison ? proposa Paul.

— Non, je…

— Allez, fais-moi plaisir, j'en ai assez d'être tout seul ! Pas toi ?

— Tu pourrais ne pas l'être.

Paul haussa les épaules, peu disposé à en discuter. Depuis quelques jours, il fuyait toute allusion à sa situation avec Anne.

— J'ai encore une petite chatte à voir, prétexta Julien qui ne savait pas comment décliner l'invitation.

— Pendant ce temps-là, je vais faire la paye de Brigitte.

C'était toujours Anne qui s'en était chargée jusqu'ici, comme de toute la comptabilité de la clinique, mais apparemment Paul voulait reprendre les choses en main.

— On fermera ensemble, ajouta Paul, péremptoire.

Impossible d'échapper à cette soirée qui s'annonçait redoutable. Mais il y avait toujours un prix à payer pour les erreurs, autant se résigner. Julien resta un moment avec son dernier client, très bavard, puis il retrouva Paul qui l'attendait près du comptoir de la secrétaire.

— Il faut qu'on se préoccupe d'une intérimaire, Brigitte va bientôt partir en vacances.

Avec les remplaçantes, il y avait presque toujours des problèmes, l'agence leur envoyant des candidates mal formées à ce genre de travail. D'abord, Castets était loin de tout, ce qui en décourageait certaines, d'autres avaient peur des animaux, bien qu'elles aient prétendu le contraire sur leur CV, et quelques-unes ne comprenaient rien à l'informatique et n'arrivaient pas à gérer les dossiers des clients.

— J'espère qu'on aura de la chance cette année, marmonna Julien.

Mais la chance ne semblait pas précisément au rendez-vous ces temps-ci.

— Toujours pas de copine ? demanda Paul en lui tapant gentiment sur l'épaule.

Il lui posait régulièrement la question, étonné par la solitude de son associé. Avec sa moto, Julien pouvait filer à Dax, ou bien Hossegor et Capbreton, s'offrir de bonnes soirées et faire des rencontres. Pourtant il n'en avait pas eu envie jusqu'ici, trop sonné par son divorce, trop pris par son travail.

— J'attends la fin de l'été, ensuite je me remettrai à sortir. Mais je ne tiens pas à m'enticher d'une Parisienne ou d'une Espagnole rencontrée dans les vagues et qui disparaîtra en septembre !

Il ne mentait qu'à moitié, l'afflux des vacanciers sur les plages le décourageait, et il n'avait jamais su draguer. Ramener à la maison une fille pour un soir et se dire au revoir le lendemain matin, un peu gênés et plus du tout séduits, lui laissait toujours un goût amer.

En rejoignant Paul chez lui, il eut devant la porte un vrai mouvement de recul et il dut se forcer à entrer. Combien de fois était-il venu déjeuner ou dîner dans cette petite maison, en toute confiance ? Au-delà de leur association professionnelle, Paul était devenu un ami, Anne aussi. Et à présent, par sa faute, il n'éprouvait plus que de la gêne, de la honte. Mais que faire ? Avouer la vérité à Paul n'arrangerait rien, bien au contraire. Pour se déculpabiliser un peu, il aurait au moins pu lui parler de ce prêt consenti à Jérôme, toutefois ce serait trahir Anne et ce n'était pas mieux. Quoi qu'il fasse, il avait décidément le mauvais rôle.

— Je te fais une bonne salade landaise, annonça Paul en sortant des magrets fumés du réfrigérateur. Et j'ai un fromage de brebis dont tu me diras des nouvelles !

Julien esquissa un sourire, sincère cette fois. S'être séparé d'Anne ne coupait apparemment pas l'appétit à Paul qui ajouta :

— Dimanche, je préparerai un salmis. J'ai des palombes dans le congélateur, et Léo adore ça.

— Quand rentre-t-il ?

— Samedi. Il passera dimanche avec moi, je suppose qu'il aura une foule de choses à raconter, et ensuite il ira chez sa mère s'il le souhaite.

Il l'énonçait calmement mais il n'avait pas prononcé le prénom de sa femme. Julien se souvint qu'il en avait longtemps fait autant après le départ de la sienne.

— Tu t'entends, mon vieux ? Tu dis « sa mère » au lieu d'« Anne » comme si vous étiez divorcés ! Tu as vraiment tiré un trait sur ton mariage ? Je te préviens, tu fais la pire bêtise de ta vie, et tu la fais sans une seule raison valable. Ce ne serait pas si difficile de sortir de l'impasse avec un peu de bonne volonté. Si tu veux mon avis, et même si tu n'en veux pas, tu te conduis comme un con !

Sa virulence le surprit lui-même. Pourquoi se faisait-il l'avocat du diable ? Pour se racheter ? Mais il pensait sincèrement qu'au-delà du fait qu'Anne était jolie, elle possédait de solides qualités, un caractère agréable, une personnalité originale, et que de surcroît elle formait avec Paul un bon couple. Il avait souvent envié leur entente, leur complicité, leur amour sans nuage. Alors peu importait qu'elle lui plaise ou même qu'il en soit secrètement amoureux, il détestait le gâchis qu'il avait sous les yeux.

— J'étais prêt à toutes les concessions pour que ma femme ne parte pas, avoua-t-il, pour qu'on puisse recoller les morceaux et poursuivre notre route ensemble. Mais elle ne m'aimait plus, et tout ce que j'ai pu dire ou faire n'a servi à rien. Alors qu'Anne et toi vous vous adorez, et malgré ça vous allez tout foutre en l'air.

— Est-ce qu'on s'adore ? demanda Paul d'une voix songeuse.

Il se tourna vers Julien qu'il scruta avant de hausser les épaules et de marmonner :

— Ta conclusion est intéressante, vieux !

— Ah bon ? Je ne te suis pas.

— Quand on s'aime, on fait attention à l'autre, on en prend soin. Or Anne et moi... Elle est partie d'ici, Julien. Et je refuse de la rejoindre où elle est.

— À quelques malheureux kilomètres !

— Ce n'est pas un problème de distance. Aucun de nous n'a cédé, moi par orgueil, je l'admets, et elle parce qu'elle souhaitait à l'évidence une autre vie. Pour des gens qui s'adorent, ça laisse à désirer, non ? Maintenant, on va parler d'autre chose et essayer de passer une bonne soirée.

Le ton froid qu'il employait était peut-être une façon de se protéger mais Julien en fut déstabilisé. S'était-il trompé sur le compte de Paul ? Il croyait le connaître, pourtant il avait l'impression de se trouver devant un mur. Il le regarda préparer sa vinaigrette en quelques gestes précis, hacher une échalote, donner quelques tours de moulin à poivre, verser un filet d'huile de noix.

— Mais tout de même, dit-il d'une voix soudain moins assurée, avant qu'on ferme la parenthèse je dois t'avouer que j'ai pris rendez-vous avec un avocat. Et ça, je ne sais pas comment je vais l'annoncer à Léo…

Il parut se voûter un peu, puis il releva la tête et Julien vit son expression désespérée. S'inquiétait-il au sujet de son fils ou réalisait-il enfin qu'il allait perdre Anne ?

— Pour l'instant, suggéra Julien, laisse Léo en dehors du conflit.

— Oh, il va poser des questions !

— Ne lui donne pas de réponses définitives, tu ne les connais pas.

Paul eut un petit rire authentiquement gai.

— Tu es un vrai copain, toi ! Si je ne t'avais pas…

Sa déclaration, anodine, bouleversa Julien et fit revenir tout son malaise d'un coup. Un vrai copain n'aurait évidemment pas embrassé sa femme dans son dos. Et cet instant de faiblesse risquait de le poursuivre longtemps puisqu'il était condamné à se retrouver en face de Paul chaque matin.

— Je me demande si je ne vais pas refaire cette cuisine de fond en comble. Elle a pas mal vieilli en dix ans. Comme nous tous !

Allait-il chercher à changer de décor pour mieux effacer Anne de sa vie ? Peut-être avait-il seulement besoin d'un projet quelconque pour s'occuper quand il rentrait chez lui. Il n'était pas le genre d'homme à noyer son chagrin dans l'alcool, ni à passer ses soirées à pleurer sur son sort. Il trouverait des dérivatifs, continuerait à avancer la tête haute quoi qu'il lui en coûte, en refusant d'admettre qu'il avait fait son malheur lui-même.

— Et tes jumeaux, tu les vois quand ?

Comme il l'avait annoncé, il ne serait plus question d'Anne durant le dîner. Julien avait l'appétit coupé mais il se força à prendre de la salade de magrets avant de se mettre à parler de ses fils, un sujet plus facile pour lui.

***

Quand je n'étais pas à l'hôpital, au chevet de Paul-Henri qui déclinait, je retournais errer autour de la bastide, irrésistiblement attirée. La pinède embaumait, le temps était radieux, il y avait une sorte de joie dans l'air qui contrastait affreusement avec mon état d'esprit.

Je connaissais par cœur tous les abords de ces quatre hectares enclavés, au centre desquels la maison demeurait invisible, hors de portée. Or un matin, j'eus enfin un coup de chance. Des animaux ou des rôdeurs avaient forcé un passage à travers le grillage, et sans hésiter ni prendre garde à mon chemisier de soie, je m'y faufilai. Courbée en deux, le cœur battant, je passai d'arbre en arbre pour m'approcher, et lorsqu'une trouée entre les pins s'amorça, je m'arrêtai derrière un tronc. Je distinguai alors la bâtisse, que je n'avais pas revue depuis trop longtemps, et je retins un cri. Ce que je contemplais si avidement était à l'abandon, désolé, lugubre sous le soleil. La clairière envahie par les mauvaises herbes, une large fissure zébrant le pignon comme une cicatrice, des morceaux de tuiles en provenance du toit et de l'auvent jonchant le sol : tout concourait à faire de la maison une ruine. Seule trace de vie, un gros chien était couché à l'ombre, près de la porte de la cuisine, veillant sur le désastre alentour.

Je regardai le chien un bon moment parce qu'il était le seul élément réconfortant dans ce paysage dévasté. Je me jurai – encore un serment ! – d'en avoir un moi aussi lorsque je réintégrerais ma maison. Car je n'en doutais toujours pas, je réussirais à revenir ici, à rentrer chez moi.

Chez moi... Horreur, malheur, tout ce travail qui m'attendait ! Pourrais-je jamais rendre son lustre à la propriété ? Non, sans doute pas, vu son état, mais au fond peu importait, de cela je me soucierais plus tard.

J'avais dû gigoter derrière mon arbre car le gros chien tourna la tête dans ma direction. Il se redressa, s'étira, bâilla, et enfin se recoucha en me tournant le dos, ayant choisi de m'ignorer. Je remarquai alors sa chaîne qui serpentait au sol. Il n'était pas gardien mais seulement prisonnier et j'en éprouvai un violent sentiment de tristesse. Je m'appuyai d'une main au tronc avant de fermer les yeux. Que restait-il de la maison de ma jeunesse et de ce vieux rêve auquel je m'accrochais ? Bien sûr, c'étaient les mêmes chants d'oiseaux, le même soleil de plomb, la même odeur de pins surchauffés qui couvrait celle de l'océan tout proche. En faisant appel à mes souvenirs, je pouvais presque entendre les gemmeurs s'interpeller, et deviner la silhouette de ce jardinier qui avait éveillé mes premiers émois. Je le revoyais traquer les rares mauvaises herbes, arroser les fleurs que le vent salé desséchait, bichonner l'improbable palmier de ma mère. Gauthier courait dans la clairière, sa main dans la mienne, et nous filions vers la pinède pour nous mêler aux résiniers. Le soir, dans la maison illuminée où les parents recevaient, on s'asseyait tout en haut de l'escalier pour regarder entrer les invités. Mon petit frère était censé aller au lit, trop jeune pour assister aux dîners, et je retardais le moment de descendre pour rester un peu avec lui. Je savais qu'il aurait peur tout seul dans son lit pendant qu'on s'amuserait en bas, mais il n'avait que dix ans et moi dix-sept. J'étais alors une jeune fille très en vue, très libre et très heureuse.

Je rouvris les yeux, étourdie, et je repartis comme j'étais venue, c'est-à-dire comme une voleuse. Mais ce serait la dernière fois, j'en avais le pressentiment. Bien que je n'aie pas aperçu âme qui vive hormis le chien, les propriétaires actuels allaient bientôt vendre, c'était une certitude.

À peine rentrée, je joignis Pierre Laborde pour lui recommander la plus grande vigilance car la bastide n'allait plus tarder à être mise en vente, et cette fois je devais être la première à faire une offre. Je lui décrivis avec précision l'état des lieux et lui demandai en retour l'état de ma fortune. Ses placements, habiles, avaient porté leurs fruits, me permettant de ne pas solliciter Paul-Henri que je voulais absolument laisser mourir en paix.

Ce soir-là, lorsque j'arrivai à l'hôpital, on m'annonça que mon mari avait sombré dans le coma et que ses heures étaient comptées. Je passai la nuit à son *chevet, serrant sa main inerte avec vigueur pour lui insuffler un peu de vie, mais il s'éteignit juste avant l'aube sans avoir repris connaissance.*

✳✳

Anne constata qu'il ne lui restait plus que quelques pages à lire dans le cahier de moleskine. Bien trop peu pour raconter la fin de l'histoire. En existait-il un autre, caché dans la maison ? Mais pourquoi Ariane aurait-elle laissé celui-ci en vue et dissimulé le suivant ? L'avait-elle détruit ? Ou bien était-elle toujours en train de l'écrire puisque la mort l'avait emportée par surprise ? Dans le secrétaire à rideau, il restait encore des papiers sans importance, qu'Anne devait finir de trier et jeter, ainsi qu'un peu de papeterie. Elle commencerait par chercher là, ensuite elle fouillerait tous les placards, y compris ceux de la cuisine où Ariane aimait se tenir, en espérant que Jérôme ne serait pas tombé dessus et ne l'aurait pas flanqué à la poubelle comme une vieillerie.

Outre qu'elle y apprenait bien des choses, le récit de sa tante captivait Anne. Elle hésita à terminer sa lecture, mais il était très tard et elle avait sommeil. Par curiosité, elle jeta néanmoins un coup d'œil sur la dernière page qui, ainsi qu'elle l'avait supposé, s'interrompait au milieu d'une phrase. Il y avait donc un second cahier, et elle le trouverait.

Remontant le drap sous son menton, elle tendit la main vers la lampe de chevet. De loin, Goliath l'observait, la tête posée sur ses pattes.

— Toi, murmura-t-elle, tu n'es pas prisonnier, tu es gardien.

Les oreilles du chien frémirent, puis il ferma les yeux. Anne éteignit et écouta un moment le silence de la maison. Comme chaque soir, elle songea à Paul qui devait dormir dans leur lit, à Castets, fatigué par sa journée de travail. Rêvait-il d'elle ? Pensait-il à elle en se réveillant ? Chaque jour écoulé les séparait davantage, le savait-il ? Anne pleurait moins souvent, moins longtemps, et moins violemment. Elle ne s'était pas dérobée quand Julien l'avait embrassée, elle y avait même pris un certain plaisir, l'espace d'une seconde, avant de se sentir mal. Et le souvenir de cet instant, loin de la torturer, lui procurait une sorte d'allégresse. Elle était capable d'exister et même de *désirer* loin de Paul. Bien sûr, elle était désolée pour Julien, qui était un homme très droit et qui devait fatalement se culpabiliser, mais enfin ils avaient échangé ce baiser à deux, il n'était pas seul responsable.

Elle était sur le point de sombrer dans le sommeil lorsque le téléphone sonna, déchirant la quiétude de la nuit. Renversant la lampe de chevet pour rallumer, elle se saisit de son portable à tâtons et entendit la voix stridente de Valère qui criait au secours.

11

Le problème n'était pas la fausse couche, un accident somme toute banal, mais l'état d'agitation extrême de Suki, qui avait fait une véritable crise de nerfs avant de s'enfermer dans un mutisme hagard dont elle semblait ne pas pouvoir sortir. Amenée aux urgences, elle était brièvement passée dans le service de gynécologie avant d'être finalement admise en psychiatrie et placée sous sédatifs.

Valère était aux abois, effrayé par l'hospitalisation de sa femme et prêt à déclarer qu'il se foutait pas mal d'avoir un enfant ou pas. Anne lui fit comprendre avec tact que c'était sans doute la dernière chose à dire à Suki.

— Elle y tient tellement que tu ne peux pas prétendre que tu t'en moques, que c'est sans importance.

Après avoir rejoint Valère dans la nuit à l'hôpital de Dax, elle l'avait réconforté de son mieux, emmené à l'aube prendre un petit déjeuner, puis elle était revenue avec lui à l'heure des visites, mais le médecin qui avait pris Suki en charge venait de les prévenir qu'elle ne se réveillerait pas avant le début de l'après-midi.

— Et j'aimerais autant qu'elle soit dans le calme quand elle va émerger, précisa-t-il à l'intention de Valère. Ne vous sentez pas écarté, dès qu'elle vous demandera je vous préviendrai, toutefois je voudrais d'abord avoir une conversation avec elle pour évaluer son état d'esprit. Elle était très choquée en arrivant, j'ai besoin de savoir où elle en est.

Valère essaya de protester mais Anne l'entraîna le long du couloir.

— Comprends-le, chuchota-t-elle. Il ne connaît pas votre situation de couple. Imagine que tu la battes ou qu'elle te déteste ?

Haussant les épaules, Valère ravala sa colère.

— Je suis tout de même le mieux placé pour la consoler, ronchonna-t-il.

— Pas forcément. Elle s'en veut énormément, depuis des années elle se croit responsable, mais sa rancune peut s'étendre à toi. Laisse-la reprendre le contrôle d'elle-même avec l'aide d'un toubib.

— Elle est chez les fous, Anne ! Elle va croire que…

— Non, rien du tout. Elle sera dans le coaltar, et on ne dit pas « chez les fous », tu le sais très bien. Bon, pour en revenir à des choses plus prosaïques, qu'est-ce qui se passe pour le magasin ? Tu le laisses fermé aujourd'hui ? J'ai eu un message de maman qui propose de tenir la boutique en se faisant aider par Lily. Tu serais d'accord ?

— Ce sont elles les cinglées, maugréa-t-il, elles vont s'amuser à jouer à la marchande ! Mais je n'ai pas le choix, je veux être libre de me précipiter au chevet de Suki dès qu'on me donnera le feu vert.

— On peut se relayer pendant quelques jours, elles et moi. Tu nous diras juste comment marche le tiroir-caisse. En revanche, pour le réapprovisionnement, tu devras te débrouiller.

— Il vaudrait mieux que je ferme carrément.

— Vous ne le faites jamais, surtout pas un samedi. Vos clients n'ont pas l'habitude.

— C'est de Suki qu'ils ont l'habitude, ils viennent pour elle, pour son art de composer les bouquets. Alors Lily... Tu as vu comment elle arrange les fleurs dans un vase ? Elle les jette en vrac !

Il était si désemparé qu'il préférait sans doute se mettre en colère que fondre en larmes.

— Je vais prendre tous les renseignements néces-saires au sujet des adoptions, et dès que Suki rentre à la maison, on monte un dossier.

Farouchement décidé à consoler sa femme par n'importe quel moyen, il était capable de se lancer dans une adoption sans y avoir vraiment réfléchi.

— C'est une décision importante, murmura Anne. Vous la prendrez ensemble, à tête reposée. Et n'oublie pas qu'une fausse couche, ça arrive à des tas de femmes qui ont ensuite des bébés très normalement.

Valère haussa les épaules, pas du tout convaincu, puis son visage s'éclaira en apercevant Paul qui venait à leur rencontre. Même s'ils se voyaient peu, leur amitié n'avait pas failli depuis le lycée.

— Alors, mon vieux, comment va-t-elle ? demanda Paul sans prêter attention à Anne.

— Elle est en pleine déprime et entre les mains des psys. Elle se réjouissait tellement que la chute a été trop dure pour elle.

— On peut la voir ?

— Non, même pas moi pour l'instant.

— Ils la préservent en attendant de savoir ce qu'elle souhaite, répéta Anne.

Cette fois, Paul fut obligée de la regarder. Ils restèrent un moment à se contempler en silence jusqu'à ce que Valère toussote.

— Je vous offre un café ? proposa-t-il. J'ai vu un distributeur quelque part…

Il n'attendit pas la réponse pour s'éclipser, les laissant face à face.

— Toujours heureuse loin de moi ? attaqua Paul avec un sourire amer.

— Pas heureuse, non, parce que tu me manques. Mais c'est ton choix, je n'y peux rien.

— Oh, Anne, ne revenons pas là-dessus !

Enfonçant ses mains dans les poches de son jean, il parut chercher ses mots avant de lâcher :

— J'ai contacté un avocat.

Ce fut comme s'il l'avait giflée. Elle fit un pas en arrière et secoua la tête, incrédule.

— Tu as… Bon, très bien, parfait.

Ne sachant pas quoi dire, elle voulut se détourner mais il la prit par les épaules pour l'en empêcher.

— Je t'en supplie, bredouilla-t-il, fais quelque chose.

— Quoi ? Qu'est-ce que je dois faire ? Je n'aurais jamais cru que tu puisses m'annoncer ça un jour aussi tranquillement ! Tu as pris un avocat, donc tu veux

vraiment divorcer. Tu es devenu mon ennemi, Paul ?
On va se battre pour la garde de Léo ? On va se
déchirer ? Mais c'est fou… fou !

Son menton s'était mis à trembler et elle eut du mal
à se reprendre. Avec beaucoup de douceur, il l'attira à
lui, chuchota à son oreille :

— Je t'aime, Anne.

Le ton était grave, calme. Dans toutes les circonstances de la vie, il gardait le contrôle de lui-même. Il
savait se contraindre, se maîtriser, il menait à bien tout
ce qu'il entreprenait. Longtemps, elle avait admiré cet
aspect fort de son caractère qui lui faisait soudain
horreur. *Je t'aime, malheureusement tu n'acceptes pas
de faire ce que je veux, alors je te quitte.* Un divorce
était-il pour lui moins douloureux que perdre ce bras de
fer engagé contre sa femme ? Elle se dégagea de son
étreinte sans y mettre aucune hostilité.

— Tu es gentil d'être venu, dit-elle seulement.
Valère y est sensible, il sait que tu as beaucoup de
travail à la clinique.

Essayer de se montrer aussi froide que lui n'était pas
aisé mais elle pouvait y arriver.

— La mère de Charles m'a appelée, elle pense
qu'ils arriveront ce soir vers six heures. Tu seras à la
maison pour accueillir Léo ?

— Pas de problème, je m'arrangerai avec Julien.

— Je viendrai le chercher lundi matin. Il est encore
en vacances et…

— Oui, il sera très bien avec toi.

— Est-ce que tu comptes lui annoncer, pour nous
deux ?

Le masque courtois de Paul parut se fissurer enfin, laissant apparaître un visage torturé.

— Je ne sais pas ce qui sera le mieux pour lui, avoua-t-il.

Du coin de l'œil, Anne aperçut Valère qui remontait le couloir à pas lents, rapportant des gobelets qu'il tenait avec précaution.

— Paul, souffla-t-elle.

Son mari tendit la main vers elle mais n'acheva pas son geste.

— Est-ce que tu m'aimes encore ? demanda-t-il d'une voix étranglée.

— Autant qu'avant !

— Alors, ne me laisse pas, je ne peux pas le supporter. J'essaie de faire face, mais sans toi je n'y arrive pas.

Anne se sentit vaciller. La sincérité de Paul la bouleversait, elle se dit qu'elle était folle de tout gâcher.

— Rends-moi ma vie d'avant cette connerie de testament !

Il n'aurait pas dû, ces mots-là étaient de trop. *Sa vie*. Lui. Son bonheur, son confort, sa vision de l'existence. Et elle, dans tout ça ?

— Je reviens un peu tôt ? s'enquit Valère en s'arrêtant à côté d'eux.

Paul le fusilla du regard. Sans doute avait-il perçu le fléchissement d'Anne, et cette interruption le mettait en colère. Mais l'instant de vérité était passé, il était retourné à ses exigences sans même en avoir conscience.

— Si je dois ouvrir le magasin, ajouta Valère, c'est bientôt l'heure.

— Je t'accompagne, décida Anne.

Elle voulut boire son café trop vite, se brûla et faillit cracher.

— Il faut que je file, dit Paul à Valère. Les consultations ont déjà commencé et Julien ne doit plus savoir où donner de la tête. Mais je repasserai quand les visites seront autorisées. Tu me tiens au courant ?

— Je suis très touché que tu sois venu.

— C'est normal, vieux ! On adore tous Suki, tu sais bien.

Faisant volte-face, il s'éloigna à grandes enjambées, en homme pressé.

— Ça va ? s'inquiéta Valère.

— Pas vraiment. Nous en sommes au stade de l'avocat.

Prudemment, elle reprit une gorgée tandis que son frère la scrutait.

— Je suis désolé pour vous deux.

— Quand les choses se détraquent…

— Sans Ariane, vous n'en seriez pas là. Vous n'aviez aucun problème, Paul et toi !

— Qui sait ? Cette « connerie de testament », comme dirait Paul, n'a peut-être été qu'un révélateur ?

Valère parut stupéfait mais il ne fit pas de commentaire. Ses propres soucis étaient assez accablants pour qu'il ne se mêle pas de ceux de sa sœur. Ils quittèrent l'hôpital et prirent la voiture d'Anne pour regagner le centre. Devant le magasin, Estelle et Lily les attendaient, bien décidées à se rendre utiles même si on ne leur demandait rien.

**

Brigitte rangea le seau et la serpillière dans l'office qui séparait les deux cabinets de consultation. Un chat avait été malade et il avait fallu nettoyer, désinfecter, aérer.

— Vous avez sept rendez-vous entassés dans la salle d'attente, dit-elle à Julien. J'espère que Paul va vite revenir, sinon on devra se passer de déjeuner. Il n'a pas assez d'ennuis en ce moment, il faut encore qu'il se préoccupe de la femme de son beau-frère ? Quelle famille, ces Nogaro… Avouez que, pour lui, ce n'est pas marrant.

Étonné qu'elle en sache autant, Julien la dévisagea.

— Eh bien oui, quoi ! Il ne fait pas mystère du départ d'Anne pour aller jouer les châtelaines. Sale coup pour lui, il ne mérite pas ça.

Généralement peu loquace, elle semblait avoir envie de dire sa façon de penser. Pourtant, Julien avait beau faire appel à ses souvenirs, elle n'avait jamais pris parti ou même prononcé un seul mot sur le sujet lors de son propre divorce. Sa manière de le soutenir durant cette période sombre avait consisté à lui apporter chaque semaine des gâteaux faits maison, comme si elle craignait qu'il ne se laisse mourir de faim.

À regret, Julien referma la fenêtre de son cabinet. Avec le beau temps, il aurait préféré la laisser grande ouverte, mais il ne pouvait pas courir le risque qu'un animal s'échappe.

— Bon, je vais chercher le suivant, annonça-t-il.

— C'est le tour de Mme Martin avec son insupportable caniche ! Elle est furieuse de l'absence de Paul parce que, en principe, elle ne veut voir que lui, vous n'êtes pas assez bon pour elle.

Certains clients avaient leurs préférences, mais ce matin la dame devrait se contenter de Julien. Il esquissa un sourire amusé que Brigitte remarqua aussitôt.

— En tout cas, vous, vous allez beaucoup mieux, hein ?

— Oui, admit-il, l'été m'a remis d'aplomb.

— L'été ! Il n'y aurait pas plutôt une femme là-dessous ?

Il leva les yeux au ciel avant de la précéder jusqu'à la salle d'attente où, en effet, il n'y avait plus une seule chaise de libre. Brigitte retourna derrière son comptoir et reprit son travail, mais elle n'avait pas la tête à ça. Machinalement, elle remplit quelques fiches de rappel pour les dates de vaccination. Les clients étaient habitués à recevoir un courrier quelques semaines avant la limite de validité, sinon ils oubliaient.

Le téléphone sonna, elle répondit, nota un rendez-vous. Son emploi à la clinique lui convenait depuis le premier jour car elle se sentait utile, voire indispensable, à ses deux patrons. Cependant le changement survenu dans la vie personnelle de Paul la déstabilisait. Jusqu'ici, elle n'avait voulu voir en lui qu'un homme marié, ce qui était sacré à ses yeux, mais s'il se retrouvait seul... Il lui avait toujours plu, elle appréciait son sérieux, son honnêteté, l'empathie qu'il manifestait envers ses clients, et surtout elle le trouvait très séduisant. Leurs rapports de travail étaient cordiaux, tout comme avec Julien, et elle avait su maintenir la distance nécessaire pour qu'il n'y ait pas la moindre ambiguïté. Aussi, à force de rester chacun dans son rôle professionnel, aucun des deux hommes ne semblait jamais s'être aperçu qu'elle était une jolie jeune femme. Bien sûr, elle ne faisait rien pour se mettre en valeur, elle venait travailler en jean et mocassins plats, enfilait une blouse à peine arrivée, attachait ses cheveux auburn en queue-de-cheval. Le passage incessant des animaux nécessitait ce genre de tenue confortable, qui d'ailleurs lui allait bien, et elle se contentait de troquer ses tee-shirts d'été contre des cols roulés l'hiver. Discrète sur sa vie privée, elle parlait peu d'elle mais plaisantait volontiers, assurant ainsi une bonne ambiance avec les deux vétérinaires et avec la plupart des clients.

— J'ai fait aussi vite que j'ai pu ! lança Paul en entrant.

Il adressa un vague sourire à la cantonade et disparut dans son cabinet. Dans deux minutes il viendrait chercher l'un de ses rendez-vous, sans doute avec cet air sombre qui ne le quittait pas ces derniers jours. Il vivait très mal ce qu'il appelait le « coup de folie » de sa femme, mais avec son caractère entier il ne céderait pas, ne la suivrait pas. Brigitte ne savait pas si elle devait le déplorer ou s'en réjouir. S'il se retrouvait libre un jour, tenterait-elle quelque chose ? De toute façon, ce ne serait pas tout de suite, il allait lui falloir du temps pour se remettre. Quoique… Julien avait remonté la pente, il était sur le chemin de l'oubli, à en croire son sourire et sa bonne humeur retrouvés. Est-ce que tous les gens mariés finissaient par divorcer puis recommencer ? Les statistiques étaient déprimantes, en particulier dans les grandes villes.

« Mais même ici, dans ce trou ! Julien, encore, sa femme s'est tirée avec un autre, ça peut arriver n'importe où. Pour Paul, son histoire d'héritage et de maison est incompréhensible. Ou alors, ils en avaient marre l'un de l'autre et ils ont sauté sur le premier prétexte. Sauf qu'il avait l'air heureux avec Anne, vraiment heureux. »

Retrouverait-il ce visage-là un jour, et grâce à qui ?

Des aboiements aigus suivis d'éclats de voix en provenance du cabinet de Julien la firent soupirer. Le caniche devait faire des siennes, comme d'habitude. Décidément, certains cabots étaient aussi mal élevés que leurs maîtres.

**

Léo avait rapporté un éventail à sa mère et des castagnettes pour Jérôme. Toute la matinée du lundi il fut intarissable sur son voyage en Andalousie, encore émerveillé par tout ce qu'il avait vu. Son amitié pour Charles paraissait s'être encore fortifiée durant le séjour, apparemment les deux garçons s'étaient amusés comme des fous. Ils avaient dû beaucoup parler, aussi, car Léo semblait résigné à la séparation de ses parents. La veille, son père lui avait annoncé avec ménagement un possible divorce, et Léo avait eu le courage de demander pourquoi, même s'il connaissait déjà la réponse. Paul avait invoqué une *incompatibilité d'habitat*, une expression judicieusement choisie, qui n'accusait personne.

Dès qu'il eut appris le projet des chambres d'hôtes, et avec l'assurance qu'une salle de billard resterait possible, Léo se montra très enthousiaste. Voir du monde le réjouissait d'avance, il était tout à fait d'accord pour donner un coup de main lors des travaux, et surtout il estimait que sa mère tenait peut-être là un moyen de conserver la bastide.

Bien qu'ayant besoin d'être confortée dans ses décisions, Anne fit remarquer à Léo qu'il n'avait pas à prendre parti. Elle ne souhaitait pas qu'il donne tort à son père, et encore moins qu'il s'en éloigne. Il allait devoir partager son temps entre ses parents, rester neutre dans leur conflit, et les aimer autant l'un que l'autre. Un peu vexé d'être rabroué, Léo finit par promettre de ne juger rien ni personne. Il grandissait, mûrissait, Anne le constata une fois de plus, et bien sûr il avait le droit d'avoir une opinion, mais elle craignait qu'il ne soit égoïstement influencé parce qu'il se plaisait à la bastide et s'y amusait davantage qu'à Castets.

Cette discussion lui laissa un goût un peu amer. Sa séparation d'avec Paul ne serait pas sans conséquence sur leur fils, et elle en portait l'entière responsabilité. À l'adolescence, une période délicate, Léo n'avait vraiment pas besoin d'être perturbé. Sa référence masculine devait rester son père, pas question qu'il prenne Jérôme comme modèle !

Pourtant, son frère lui offrit une bonne surprise dans la soirée, en exposant après le dîner les plans qu'il avait conçus seul dans son coin. Sur des feuilles quadrillées – sans doute prises dans le bureau d'Anne sans rien demander –, il avait assez bien dessiné la disposition du deuxième étage. La future salle de billard se trouvait à son emplacement d'origine, d'un côté du palier, et de l'autre un couloir desservait trois belles chambres flanquées de trois petites salles de bains.

— La dernière est plus vaste que les autres et pourrait contenir deux grands lits, pour une famille par exemple. Elle sera plus chère, évidemment ! Les sanitaires se trouvent à l'aplomb de ceux du premier, on pourra se raccorder sur les colonnes d'évacuation. Il faut prévoir une bonne isolation thermique et phonique, mais surtout soigner la déco, bien dans l'esprit landais pour faire couleur locale, avec des meubles en pin et des posters de surfeurs.

Penchés ensemble sur les plans, Anne et Léo les étudièrent tandis qu'il poursuivait, volubile :

— Les petits déjeuners seront servis dans la salle à manger, qu'on va aussi arranger plus gaiement. Et on devrait acheter un grand écran plat pour le salon, avec quelques fauteuils confortables. Si on trouvait un piano droit d'occasion… Une vraie maison d'hôtes, quoi !

— Et ça, c'est quoi ? voulut savoir Anne en désignant le dernier croquis.

— Derrière la maison, qui est la partie la plus à l'ombre, on pourrait arranger un salon de jardin avec une table de ping-pong un peu plus loin.

— Ah, oui ! approuva gaiement Léo.

— Mais on ne sera plus nulle part chez nous ? objecta Anne.

— Tu n'es pas obligée de tout faire d'un coup. Vois d'abord comment ça marche, ce qui te convient et ce qui plaît aux gens, après tu envisageras tes investissements au fur et à mesure.

Elle n'en revenait pas qu'il soit soudain si bien organisé, si pragmatique. À ses yeux Jérôme était un velléitaire doublé d'un paresseux, qui privilégiait toujours son propre intérêt. Qu'avait-il à gagner s'il s'investissait corps et âme dans ce projet ? Elle n'avait pas assez confiance en lui pour en faire un véritable associé, sachant qu'il pouvait disparaître du jour au lendemain, pressé d'aller s'amuser ailleurs. Autant elle aurait volontiers fait affaire avec Valère, autant elle jugeait Jérôme trop peu fiable. Néanmoins, il se montrait efficace pour une fois, et son entrain était communicatif.

— C'est génial, murmura Léo d'une voix songeuse. On va s'ouvrir un peu au monde, arrêter de vivre comme des taupes…

Comme des taupes ? Était-ce ainsi qu'il voyait son existence jusqu'ici ? Dépassée par les contradictions de chacun, y compris les siennes, Anne rassembla les dessins.

— Je vais d'abord prendre rendez-vous avec mon notaire, annonça-t-elle.

Ariane devait utiliser le même ton lorsqu'elle décidait d'aller se confier à Pierre Laborde, et cette comparaison supposée fit sourire Anne. Peut-être que sa tante n'aurait pas apprécié la solution des chambres d'hôtes, mais la bastide allait continuer sa route entre les mains d'une Nogaro, le flambeau avait été transmis.

— Rien n'est encore fait, précisa-t-elle à l'intention de son fils, pour calmer son excitation.

Il connaissait bien sa mère, aussi lui adressa-t-il son sourire angélique de garçon sage.

✳

L'odeur des lys incommodait Lily qui déplaça leur seau, trop proche de la caisse. Mais ainsi celui des roses blanches se retrouva caché et elle dut le pousser, faisant disparaître les tulipes à leur tour.

— Oh, bon sang !

L'arrangement de Suki était savamment calculé, on ne pouvait rien bouger, et au bout de cinq minutes Lily remit tout en place, non sans avoir renversé le seau des tulipes qui lui aspergea les pieds. Elle en était à chercher une serpillière lorsque Anne arriva enfin.

— Pas trop tôt ! Ah, ça ne m'amuse pas du tout de jouer à la fleuriste ! Tu viens prendre la relève ? Je vais en profiter pour aller faire des courses, j'ai la tête qui tourne. Regarde-moi ce désastre, on se salit les mains ici…

— Et les pieds, je vois. Valère est à l'hôpital ?

— Oui, et après il doit aller chercher des fleurs je ne sais plus où, il ne rentrera que vers quatre heures.

— Tu as des nouvelles de Suki ?

— Je crois qu'elle va mieux, elle s'est remise à parler. Un flot d'excuses, bien entendu. Tout de même, que d'histoires pour un têtard !

Choquée par la réflexion, Anne toisa sa sœur qui se défendit aussitôt :

— Depuis le temps que ça dure, ils n'ont qu'à adopter un enfant. Suki se torture tellement pour en avoir un qu'elle n'y arrivera jamais, c'est dans sa tête. En tout cas, c'est l'avis d'Éric.

— Oui ? Eh bien, l'avis d'un dentiste…

Les lèvres pincées, Lily se détourna, attrapa son sac.

— Je te laisse le magasin, amuse-toi bien !

Elle sortit sans attendre, faisant claquer ses talons sur le carrelage. Apparemment, jouer à la marchande ne lui plaisait plus. Mais n'en avait-il pas toujours été ainsi avec Lily qui se lassait de tout ? Le comptoir était jonché de morceaux froissés de papier cristal et de rubans tire-bouchonnés, preuve que les emballages n'étaient pas son fort. Anne remit un peu d'ordre, vérifia sur le carnet de commandes que Valère n'avait oublié aucune livraison, puis elle se jucha sur le haut tabouret, près de la caisse, et regarda autour d'elle. Le magasin possédait une atmosphère particulière, qu'on ne trouvait pas chez d'autres fleuristes. Suki avait disposé quelques objets personnels sur les étagères de fer forgé, et entre deux orchidées on pouvait voir, çà et là, un chandelier de bronze ou un cendrier de cristal. Suki adorait son métier, Suki adorait son mari, et pourtant elle n'était pas heureuse, totalement frustrée par son désir d'enfant, en révolte contre son corps qui ne lui obéissait pas, et prête à sombrer dans une dépression aiguë. Anne la plaignait, la devinant plus fragile que ce qu'elle laissait voir. On la prenait pour une petite Asiatique courageuse et déterminée, capable de faire face quoi qu'il arrive, pourtant ce nouvel échec l'avait anéantie. Valère était-il assez fort pour qu'elle puisse se reposer sur lui le temps de remonter la pente ? Pour l'instant, il devait se sentir très seul. Avait-il beaucoup d'amis en dehors de Paul ? Sans illusions, Anne était presque sûre que Paul finirait par en vouloir à Valère d'être un Nogaro, le frère de celle qui l'avait quitté pour une *foutue baraque*.

— Alors c'est vous qui tenez la boutique ? l'apostropha Hugues depuis le pas de la porte.

Souriant, bronzé, regard bleu acier et chemise blanche impeccable, il n'était évidemment pas venu pour acheter des fleurs, il avait dû la voir passer devant l'agence quand elle avait remonté la rue.

— J'ai de très jolies tulipes noires, et aussi des roses blanches à longues tiges, annonça-t-elle en souriant. C'est pour offrir ou pour décorer votre agence ?

— Non, non, ne vous y prenez pas comme ça ! Suki ne dit rien aux clients, elle leur sourit et les laisse se promener. Valère m'a appris ce matin qu'elle allait mieux, je suis bien content pour elle. Pour eux deux, en fait, parce que c'est un chic type, ainsi qu'un très bon photographe. Je vais encore avoir besoin de ses services pour mon agence de Biarritz, et j'ai donné ses coordonnées à un confrère.

— C'est gentil.

— Je crois qu'il a besoin de travailler, alors si je peux lui rendre service…

Comme chaque fois qu'elle le rencontrait, Anne le trouvait trop bavard et trop content de lui, néanmoins, en pensant à son frère elle lui adressa un grand sourire qu'il prit pour un encouragement.

— Vous n'avez plus pensé à ma proposition de restaurant ?

— Désolée, j'ai eu plein de choses à faire. Et ça ne va pas s'arranger car je compte me lancer dans un projet de chambres d'hôtes qui prendra sûrement tout mon temps.

— Des chambres d'hôtes dans votre propriété ? Excellente initiative ! Je ne désespère pas que vous me donniez un jour cette maison à vendre, et si vous faites quelques travaux de rénovation entre-temps, vous la valoriserez. Les gens ont généralement peur de se lancer dans de grands chantiers, mais je vois que ça ne vous effraie pas.

— Parce que je n'ai aucun chiffre en tête pour l'instant.

— Vous comptez faire quoi ? Aménager le second ? Il y a un prix moyen au mètre carré auquel vous pourrez vous référer si vous voulez avoir une idée. En réalité, Anne, vous ne perdriez pas votre soirée en dînant avec moi, je peux vous aider, c'est un peu ma partie. Même pour le financement, je…

— J'ai un très bon notaire, l'interrompit-elle.

Si elle le laissait parler, il serait encore là dans une heure et il finirait par lui extorquer un rendez-vous. Il faisait partie de ces gens qui ont une opinion sur chaque chose et une solution à tout afin de se rendre indispensables. Or Anne ne voulait rien lui devoir, même pas un repas. S'il ne l'avait pas trouvée si évidemment à son goût, elle aurait peut-être essayé de s'en faire un ami, mais la manière dont il la couvait du regard ne laissait aucun doute sur ses intentions.

Je vais fermer, dit-elle pour se débarrasser de lui, c'est l'heure de déjeuner.

— Avec moi ? Il y a une terrasse à deux pas d'ici où ils servent de succulents poissons grillés.

Devant tant d'insistance, elle se mit à rire.

— Non, pas aujourd'hui, je ne peux pas. Et ne regrettez rien, je ne suis pas… comment dire ?

— Vous n'êtes pas d'humeur ?

— C'est ça.

Rien ne semblait pouvoir lui faire perdre contenance, il se contenta de hocher la tête d'un air entendu.

— Je n'insiste pas. Mais je repasserai vous voir !

Il quitta le magasin après un clin d'œil, la laissant perplexe. Elle ne lui avait pas menti, le marivaudage était la dernière chose qui aurait pu l'amuser en ce moment parce qu'elle pensait à Paul dix fois par jour, avec angoisse ou chagrin. Et sans doute lui faudrait-il longtemps avant de se sentir disponible, avant de pouvoir regarder un autre homme avec un quelconque intérêt.

Et pourtant… Pourtant, elle s'était laissé embrasser par Julien en éprouvant un indéniable *plaisir*. Or ce n'était pas pour se venger de Paul, inutile de se raconter des histoires, il s'agissait d'une attirance qui avait peut-être toujours existé sans qu'elle y prenne garde. À présent, elle savait, elle n'avait plus d'excuse.

*
**

Agacé, Paul regarda avec dégoût le sandwich qu'il venait de se confectionner. Lui qui adorait faire la cuisine, comment avait-il pu arriver à un résultat aussi peu appétissant ? Le jambon pendouillait en dehors du pain, qui d'ailleurs était rassis. Pourquoi n'était-il pas allé déjeuner au restaurant plutôt que rentrer chez lui ? Dans sa maison, il se sentait mal, l'absence d'Anne lui pesait chaque jour davantage, il ne prenait pas du tout son parti de la situation.

Lorsqu'elle était venue chercher Léo, Anne en avait profité pour récupérer une partie de ses vêtements, il l'avait constaté le soir en ouvrant les placards de leur chambre. Désormais, il ne restait plus grand-chose d'elle ici, pourtant il ne parvenait pas à croire qu'elle soit vraiment partie. Par quelle aberration avait-il obtenu un résultat pareil ?

Au téléphone, l'avocat avait parlé de consentement mutuel, de divorce rapide, de procédure facilitée, et Paul avait réalisé pour de bon ce qui lui arrivait. Une vie sans Anne, voilà ce qui l'attendait. Avec le regard de reproche de Léo tous les dimanches. Non, un dimanche sur deux.

Dans le séjour, le petit bureau où Anne avait l'habitude de travailler sur ses dossiers comptables semblait abandonné. Pour ne plus le voir, Paul allait devoir s'en débarrasser. Au milieu du plateau vide, une minuscule clef USB contenant la comptabilité de la clinique avait été laissée par Anne à son intention et sur sa demande. Il prit la clef, joua un moment avec, finit par la glisser dans la poche de son jean. De nouveau, il considéra le bureau inutile. Comment un chien de la taille de Goliath avait-il pu se loger là-dessous durant plusieurs jours ?

Penser à Goliath lui rappela la sinistre découverte du corps d'Ariane. Tous les ennuis de Paul avaient commencé à cet instant précis. Si seulement Ariane lui avait parlé de ses intentions avant sa mort, il aurait pu la dissuader de léguer sa maison à Anne, de plutôt la laisser à... À qui ? Ariane méprisait son frère et n'avait pas confiance en lui. Eh bien, à la SPA, et Goliath avec !

Mais non, bien sûr que non. Même informé du testament, Paul ne se serait jamais douté que sa femme pourrait vouloir habiter cette maudite bastide. Il aurait considéré ce legs comme une chance sans imaginer la suite. Parce qu'il manquait d'imagination ? Parce qu'il ne connaissait pas Anne si bien que ça ? Quand donc l'avait-il perdue de vue ? Trop de travail, trop d'habitudes, on oublie de regarder l'autre, on ne le comprend plus. La fantaisie d'Anne, qui avait toujours été pour lui une soupape, qu'il le veuille ou non, le prenait aujourd'hui par surprise et le laissait démuni. Serait-il plus satisfait de conserver son ordre établi qu'avoir suivi sa femme dans l'aventure, même contre son gré ? Il aurait pu *essayer*, il ne l'avait pas fait. Son orgueil était sauf, c'était bien la seule chose qui le soit au milieu des décombres.

Il jeta le sandwich à la poubelle et décida de retourner à la clinique. En attendant le premier rendez-vous de l'après-midi, il en profiterait pour faire un peu de comptabilité. Une tâche qui lui incombait désormais mais qu'il pourrait éventuellement partager avec Julien, le temps de trouver quelqu'un de confiance pour remplacer Anne.

Remplacer Anne… Il sortit de chez lui en claquant la porte et sans même fermer à clef.

⁂

En fin d'après-midi, Anne quitta l'étude de Pierre Laborde avec des sentiments mitigés. Le notaire lui avait annoncé qu'il envisageait de prendre sa retraite d'ici quelques mois, or elle avait besoin de son soutien et de son expérience. Amusé de la voir si inquiète, il s'était engagé à continuer de lui prodiguer ses conseils aussi longtemps qu'elle le souhaiterait. Anne lui avait alors confié son projet de chambres d'hôtes, qu'il avait approuvé sans réserve.

— Une maison de cette taille doit aussi être une source de revenus, même modestes, sinon c'est seulement un gouffre et vous ne vous en sortirez pas.

Ainsi, l'idée de Jérôme était bonne, pour une fois son frère avait visé juste alors que la plupart de ses initiatives se soldaient par des échecs.

— Ariane n'aurait sans doute pas désapprouvé votre choix, avait ajouté Pierre Laborde d'un ton paternel. Elle-même n'aurait pas pu s'y résoudre, en raison de son âge et surtout de son passé. Pour elle, il y avait eu trop d'étrangers dans sa maison, elle ne voulait plus voir personne en franchir le seuil. Dès qu'elle en est redevenue propriétaire, elle s'est quasiment cloîtrée dans ses murs pour en jouir. Mais en ce qui vous concerne, les choses sont différentes, vous pouvez aller de l'avant et transformer la bastide à votre gré, du moment que vous vous y plaisez.

Ensuite, ils avaient longuement discuté d'argent. La succession enfin close, il revenait à Anne une petite somme qui allait lui être bien utile pour les travaux mais qui ne suffirait jamais.

— L'État est glouton, il vous a taxé à cinquante-cinq pour cent sur la totalité, c'est la loi pour un parent au quatrième degré comme une nièce.

— Mon père, s'il avait hérité, aurait moins payé ?

— Quarante-cinq pour cent entre frères et sœurs. Et donc, Ariane avait tout calculé. Elle devait mettre beaucoup d'argent de côté pour vous permettre de régler les droits, ce qui l'empêchait de faire des travaux. En aurait-elle fait que la maison se serait retrouvée valorisée d'autant, c'était un cercle vicieux. Mais elle ne dépensait presque rien, elle se montrait très économe parce qu'elle voulait absolument que vous ayez le choix de garder la bastide ou pas. Elle suivait les cours de l'immobilier et s'était beaucoup réjouie de la crise qui avait fait chuter les prix. Quel paradoxe ! Elle prétendait qu'il lui fallait se dépêcher de disparaître avant que ça remonte.

— Vous saviez que son cœur était fragile ? À moi, elle n'avait rien dit.

— Une fois, quelques jours avant sa mort, elle m'a avoué qu'elle était malade, mais sans préciser. De toute façon, elle ne se soignait pas, elle estimait que ce n'était pas la peine de s'éterniser puisqu'elle avait eu ce qu'elle voulait.

Lorsqu'il évoquait Ariane, il paraissait toujours triste mais, refusant de se laisser aller à l'émotion, il s'était réfugié derrière une question qui lui tenait à cœur :

— Puisque je suis votre conseil, Anne, je dois vous demander quelque chose. Où en êtes-vous avec Paul ?

Elle avait été incapable de lui répondre. En réalité, ils n'étaient nulle part, égarés dans un conflit qui les avait dépassés et dont ils ne semblaient vouloir sortir ni l'un ni l'autre.

En quittant Dax, elle ne prit pas la route la plus directe pour rentrer chez elle car elle n'avait pas envie de passer par Castets. L'idée d'apercevoir la petite maison où elle avait vécu plus d'une dizaine d'années la rendait trop triste et elle préféra filer vers Magescq, puis Léon et Saint-Girons. Arrivée là, elle prit la direction de Lit-et-Mixe, mais une fois dans la forêt, au lieu d'aller droit sur la bastide elle obliqua vers la plage du Cap-de-l'Homy. La fin de journée était délicieuse, la grosse chaleur se trouvant balayée par le vent marin. Une petite balade sur le sable la tentait, surtout à cette heure où les vacanciers pliaient bagage, rassasiés de soleil et fatigués d'avoir nagé dans les rouleaux. Elle évita la zone de baignade surveillée, enleva ses chaussures et se mit à marcher en fixant la ligne d'horizon. Ses pensées tourbillonnaient de Suki à Jérôme, de Léo à Paul, de ce chantier dans lequel elle allait se lancer à Ariane dont la mort avait eu une telle influence sur son existence. De loin en loin, elle croisait un surfeur attardé qui remontait la plage, sa planche sous le bras. L'heure du dîner approchait et elle devait rentrer, mais la promenade était si apaisante qu'elle n'arrivait pas à rebrousser chemin.

Elle fit un crochet pour éviter un homme qui venait à sa rencontre, un masque et des palmes à la main. À la dernière seconde, elle reconnut Julien et ils s'arrêtèrent en même temps, aussi surpris l'un que l'autre. Gênés, maladroits, ils ne savaient pas comment se dire bonjour, et finalement Anne lui demanda ce qu'il faisait là.

— Je vais piquer une tête… Après une journée de boulot, j'adore ça. Et toi, tu te promènes ?

— J'avais besoin de marcher.

— On s'assied une minute ? proposa-t-il en désignant le sable.

— La dernière fois qu'on a fait ça…

— Justement, parlons-en.

Ils s'installèrent côte à côte, attentifs à laisser un espace entre eux.

— Pour l'autre jour, je suis navré. Vraiment. C'est le truc le plus balourd et le plus indélicat que j'aie fait de ma vie entière ! Mais pour être franc, c'est difficile de t'avoir dans les bras sans être tenté, j'ai présumé de mes forces en voulant te consoler. Moralité, j'ai affreusement honte devant Paul, et comme je le vois du matin au soir, j'expie.

L'expression la fit sourire et elle se sentit moins embarrassée. La franchise de Julien dédramatisait l'incident, ils allaient pouvoir retrouver des rapports amicaux. Pourtant, dès qu'elle se tourna vers lui, elle comprit quelque chose qu'elle avait refusé d'envisager jusque-là : il l'attirait, il lui plaisait. S'écartant davantage, elle se mit à dessiner du bout des doigts sur le sable pour se donner une contenance.

— Je n'oublie pas que je te dois de l'argent, marmonna-t-elle.

— Oh, bon sang, Anne ! Je ne suis pas pressé, je te l'ai dit, et c'est Jérôme qui a une dette, pas toi.

Sur le point de répondre que Jérôme était incapable de gagner de l'argent, et encore moins de le conserver, elle se ravisa. Son frère était en train de changer, elle devait lui laisser une chance de faire ses preuves.

— Et ne me parle plus de ça, c'est un mensonge supplémentaire vis-à-vis de Paul, je ne veux même pas m'en souvenir.

D'un geste mesuré, il se pencha vers elle et lui déposa un baiser chaste sur la joue.

— Je suis content qu'on ait pu bavarder, toi et moi, ajouta-t-il en se levant. Maintenant, je vais me baigner !

Il s'éloigna à grandes enjambées, apparemment détendu, mais il avait oublié de récupérer son masque et ses palmes. Elle le vit entrer dans l'eau puis plonger pour s'éloigner du rivage. C'était un excellent nageur, un bon surfeur, et il avait appris à Léo le ski nautique. Julien, l'ami de la famille, l'associé de Paul… le dernier homme à trouver séduisant, évidemment.

Elle se releva, brossa le sable sur son jean et tourna le dos à l'océan.

*

Suki était habillée, impatiente de quitter cette détestable chambre d'hôpital. Tout ce qu'elle éprouvait désormais était de la honte : comment avait-elle pu se laisser aller de la sorte ? La déception de sa fausse couche l'avait submergée avec la force d'un raz-de-marée, avait failli l'anéantir, mais à présent elle en mesurait tout l'égoïsme. Pauvre Valère ! Son merveilleux mari, si attentionné, si tendre et si amoureux, méritait autre chose que son hystérie.

Elle rangea soigneusement la lettre de son père dans son portefeuille, ferma son sac et se remit à faire les cent pas. Elle n'avait pas besoin de la relire, elle la connaissait par cœur. Rigoureux et tranchant, son père lui avait rappelé certains principes de dignité, lui recommandant d'honorer sa famille et de s'en remettre aux dieux pour son destin plutôt que gémir stupidement sur son sort. Elle devait relever la tête, sourire, accepter.

Peut-être n'aurait-elle pas dû téléphoner à sa mère. Pourquoi l'inquiéter ? Les communications avec le Japon coûtaient cher et elle n'en avait tiré aucun réconfort. Sa mère, trop effacée, ne pouvait rien pour elle, en revanche la leçon de son père avait été salutaire.

Surpris du brusque changement d'attitude de sa patiente, le médecin avait écouté les explications de Suki et vigoureusement protesté. D'après lui, mieux valait laisser parler ses émotions car les enfouir était nocif à la longue. Mais il avait sa mentalité d'Européen, il ne pouvait pas comprendre. Suki lui avait signifié qu'elle quittait son service, avec ou sans son approbation. Elle avait hâte de retrouver Valère la nuit et ses fleurs le jour. Une existence qu'elle avait choisie, qu'elle aimait, dont elle était fière. Et voilà qu'elle s'était terrée ici pour fuir la réalité, abandonnant aux autres ses corvées et ses responsabilités ! Oui, c'était indigne d'elle, la plume paternelle le lui avait durement rappelé, maintenant elle devait se racheter.

L'enfant ? Elle ne voulait plus y penser. D'ailleurs, ce n'était pas un bébé, à peine un fœtus de quelques millimètres, et qui n'était pas destiné à naître, sans doute pour une excellente raison. Peut-être y en aurait-il d'autres, viables cette fois, puisque tous les gynécologues consultés depuis des années affirmaient que rien, dans l'organisme de Suki, ne s'opposait à la maternité. Le psychiatre suggérait que l'obstacle se trouvait dans sa tête. Ainsi, ce serait elle-même qui ferait barrage, inconsciemment ? Mais non, elle ne voulait pas fouiller ses moindres pensées et ses plus obscurs souvenirs, elle s'était bien trop torturée jusque-là.

Accepter, relever la tête, sourire. Elle allait s'y tenir, elle s'en était fait le serment et elle n'était pas femme à manquer à sa parole. Ne plus embêter Valère, ne plus ennuyer personne. Remontant son pantalon de toile devenu trop grand, elle serra sa ceinture d'un cran. Sa maigreur était effrayante, elle se forcerait à manger dès qu'elle serait chez elle. Et une de ses premières visites serait pour Anne qui, au milieu de tous ses soucis, avait trouvé le temps de venir la voir, de rassurer Valère, et surtout de garder le magasin de façon plus sérieuse que Lily, en vérifiant les comptes, les commandes ou les factures des fournisseurs. Anne était une femme formidable, et Suki se demandait pourquoi toute la famille semblait lui en vouloir depuis qu'elle avait hérité. Chacun y allait de son commentaire acide, de sa petite phrase assassine, Estelle elle-même désavouait sa fille en disant que la folie de la « vieille toquée » l'avait gagnée.

Tous ces gens parlaient de folie à la légère, et ce qui les rendait dingues était surtout l'argent. Suki, elle, avait failli perdre la raison pour de bon, mais ça n'arriverait plus.

Quand Valère entra dans la chambre, tout heureux de venir la chercher, elle s'était composé un visage affable, serein, et elle lui tendit les bras.

**

Contacté par Pierre Laborde, le fils de Paul-Henri s'était rué à Dax. Il apparut immédiatement qu'il était décidé à me faire tous les ennuis possibles. Lors d'un échange un peu vif que nous eûmes à l'étude, il clama qu'il savait à quoi s'en tenir sur le « handicap » de son père, et que je ne l'avais donc épousé que pour son argent. À l'intention de Pierre Laborde, éberlué, il mit les points sur les i avec des mots très crus. Pour ne pas être en reste de civilités, je lui rétorquai qu'il n'était donc pas le fils de Paul-Henri, mais il ricana et se réfugia derrière la loi. Reconnu comme enfant unique, il était l'unique héritier et ne me laisserait, à regret, que les miettes strictement nécessaires.

À l'issue de cette séance, la guerre était donc déclarée. Et j'étais humiliée que Pierre connaisse désormais mon secret, qu'il sache que ce mari dont j'avais vanté la perfection avait été, en réalité, fort peu gâté par la nature. Pire encore, les palaces semblaient lourdement endettés et la comptabilité de Paul-Henri se révélait une aberration. Il avait créé des sociétés, donné des parts à son ex-femme lors du divorce, s'était montré le pire des gestionnaires. Quoi qu'il arrive, il faudrait sans doute des années pour démêler ses affaires, et bien entendu son fils allait s'empresser de confier tout cela à son avocat espagnol, un juriste aussi combatif qu'un taureau de Miura. Très pessimiste, Pierre m'avertit que je n'avais pas grand-chose à attendre, ni à court ni à moyen terme. Voulais-je toujours, malgré tout, racheter la bastide, quitte à y investir mon dernier franc ? Oui, je le voulais plus que jamais et me moquais bien d'être totalement démunie une fois dans mes murs.

L'ironie du sort faisait que j'étais accusée d'avoir épousé « pour son argent » le seul de mes maris que j'avais aimé, le seul dont je n'avais pas cherché à tirer profit. Le seul être dont l'enterrement m'avait boule-versée, et aussi le seul qui m'ait appris quelque chose.

Juste à ce moment-là, par un de ces hasards qui font le sel de la vie, les indignes propriétaires de la bastide la mirent en vente, et Pierre Laborde se porta acquéreur en mon nom. La date pour la signature du compromis fut arrêtée, ce qui me rendit ivre d'exaltation, au point *d'appeler Gauthier pour lui apprendre que j'avais enfin réussi. Sa réaction, prévisible au fond, fut de me demander si je n'étais pas devenue folle. Sourde à ses sarcasmes, je lui proposai...*

⁂

Le cahier s'arrêtait là. Économe, Ariane n'en avait pas perdu une ligne, la dernière phrase devait se poursuivre ailleurs. Anne se sentit affreusement frustrée, elle voulait, elle devait connaître la fin de l'histoire. S'il en existait un second, pourquoi diable Ariane avait-elle séparé les cahiers ?

Anne se précipita dans le bureau, ouvrit le secrétaire à rideau qu'elle fouilla méthodiquement sans rien trouver. Il ne restait pas grand-chose du désordre d'Ariane, et en tout cas aucun cahier. Sa tante avait-elle eu envie de lui organiser une chasse au trésor ? Non, Ariane avait été cynique et rusée, mais pas espiègle.

Réfléchissant aux endroits possibles, Anne remonta la galerie jusqu'à sa chambre et inspecta avec soin le fond du placard, puis les tiroirs de la commode. Peut-être n'avait-elle pas prêté attention à un cahier en rangeant ses affaires ? Pourtant il n'y avait rien sous les tee-shirts ou les maillots de bain, rien derrière les jeans ou les espadrilles. Pensive, Anne considéra ses vêtements d'été. Bientôt la rentrée, l'automne... Ses pulls chauds et ses manteaux étaient encore dans la maison de Castets, dont elle avait toujours la clef. Un de ces jours, elle devrait aller les récupérer en prévision de l'hiver, et cette perspective était si démoralisante qu'elle demanderait peut-être à Léo de le faire. Non, ce serait lâche, et pas plus amusant pour lui que pour elle. Il ne faisait pas de commentaire sur la séparation de ses parents, sans doute trop pudique ou trop mal à l'aise pour émettre une opinion, mais qu'en pensait-il ? Que confiait-il à son ami Charles ?

Et elle, qu'en pensait-elle ? Elle refusait de réfléchir à ce divorce annoncé, à la situation absurde où Paul et elle s'étaient enferrés. Et pas davantage au fait que, si elle était triste en s'endormant, en revanche elle se réveillait chaque matin de bonne humeur, heureuse d'ouvrir les yeux dans cette chambre où elle se sentait à sa place.

Alors qu'elle s'apprêtait à descendre pour fouiller la cuisine et la cave, son téléphone vibra dans la poche de son jean. Avec un petit pincement de déception, elle constata que le nom qui s'affichait était celui de sa mère, pas de Paul.

— Ah, s'exclama Estelle, je suis contente de te joindre ! Écoute, j'aurais voulu organiser quelque chose pour ton anniversaire, la semaine prochaine…

Anne avait quasiment oublié qu'elle allait avoir trente-six ans dans quelques jours, et elle fut touchée que sa mère y ait songé.

— Mais bon, enchaîna Estelle, tu comprends bien qu'en ce moment, c'est problématique. Impossible d'inviter Paul, impossible de ne pas l'inviter. Vraiment, je plains ce pauvre garçon. Lui qui t'adorait !

— Je préfère ne pas en parler, maman.

— Il le faut, pourtant. Et je t'avoue que je ne me vois pas réunir la famille sans lui. Ce serait choquant de faire la fête pendant qu'il se désespère, non ? À mon avis, le mieux est de reporter, de passer ça sous silence.

— Tu as raison, ironisa Anne, je vais rester à trente-cinq ans. Comme ça, j'y gagne.

— Oh, épargne-moi ton humour ! Comment peux-tu avoir la tête à rire ? Vraiment, je ne te comprends pas, Anne.

— C'est vrai.

Vexée, Estelle laissa passer un silence puis finit par conclure, avec réticence :

— Si tu veux, je passerai t'embrasser ce jour-là. Je n'ai pas vu Léo de tout l'été, ça me fera plaisir.

La curiosité devait être sa première motivation, davantage que son petit-fils et loin devant sa fille. Tout ce qu'Anne avait lu au sujet de sa mère dans le cahier d'Ariane semblait finalement assez juste, et le constat se révélait amer.

— Je dois te laisser, maman.

— Tu es sûrement très occupée avec ton projet farfelu de chambres d'hôtes ? Essaye de ne pas trop entraîner Jérôme là-dedans, ça l'empêcherait de se trouver un vrai travail.

Agacée par tant d'aveuglement, Anne marmonna une vague formule et mit fin à la communication. Comment ne pas se sentir isolée du reste de sa famille ? Elle leur ressemblait si peu !

Elle alla ouvrir en grand l'une des fenêtres et s'accouda à la rambarde. La clairière était inondée de soleil, et tout autour les pins serrés les uns contre les autres formaient un cercle d'ombre zébré de lumière. Un paysage magnifique auquel elle se sentait très attachée désormais. D'où elle était, le grillage délimitant la propriété était invisible, sa petite forêt se fondait dans l'immensité boisée. Elle vit Goliath déboucher du chemin au trot, de retour d'une de ses balades. Ce chien la rassurait par sa présence et l'apaisait par son affection muette, sans doute contribuait-il à son bien-être dans la maison, comme il l'avait fait pour Ariane.

En se détournant, elle remarqua un peu de poussière sur les pastels, au-dessus de la commode, et elle décida de se lancer dans un grand ménage. Sa chambre devait rester aussi impeccable qu'elle l'avait trouvée, chaque fois qu'elle y mettait de l'ordre elle imaginait sa tante préparant soigneusement la pièce à son intention. Quel instinct lui avait soufflé qu'Anne se plairait ici au point de ne plus vouloir partir, quitte à chambouler toute sa vie ? Avait-elle deviné que, au fond d'elle-même, sa nièce aspirait à un changement ? En ce cas, elle lui avait ouvert une porte sur la liberté d'entreprendre autre chose.

Elle secoua la vieille couverture du chien, ainsi qu'elle le faisait chaque matin, et remarqua que le coussin qui tapissait le fond du panier était vraiment usé, aplati, sale. Autant tout jeter, elle trouverait bien une autre couverture à sacrifier. Lorsqu'elle souleva le coussin, elle laissa échapper une exclamation de stupeur et s'agenouilla. Un peu mâchouillé sur les bords, un cahier de moleskine rouge était plaqué contre l'osier.

— Goliath…

Quand le chien avait-il rapporté et enfoui cet objet là ? Vu son aspect, depuis un certain temps déjà. Anne le décolla avec précaution pour ne pas l'abîmer davantage. Les crocs avaient marqué un coin mais la moleskine ne s'était pas déchirée. Après l'avoir délicatement ouvert, Anne regarda la première page et vit qu'il s'agissait bien de la suite de l'histoire. Au lieu de se mettre à lire, elle alla à la fin du cahier, qui était presque rempli jusqu'au bout. Mais l'écriture d'Ariane s'interrompait sur un grand trait de stylo qui avait griffé le papier. Était-elle en train d'écrire quand la mort l'avait surprise ? Goliath s'était-il approprié le cahier parce qu'il portait l'odeur de sa maîtresse ?

Une bouffée d'émotion secoua Anne, lui fit monter les larmes aux yeux. Elle se releva en serrant contre elle le précieux cahier. Pas question de commencer sa lecture sur-le-champ, elle attendrait d'être seule dans le calme de la nuit pour reprendre l'histoire car à chaque page elle croyait entendre le rire de sa tante, et ce ton sarcastique qu'elle employait pour égratigner chacun au passage tout comme pour se moquer d'elle-même.

Retournant à la fenêtre, elle jeta un coup d'œil en bas et vit Jérôme et Léo, assis côte à côte sur les marches du perron, lancés dans une discussion qui devait concerner les travaux, l'avenir. Au coin de la maison, Goliath s'était couché à l'ombre. Un vent léger apportait l'odeur de l'océan, faisait imperceptiblement frémir les pins et soulevait un peu de cette poussière de sable arrachée aux dunes par les tempêtes.

Anne réalisa alors pleinement qu'elle était ici chez elle, que ce domaine était désormais son royaume et qu'elle n'en partirait plus. Sa détermination effaçait sa culpabilité, elle se sentait prête à entamer une autre vie.

— Qui m'aime me suive, dit-elle à voix basse.

À suivre...

FRANÇOISE
BOURDIN
DANS LES PAS
D'ARIANE
**

ROMAN

POCKET

« Un roman passionnant, des personnages bien vivants et une belle écriture. »

L'Écho de l'Ouest

Françoise BOURDIN
DANS LES PAS
D'ARIANE

Malgré l'hostilité de ses proches, Anne Nogaro a décidé de s'installer dans la maison que lui a léguée sa tante Ariane. Son projet : transformer l'antique demeure en gîte rural. Lorsque Paul la quitte, lassé de ses idées fantasques, Anne est plus déterminée que jamais. Mais le journal intime d'Ariane va une nouvelle fois bouleverser l'harmonie familiale...

À paraître en avril 2013

Composé par Facompo
à Lisieux (Calvados)

Achevé d'imprimer
en Espagne
par Liberduplex
en avril 2013

POCKET - 12, avenue d'Italie - 75627 Paris Cedex 13

Dépôt légal : mars 2013
S22247/02